KB081058

나무의 맛

THE FLAVOR OF WOOD
Copyright © 2019 by Artur Cisar-Erlach
First published in the English language in 2019
By Abrams Press, an imprint of Harry N. Abrams, Incorporated, New York

ORIGINAL ENGLISH TITLE :
THE FLAVOR OF WOOD
(All rights reserved in all countries by Harry N. Abrams, Inc.)
Korean translation copyright © 2021 by MATI BOOKS Korean translation rights
arranged with Harry N. Abrams, Inc. through EYA (Eric Yang Agency).

이 책의 한국어판 저작권은 EYA (Eric Yang Agency)를 통한
Harry N. Abrams, Inc.사와의 독점계약으로 마티가 소유합니다.
저작권법에 의하여 한국 내에서 보호를 받는 저작물이므로
무단전재 및 복제를 금합니다.

나무의 맛

연기부터 수액까지
뿌리부터 껍질까지
나무가 주는 맛과 향

아르투르 시자르-에를라흐 지음
김승진 옮김

마티

나폴리 소르빌로의 피자 ▶ 너도밤나무 피자, p.77
가문비나무 잎으로 만든 기침약 ▶ 런던에서 온 엽서, p.99

호밀로 만든 위스키와 증류기 ▶ 위스키 맛의 70퍼센트, p.119

CARL

Desde 1912
germana
CAETANO'S
AMRUT
Sherry
MACALLAN

슈네켄라이트너 통 제조장 풍경 ▶ 제노바 럼 투어, p.149

피에몬테에서 열린 슬로 치즈 축제 ▶ 푸른 요구르트, p.229

모데나의 전통 발사믹 식초 ▶ 발사믹 식초에 붙은 번호, p.285

아삭한 식감이 일품인 미니 오이 ▶ 아삭한 피클의 비밀, p.247

냄새로 트러플을 찾는 개 ▶ 트러플 사냥, p.345

나무 형성층으로 숙성한 치즈 ▶ 나무껍질에 숨겨둔 치즈, p.363

저자가 직접 만든 나무 요리들 ▶ 나무와 친구들, p.395

카르멘의 지지와 지원이 없었다면
이 책을 완성하지 못했을 것이다.
부모님의 격려가 없었다면
이 책을 시작하지 못했을 것이다.
이 세상에 존재할 수 있는
최고의 친구들이 베풀어준 도움이 없었다면
이 책의 내용을 채우지 못했을 것이다.

고마워요, 키라!

[일러두기]
대괄호는 모두 옮긴이의 첨언이다.

한국 독자들에게

이 책의 핵심에는 자연 세계에 대한 나의 지대한 사랑이 자리하고 있다. 나는 상록수림이 우거진 오스트리아 북부 지역과 깊은 숲, 구불구불한 호수, 바위 해안이 절경을 이루는 캐나다 동부 연안을 오가며 자랐고, 자연이 내어주는 경이로움을 몇 달씩 탐험하며 어린 시절을 보냈다. 숨이 멎을 듯한 풍광을 담은 다큐멘터리와 고전적인 모험 소설들로 불붙은 호기심을 장착하고서, 나는 숲속에서 동물의 자취를 따라가고 식물 군집이 다채롭게 적응하며 변화하는 모습을 관찰하고 야생 베리와 버섯을 실컷 따며 놀았다. 북대서양의 얼음 같은 물에서 스노클링을 하며 굴과 홍합 사냥에도 나섰다.

자연스럽게, 나무들은 나의 충실한 동반자가 되었다. 나무들은 비와 뜨거운 볕을 막아주고 모닥불 피울 장작을 내어주고 공예품을 만들 목재를 제공해주고 내가 제일 좋아하는 정글짐이자 천문대 역할도 해주었다. 부드럽게 흔들리는 나무 꼭대기에 앉아 있는 순간이면 세상에서 가장 가벼워진 나를 느낄 수 있었다. 나무가 주변 세계와 관계 맺는 방식을 보고 느낀 경험은 내가 생태와 미학을 이해하는 데 근본적인 영향을 미쳤다. 나는 나무야말로 자연의 아름다움을 가장 경이롭게 체현하고 있는 실체라고 생각한다. 나무의 아름다움은 인간의 조각품이나 건축물 대부분을 거뜬히 능가할 것이다. 특히 부드럽게 굽은 나뭇가지와 캘리그래피 붓 같은 바늘 잎을 가진 소나무는 품위와 우아함의 더할 나위 없는 상징이다. 소나무의 품위와 우아함은 그것이 제공하는 맛의 특성으로도 이어진다.

숲을 탐험하며 보낸 유년기의 영향으로, 학창 시절에는 목공을 배웠고 대학에서는 숲 생태학을 전공했다. 공부를 하면서 나의 또 다른 열정의 대상인 음식이 내가 사랑하는 자연 세계의 존재 자체를 위협하고 있다는 사실을 알게 되었다. 오늘날 우리가 식품을 생산하고 소비하는 방식은 환경과 우리 둘 다에 심각한 악영향을 끼친다. 나는 어릴 적 경험한 자연 세계를 보호하려면 음식의 세계를 바꾸어야 한다는 것을 깨달았다.

그리고 이탈리아 폴렌조의 미식과학대학에서 대학원 과정을 밟으면서 바로 그 변화를 시작해볼 수 있었다. 내가 사랑하는 나무들이 이미 우리의 음식에 들어와 있다는 것을 깨달았을 때 내가 얼마나 기뻤겠는가! 이렇게 해서 나는 3년간의 흥미진진한 나무 음식 탐험에 나서게 되었고 그 결과를 이 책에 담았다.

"나무의 맛"에 대한 지식이 쌓여가면서, 원할 때면 언제나 자연 세계로 피신할 수 있게 되었다. 전적으로 인간이 만든 인공 환경에서 일하거나 이동할 때, 코로나 록다운으로 꼼짝없이 집에만 있어야 할 때도 녹차 한 잔을 마시거나 팬케이크에 메이플 시럽을 뿌리거나 나무로 훈연한 치즈를 먹으면 그 맛과 향이 나를 어린 시절의 그 부드럽게 흔들리던 나무 꼭대기로 순간이동시켜주었다.

나무가 수많은 방식으로 우리의 생존을 가능케 한다는 것을 알게 되면서 나무 맛 탐험은 한층 더 고양되었다. 나무는 우리가 내쉬는 이산화탄소를 흡수해주고, 우리 발 아래의 표토를 비옥하게 해주며, 땅으로부터 우리가 식탁에 올릴 풍성한 수확물을 얻게 해준다. 우리의 현재와 미래에 나무는 상상 이상으로 중요하다. 인간의 환경에 나무가 중요한 일부로 통합되어야만, 인간 도시의 조경과 건물에서 나무가 더 많은 공간을 가질 수 있어야만, 아울러 인간의 산업이 숲 생태계에 적대적인 방식이 아니라 그것과 조화를 이루는 방식으로 작동하게 되어야만, 인간에게 지속가능한 미래가 가능할 것이다. 다행히, 한국에서부터 오스트리아, 캐나다까지 세계 각지에서 그 방향으로 많은 움직임이 일고 있다.

나는 우리의 생태적인 미래에 대해 희망을 품고 있고 그 미래를 간절하게 기다린다. 언제라도 우리를 잔잔히 흔들리는 소나무 꼭대기로 순간이동시켜줄 "나무의 맛" 또한 그 가운데 한 장면일 것이다.

서문
나무에 대하여

나무란 무엇일까?

답은 누구에게 물어보느냐에 따라 상당히 다를 수 있다.

[나무의 단단한 부분을 먼저 연상한다면] 삼림관리원, 목수, 그리고 일반 대중은 대체로 나무(wood)를 도구적으로 쓰임새가 많은 에너지원[1]이자 천연자원[2]으로 본다. 목재는 교량부터 건물의 골조까지, 또 정교하고 복잡한 가구, 악기, 조각품까지 온갖 것을 만드는 데 사용된다. 땔감으로 쓰이면 집을 따뜻하게 해주고 심지어 철이나 유리까지 녹일 수 있는 에너지를 낸다.

한편 생물학자는 목질을 식물 세계에서 핵심적인 기

능을 하는 부분으로 본다. 목질은 "나무 및 기타 식물의 주된 강화 조직이자 양분 운송 조직이며 자연 물질 중 가장 풍부하고 용도가 많은 물질"[3]로 정의되는데, 개체를 튼튼하게 해주고, 영양분이 많은 수액을 나르는 인프라 역할을 하며, 보호 기능도 제공한다. 인간의 신체에 비유한다면 목질은 뼈, 살, 혈관, 피부를 합한 것과 같은 기능을 한다.

목수이자 생물학자인 나는 두 가지 정의를 모두 사용한다.

사실 나는 나무(wood)가 뿌리, 둥치, 가지, 잎을 모두 포함하는 나무(tree) 전체, 나아가 그것이 자라는 환경, 그것이 지탱해주는 생태계, 그리고 그것을 가지고 살아가는 사람들과의 관계까지 아우르는 총체적인 개념이라고 생각한다. 즉 '나무'는 흔히 생각되는 것보다 훨씬 더 포괄적인 의미를 갖는 것으로 보아야 한다. 여기에는 목재의 기술적이고 도구적인 특징, 목질이 식물 시스템에서 수행하는 역할, 나무가 환경에 미치는 중요성, 그리고 나무가 갖는 막대한 사회경제적 의미까지 모두 포함된다.

나무는 늘 인간에게 근본적으로 중요한 존재였다. 인류는 오늘날 북미, 아프리카, 아시아, 유럽이라고 알려진 방대한 열대림의 나무 위에서 벌레를 잡아먹고 사는 존재로 출발했다. 이후에 지구의 기온이 떨어지면서 아프리카의 숲이 사바나와 개방삼림지대[open woodland. 위쪽의 나뭇잎이 숲의 바닥을 다 덮어버리지 않아서 햇빛이 바닥까지 비칠 수 있는 숲]가 되고 나서야 우리는 나무에서 내려와 현재처럼 두 발로 걷고, 농경을 하고, 도시를 건설하는 존재로 진화할 수 있었다.[4] 그럼에도 사바나와 개방삼림지대가 남긴 인상은 인간에게 영구적으로 각인된 모양이어서, 우리는 공원과 정원, 그리고 너른 초록의 공간을 만들고 신중하게 고른 나무와 관목 들을 배치해서 그러한 분위기를 다시 만들고자 애쓰곤 한다.

나무와 인간의 긴밀한 관계는 종교에서도 잘 드러난다. 많은 샤머니즘 종교에서 나무는 생명 자체의 상징으로 여겨졌다. 또 성경과 토라[유대 율법]에도 에덴동산 한가운데 상징적인 나무가 서 있는 것으로 묘사되어 있다. 코란에도 비슷한 이야기가 있는데, 여기에서는 '영원의 나무'라고 불린다. 흥미롭게도 '에덴'은 평원이라는 뜻의 고대 수메르어 '에딘-나'(edin-na)가 어원이다.[5] 평원은 수원(水源) 근처에 약간의 나무가 있는 너른 초원을 의미한다. 그러니까, 종교 경전이 에덴동산이라고 묘사하고 있는 것은 놀랍게도 인간이 진화했던 바로 그 자연 환경이다.

힌두교와 불교는 무화과나무 속(屬)에 속하는 풍채 좋은 나무를 숭배했다. 이 나무의 학명은 참으로 적절하게도 [성스러운 무화과나무라는 뜻의] 피쿠스 렐리기오사(ficus religiosa)다. 힌두교에서 이 나무는 삼주신(三主神)의 일체를 나타내는데, 뿌리는 창조의 신 브라흐마, 둥치는 유지의 신 비슈누, 잎은 파괴 혹은 변형의 신 시바를 의미한다. 불교에서는 무화과나무가 '깨달음의 나무'라는 뜻의 보리수라고 불리는데[보리는 힌두어 'bodhi'를 음차한 것이다], 부처가 그 아래에 앉아 열반에 도달했기 때문이다. 그래서 거의 모든 불교 사원에는 보리수나무가 있다.[6]

웅장한 나무로 생명을 상징하는 것 외에, 가지, 잎, 꽃, 과일 등 나무의 각 부분도 많은 종교에서 은유로 사용되었다. 이를테면, 기독교에서 올리브 나뭇가지는 평화를 상징하고 '금지된 과일'은 유혹을 상징한다. 일본 신토에서 벚꽃은 유한하고 사라지기 쉬운 속세의 삶을 상징한다.[7] 또 북유럽 신화에 나오는 우주수(宇宙樹) '이그드라실'(Yggdrasil)은 전체 우주를 체현한 존재로 여겨진다. 이 신화의 영향으로, 스칸디나비아 나라들에서는 한가운데에 큰 나무 하나를 심어놓은 농장을 많이 볼 수 있다. 그 나무는 농장과 땅을 소중히 보살펴야 한다는 의무를 되새기게 해주는 도덕적 상징물이며, 그것을 잘 돌보는 것은 곧 조상을 공경하는 것이기도 하다.[8]

조상 이야기가 나왔으니 말인데, 집안의 계통, 즉 족보를 시각화해서 보여줄 때도 나무 모양의 '가계도'(family tree)가 사용되며, 점점 더 복잡해지는 기업, 단체, 정부 기관의 계통과 구조를 가시적으로 나타내는 '조직도'(organizational tree)도 나무 모양을 하고 있다.

스위스 출신의 저명한 정신의학자이자 정신분석학자 카를 융은 다양한 문화권에서 인간의 무의식에 담겨 있는 상징을 연구하는 데 평생을 바쳤는데, 사람들의 꿈에 나무의 형상이 매우 자주 등장하며 당사자가 모르는 고대의 경전, 신화, 시 등에서와 동일한 방식으로 등장하는 경우가 많다는 것을 발견했다. 따라서 융은 나무가 인간의 원형, 즉 모든 문화권에 걸쳐 사람들의 뇌에 각인되어 있는 가장 기본적인 상징이라고 결론 내렸다.[9] 또 몇몇 연구에 따르면, 무성하고 푸르른 풍경을 사진으로만 봐도 마음이 느긋해지고 기분이 좋아지는 효과가 생긴다.[10] 나무를 주택, 인테리어, 가구 등의 마감 장식에 사용하는 것만으로도 사람들에게 긍정적인 영향을 줄 수 있다.[11] 학생, 환자, 사무직 노동자 등을 대상으로 한 여러 실험에 따르면, 실내에 나무로 된 부분이 있을 경우 스트레스가 감소하고 주관적으로 느끼는 전반적인 후생이 높아지는 것으로 나타났다.[12] 또한 삼림욕의 효과를 연구한 일본의 한 연구는 나무에서 자연적으로 나오는 화합물에 노출됨으로써 인체의 면역력이 측정 가능한 수준으로 향상된다는 것을 발견했다.[13]

기후변화라는 절박한 문제도 아마존 우림이나 러시아 냉대림과 같은 전 세계의 주요 삼림 지대가 쪼그라들고 있는 것과 명백하게 관련이 있다. 세계자연기금, 그린피스 등의 환경 단체는 나무와 숲이 대기 중 이산화탄소 농도를 낮추고 생물종 다양성과 수자원을 보호하는 데 얼마나 중요한지를 직관적으로 보여주기 위해 나무가 다 베어져나간 삼림의 사진을 단골로 사용한다. 나무는 사회경제적인 발전에도 매우 중요하다. 유엔 식량농업기구의 추산에 따르면, 땔감 및 기타 삼림 생산물의 가치는 전 세계 GDP의 2퍼센트에 달하며 [지난 몇십 년 사이] 매년 2.5퍼센트씩 성장해왔다.[14] 또한 숲에서 (고용을 통해, 삼림에서 나오는 생산물을 통해, 그 밖에 삼림이 직간접적으로 생계나 소득에 기여하는 바를 통해) 직간접적인 혜택을 입는 사람이 10억~15억 명에 달하는 것으로 추산되는데, 이는 세계 인구 약 7분의 1에 해당한다. 요컨대, 여타의 경제 영역과 달리, 지속 가능한 삼림은 일자리, 자원, 생산물만 제공하는 게 아니라 깨끗한 물, 맑은 공기, 건강한 토양을 생성함으로써 생태계에도 없어서는 안 될 혜택을 제공한다. 이것들의 경제적 가치를 숫자로 말하기는 어렵지만, 모두 우리 인간에게 필수불가결한 것들이다.[15]

한마디로 나무는 모든 곳에 있다. 종교의 상징이었건 건설 자재였건 땔감이었건 기분을 북돋워주는 것이었건 경제생활의 중대한 원천이었건 간에, 나무는 늘 인간의 동반자였다. 나무는 심지어 우리의 꿈속에도 존재했다.

그런데, 우리의 음식 속에도 나무가 존재할까?

만약 존재한다면, 나무의 맛이란 어떤 것일까? 그것을 묘사하는 것이 가능할까? 신맛이나 단맛처럼 독자적이고 단일한 맛일까, 아니면 여러 요소들이 혼합되어 일으키는 복합적이고 특이한 맛일까? 우리가 오늘날 먹는 음식 중 어떤 것이 나무의 맛에서 영향을 받았을까? 그것들은 누가 생산하고 있을까? 이러한 질문들에 대한 답은 어디에서 찾을 수 있을까?

미식학 석사 과정 시절 위스키와 와인에 대한 글쓰기 과제를 하다가 갑자기 나무통이 굉장히 궁금해지기 시작했다.

왜 와인과 위스키에 대한 논의는 재료의 질, 생산자의 전문성, 숙성의 중요성에만 초점을 맞출 뿐 이 요소들을 한데 모아서 담고 있는 나무통에 대해서는 거의 분석하지 않을까? 나무통을 만드는 데도 엄청난 장인의 지식과 노력이 들어가지 않나? 또 나무가 살아 있는 물질이니만큼 나무통은 틀림없이 술에 모종의 맛을 보태게 될 텐데, 그렇다면 익숙한 바닐라 맛(통이 알코올에 노출될 때 나무 안의 화합물이 화학 반응을 하면서 발생시키는 부산물에서 바닐라 맛이 난다[16]) 외에 나무통에서 생성되는 다른 맛들도 있을까? 있다면, 그것들 사이에는 무언가 공통된 '나무 맛'이 존재할까? 세상에는 나무 종류가 많고도 많은데 왜 다들 오크로 만든 통만 사용할까?

생각을 이어가다 보니, 나무 혹은 나무의 일부와 닿는 음식이 와인이나 위스키만이 아니라는 사실을 깨닫게 되었다. 메이플 시럽이나 차는 아예 나무가 주재료다. 어떤 음식은 나무를 태운 연기로 훈연해 맛도 내고 오래 보관할 수 있게도 만드는데, 고기, 생선뿐 아니라 초콜릿이나 파스타 중에도 이런 것이 있다. 또한 맛과 냄새는 연결되어 있으므로 나무의 맛을 논하려면 나무의 향도 생각해야 한다. 그렇다면, 나무로 만드는 향수도 있지 않을까?

생각의 불씨에 불이 활활 타올랐다. 글쓰기 과제의 분량을 훨씬 넘치는 내용이 될 게 틀림없었다.

지금 돌아보면, 나무의 맛에 갑작스럽게 관심이 불타오른 것은 평생 숲과 나무를 접하며 살았던 내 인생 경로의 자연스러운 결과 같기도 하다. 어렸을 때 나는 '숲의 지역'이라는 뜻을 가진 오스트리아 최북단 발트피에르텔이라는 곳에 살았고 매년 여름은 캐나다 동부 연안의 삼림지대인 노바스코셔에서 지냈다. 어린 시절의 추억을 떠올려보면 늘 이런저런 크기와 형태의 숲이 등장한다. 고등학교는 오스트리아 잘츠부르크에 있는 기숙학교를 다녔는데, 드물게도 목공 기술까지 배울 수 있는 곳이어서 내린 결정이었다. 빈 대학에 진학해서는 생물학, 그중에서도 숲 생태학을 전공했다. 그러므로 이탈리아 폴렌조의 미식과학대학에서 '음식 문화와 커뮤니케이션' 수업을 들었을 때 내 열정의 두 가지 대상인 나무와 음식을 연결하게 된 것은 퍽 자연스러운 일이었던 셈이다.

나무의 맛이라는 알쏭달쏭한 실체를 추적하려니 어디에서 시작할지부터 정해야 했다. 수업 과제를 하다가 생겨난 질문이 1000단어 분량을 훌쩍 넘기게 된 것은 물론이거니와 내가 살던 이탈리아와 오스트리아에서 시작해 (실제로, 또 글과 대화로) 전 세계를 돌아다니는 여정이 될 줄은 정말 몰랐다.

3년 동안 나는 나폴리의 피자 요리사, 모데나의 발사믹 식초 생산자, 피에몬테의 트러플 버섯 채집가, 남티롤의 와인 양조자, 산송(山松) 요리사, 오스트리아의 위스키 제조자, 바이에른주의 맥주 양조자, 독일의 미니 오이 피클 생산자, 런던 중심가의 차 상점 주인 등을 찾아다녔다. 또한 유럽 밖에서 활동하는 인도의 차 재배자, 케냐의 요구르트 생산자, 캐나다의 메이플 시럽 생산자, 아르헨티나의 공학자, 베트남의 향수 에센스 채집가 등도 만났다. 흥미로운 만남, 뜻밖의 우연, 아름다운 풍광, 과학적인 사실, 역사적인 연결고리들이 가득 담긴 이 여정은 모두 나무의 알쏭달쏭한 맛을 찾아가는 과정이었다. 자, 나는 그 맛을 찾아냈을까?

1 나무, 열정, 맛

비버가 준 영감

오크 통의 계시 이후 나는 나무의 맛을 알아내는 일에 좀 집착하는 상태가 되었다. 몇 주 동안 인터넷을 검색하고 친구와 동료에게 물어보고 식품 생산자와 과학자 들도 만나가며 내가 생각할 수 있는 모든 자료를 찾아보았다. 그런데 자료를 찾고 이야기를 들을 때마다 매번 새로운 아이디어나 통찰이나 실마리가 나타났다. 곧 여기에는 하나의 답이 있는 게 아니라는 사실이 점점 명확해졌다. 어떤 사람은 나무가 음식과 접촉할 때 맛에 영향을 미친다는 가설을 강하게 확언했지만 어떤 사람은 단호하게 부인했다. 더욱 곤란하게도, 나무가 영향을 미친다고 말한 사람들(모두 와인과 증류주 분야의 사람들이었다)은 다시 둘로 나뉘었는데, 한쪽은 나무의 영향이 매우 긍정적이라고 말했고 다른 쪽은 나무의 영향이 전적으로 부정적이며 음식 맛을 망친다고 말했다. 또한 사람들이 말하는 '나무'가 대체로 '오크'를 의미한다는 것도 점점 명확해졌다. 다른 나무 종을 언급하는 사람은 거의 없었고, 저장용 통에 대해서라면 더욱 그랬다.

나는 나무의 맛에 대해 논란을 종결해줄 확실한 증거를 찾겠다는 일념으로 조사를 계속했다. 나무가 음식 맛에 실제로 영향을 준다는 가설을 분명하게 확증해줄 (혹은 분명하게 반박해줄) 하나의 확실한 실마리를 발견할 수 있기를 기대했다. 하지만 매번 내가 얻는 정보는 확실한 실마리가 아니라 또 다른 새로운 가능성을 가리키는 듯했다.

진전이 없는 데 낙담해서, 캐나다 노바스코샤의 부모님 댁에 가서 시간을 좀 보내기로 했다. 어린 시절 하루 종일 하이킹과 급류 타기를 하며 보냈던 광대한 숲과 끝없어 보이는 강줄기, 아름다운 호수는 머리를 비우기에 완벽한 장소가 될 터였다. 스트로브 잣나무, 솔송나무, 단풍나무가 우거진 향긋한 숲속에서 유리처럼 빛나는 호수와 재잘재잘 흐르는 시내 사이를 돌아다니는 것보다 더 아름답고 마음 느긋해지는 일이 또 어디 있겠는가? 상쾌하게 쌀쌀한 가을 아침에는 더욱 그렇다. 해 뜨기 전에 카누를 타고 호수에 나가 피어오르는 안개에 둘러싸인 채 조용히 풍경을 미끄러져 지나가노라면 주변의 자연이 서서히 깨어나는 것을 볼 수 있다. 새들은 나무에서 나무로 그날의 짧은 첫 비행을 한다. 사슴은 물가에 서서 물을 마신다. 밤 사냥을 마치고 돌아오는 수달 가족은 호수에서 요란하게 물장구를 친다.

그리하여 유독 그림 같이 아름답던 어느 날 캐나다에서 새벽에 카누를 타고 호수로 나갔다가 비버 가족 네 마리가 호숫가의 풀을 갉아 먹고 있는 것을 보았다. 나는 그들을 만나서 반가웠지만 그쪽은 그렇지 않았던 모양인지, 꼬리로 세차게 물장구를 쳐서 명백하게 의사표시를 하고는 [비버가 동료들에게 위험을 알리는 행동이다] 물속으로 쑥 들어가 버렸다. 나는 숲을 돌아다니다가 비버가 지은 댐을 여러 번 마주쳤다. 비버의 댐은 실로 솜씨 있게 지어져서, 물속에 있는 그들의 은신처에 찬바람은 물론 어떤 적도 들어오지 못하게 막아내고 있었다. 근처의 나뭇가지나 막대기, 진흙, 돌, 기타 식물을 가지고 지은 비버의 댐은 수 세기도 버틸 수 있으며 주변 환경을 근본적으로 변모시킬 수 있다. 지구상의 어떤 동물도 비버의 건축 역량에 필적하지 못할 것이다(슬프게도, 인간은 빼고 말이다). 게다가 비버는 이 어려운 일을 나무만 먹고 살면서, 그것도 차가운 물속에서 해낸다.

퍼뜩 이런 생각이 떠올랐다. 어쩌면 이것이 내가 찾고 있던 확실한 실마리일지도 몰라! 비버는 기본적으로 나무를 먹고 산다(그리고 몇몇 사진으로 판단해보건대 나무만 먹고도 꽤 살이 찌고 덩치도 커질 수 있는 것으로 보인다). 음식과 나무에 대한 내 질문에 비버보다 더 잘 설명해줄 수 있는 존재가 또 있을까?

완벽한 정보원이긴 했지만 비버에게는 그만큼이나 완벽하게 치명적인 문제가 하나 있었다. 차가운 물에서, 그것도 밤에 돌아다니길 좋아하는 동물과 어떻게 인터뷰를 한단 말인가? 또한 비버는 쇳빛의 단단한 치아로 나무를 갉아 먹고, 양분을 최적으로 추출하기 위해 자신의 똥을 다시 삼키며,[1] 의도적으로 자기 집에 물이 범람하게 만든다. 한마디로 비버의 행동과 인간의 행동 사이에는 공통된 기반이 하나도 없어 보였다.

고민을 하다가, 비버의 행태를 관찰해서 비버가 어떤 나무를 좋아하고 어떤 나무를 싫어하는지 몇 가지 가설을 세워보자는 쪽으로 방향을 잡았다. 나는 비버가 지은 댐 주변에서 비버에 의해 잘려나가고 없는 작은 나무와 덤불이 무엇인지 살펴보았다. 처음에는 비버가 아무거나 가리지 않고 먹는 것 같아 보였다. 맛에 대한 기호보다는 가까운 데 있느냐 아니냐가 나무를 선택하는 주된 요인 같았다. 하지만 호숫가의 나무와 덤불 중 비버가 잘라낸 것들과 댐에 사용된 것들을 비교해봤더니 몇몇 종류가 빠져 있는 게 눈에 띄었다(나중에 어디에서 읽은 바에 따르면, 이것은 '중심 장소 채집 행동'이라고 불리는 습성과 관련이 있다. 작은 나무, 가지, 덤불 등을 그것들이 자라는 곳에서 바로 먹지 않고 특별한 중심 장소, 즉 자신의 보금자리로 가져와 소비하는 것을 일컫는다.[2] 이 말은, 비버가 먹기 좋은 나무는 집으로 가져갔고 먹기에 별로인 나무는 댐을 짓는 데 썼다는 의미다).

보금자리로 가져가는 것이 불가능한 큰 나무 중에는 비버가 껍질을 갉아서 죄다 벗겨낸 것도 있었고 껍질이 그대로 남아 있는 것(아마도 비버 입맛에 맞이 없는 것)도 있었다. 댐 하나를 골라 더 자세히 살피면서(폭우로 손상되어 부분적으로 다시 지어져 있었다) 어떤 덤불이 없어졌는지, 어떤 나무가 껍질이 벗겨졌는지 등을 더 세세하게 들여다보았다. 머루나무, 층층나무 등은 거의 댐을 짓는 용도로만 쓰이는 것 같았다. 낙엽송, 가문비나무, 발삼전나무 같은 상록수는 당연히 거들떠보지도 않은 상태였다. 왜 당연하냐고? 나무를 베는 도구가 치아밖에 없다면 당신은 어떤 나무를 선택하겠는가? 향긋한 입냄새를 갖게는 해주겠지만 며칠이나 입을 벌리지 못할지 모르는 끈적한 나무를 고르겠는가, 아니면 이에 들러붙지 않는 나무를 고르겠는가? 내가 파악한 바로, 비버가 잘 먹는 나무는 버드나무, 포플러나무, 단풍나무, 자작나무였다. 겨우 댐 한 개를 그리 과학적이지도 않은 방법으로 관찰해 얻은 결론이었지만, 나중에 과학 논문과 인터넷 자료들에서도 이를 확인할 수 있었다.

이제 맛에 대한 질문으로 넘어갈 차례. 나무의 맛을 어떻게 확인할 것인가? 이번에도 비버가 영감을 주었다. 비버는 나무에서 껍질과 그 바로 안쪽의 형성층(겉껍질과 안쪽의 단단한 목질 사이에 끼어 있는 층으로, 영양분을 나르는 부분)만 먹는다. 비버는 나무 맛에 꽤 까다로운 기준을 가지고 있다고 알려져 있으며, 실제로 나무껍질의 맛을 보고서 먹이로 쓸지 말지 결정한다.[3] 나는 맛을 알기 위해 나무를 직접 먹어보는 비버의 단순한 접근법을 따라 하기로 마음먹었다. 다 자란 나무는 껍질이 너무 거칠 것 같았고 나무에 손상을 입히고 싶지도 않았기 때문에, 어차피 주기적으로 제거되는 도랑 근처의 어린 나무들에서 샘플을 구하기로 했다. 내게는 비버의 강철 이빨이 없으므로 대신 칼을 사용해서, 네 그루의 나무에서 형성층까지 포함해 나무껍질을 조금 잘라서 먹어보았다.

불쾌한 맛이 날 줄 알았는데 의외로 그렇지 않았다. 포플러 껍질은 희미한 루바브 같은 첫맛에 이어 점점 더 쓴맛이 났다. 하지만 마누카 꿀(항균 효과와 항산화 효과가 있다고 알려진, 뉴질랜드 원산의 마누카 꽃에서 나오는 꿀[4])을 곧바로 연상시키는 단맛도 감돌았다. 자작나무 껍질은 매우 사각거리는 질감이었고 맛은 샐러드 채소와 무척 비슷했다. 단풍나무 껍질은 의외로 아무 맛도 나지 않았다. 가장 맛이 불쾌한 것은 버드나무 껍질이었는데, 흙도 털지 않은 풋감자 같은 맛이 났다. 종합적으로 말해서, 나무마다 껍질의 맛이 매우 다르다는 사실을 알게 된 것, 그리고 비버가 느끼는 맛의 풍경이 얼마나 다채로운지 체험해 본 것은 정말이지 멋진 경험이었다.

하지만 나무껍질을 먹는 동물을 관찰하고 따라 해본 사람이 나만 있었을 것 같지는 않다. 자고로 나무껍질은 인간의 역사에서 굉장히 중요한 역할을 했다. 아프리카, 아시아, 호주, 유럽, 남북미의 원주민 대부분은 나무껍질을 의복, 그릇, 종이, 약재, 낚싯줄과 그물용 섬유, 음식을 싸는 포장재 등 수없이 다양한 용도에 활용했다. 미국 원주민이 카누와 천막에 자작나무 껍질을 사용한 것이 아마 가장 잘 알려진 사례일 것이다. 하지만 호주 원주민도 카누와 거처를 만드는 데 유칼립투스 껍질을 사용했다.[5] 또 미국 원주민은 버드나무 껍질로 일종의 담배를 만들었고(아세틸살리실산, 즉 아스피린이 있어서 진통 효과도 얻을 수 있었다[6]), 적갈색의 오리나무 껍질로 옷을 염색했다.[7]

이 책의 주제와 관련해 더 흥미로운 사실은, 북미의 몇몇 부족이 나무의 목질이나 그 밖의 부분을 실제로 먹기도 했다는 점이다. 이러한 관습은 1792년에 무역상이자 탐험가인 알렉산더 매켄지가 처음으로, 그리고 얼마 후에는 [1804~1806년 토머스 제퍼슨 대통령의 명령으로 미개척 지역이었던 미시시피강 서쪽 지역을 끝단인 태평양 연안까지 탐사한] 루이스와 클락의 탐사대가 묘사한 바 있으며 오늘날 쓰이는 어휘에도 흔적이 남아 있다.[8] '애디론댁'(Adirondack)이라는 단어는 옛 모호크족 인디언 말인 '아티루탁'(atiru:tak)에서 나온 것이며 '나무를 먹는 사람들'이라는 뜻이다.[9] 모호크족은 나무껍질을 먹는다고 알려진 몇몇 앨곤퀸 부족을 다소 경멸적으로 지칭하는 말로 이 단어를 사용했다. 정확히 말하자면 나무껍질 자체가 아니라 그 안쪽의 부드러운 형성층을 먹었는데, 여기에는 탄수화물, 비타민, 섬유질, 미네랄이 풍부하다. 이 부족들은 봄철에만 나무껍질을 채집했고(코들레인족 사람들은 5월을 '나무껍질이 나무에서 느슨해지는 달'이라고 불렀다) 대개 소나무 속(屬)에 속하는 나무들이 그 대상이었다.[10] 다른 부족들도 솔송나무와 가문비나무 형성층을 말려 가루를 내 빵과 비슷한 것을 만들어 먹었다고 한다.[11]

스칸디나비아의 사미족 사람들도 소나무 형성층을 먹을거리로 이용했다. 별미로 여겨졌기 때문에 소나무가 없는 지역에 사는 친척을 방문할 때 선물로 가져가기도 했다. 단백질 위주의 식생활에 완벽한 보완재였고 비타민C가 풍부해 괴혈병 예방에도 도움이 되었다.[12] 요즘 말로 소나무 형성층은 '슈퍼 푸드'였다.

나는 나무껍질을 처음으로 먹어볼 생각을 한 미국 원주민과 스칸디나비아 원주민이 틀림없이 자연에서 비버의 행동을 관찰한 적이 있을 거라고 생각한다. 기본적으로 그들과 나는 동일한 출발점에서 시작했을 것이다. 다만, 그들은 나보다 훨씬 더 오랜 시간을 들여 나무를 먹는 최적의 방법을 알아냈을 것이다. 이를테면, 그들은 나무껍질 전체가 아니라 부드러운 형성층 부분만, 그것도 가장 연한 봄철에만 먹었다.

소나무 형성층을 당장 먹어보고 싶었지만, 맛을 보겠다고 소나무 한 그루를 통째로 (혹은 부분적으로라도) 베는 것은 옳다고 여겨지지 않았고 그때가 봄철도 아니었다. 게다가 소나무 형성층이 식용으로 쓰일 수 있다는 것은 이미 상당한 자료에서 입증된 터였다. 나는 새로운 것을 시도해보고 싶었고, 그래서 내가 잘라놓은 네 종류의 어린 나무 샘플로 다시 돌아가 겉껍질을 벗기고 연한 형성층만 먹어보았다. 실망스럽게도 껍질까지 다 먹었을 때와 맛이 그리 다르지 않았다. 맛이 더 순하고 질감도 약간 더 연해서 씹기에 좋긴 했다. 오래전에 어디선가 들은 생존 기술 하나가 떠올랐다. 깊은 숲속에서 길을 잃었는데 먹을 것이 떨어졌을 경우, 자작나무 형성층을 삶아서 스파게티 같은 것을 만들 수 있다는 것이었다. 삶으면 껍질과 형성층의 생나무 맛을 없앨 수 있을까?

마침 길게 잘라놓은 형성층이 있었고 물을 끓일 냄비라면 얼마든지 구할 수 있었다. 나는 끓는 물에 자작나무 형성층을 넣고서 같은 간격으로 시차를 두고 조금씩 먹어보면서 질감이 연해지는지 알아보았다. 하지만 한 시간 반을 끓였는데도 질감이나 맛에 그리 차이가 생기지 않았다. 삶기 실험은 실패라고 결론 내리고, 다른 방법을 궁리해보았다. 삶는 게 효과가 없다면 튀기는 것은 어떨까? 나는 낡은 무쇠 팬을 꺼내 유채씨유를 둘렀다. 유채씨유는 그 자체의 향이 거의 없어서 맛을 실험하기에 제격이다. 기름이 튀기기 좋은 온도가 되었을 때 길게 자른 자작나무 형성층을 넣고, 잠시 후에 향긋한 냄새를 풍기며 지글지글 잘 튀겨진 것을 한 가닥 건져냈다.

그것을 먹어본 순간은 진정한 계시의 순간이었다. 바삭바삭한 형성층은 야채 칩처럼 맛있었다. 샐러드 채소 같은 생나무 맛은 완전히 없어지고 달콤한 전분기가 느껴졌으며 살짝 쌉쌀한 맛도 났다. 소금을 약간 뿌려 먹으니 내가 즐겨 사 먹는 감자칩의 대용물로 손색이 없었다. 형성층 여기저기에 아주 작은 나뭇조각 같은 것이 있어서 꺼끌꺼끌한 질감이 다소 거슬리긴 했지만(서양배를 껍질째 먹을 때와 비슷한 느낌이었다) 먹기 꺼려질 정도는 아니었다. 제철인 봄에 채집했다면 꺼끌꺼끌한 부분이 없었을 것이다.

나무 형성층으로 만들 수 있는 가장 맛있는 음식을 알아냈다는 생각에 들떠서, 나머지 세 종류의 나무로도 얼른 실험을 해보고 싶었다. 새로 기름을 두르고 버드나무, 단풍나무, 포플러나무 형성층을 튀겼다. 하지만 이것들은 모두 튀기기가 적합한 조리법이 아니었던지, 더 질겨지고 쓴맛만 더해져 있었다(아마도 그래서 미국 원주민들이 이 세 종류의 나무는 먹지 않은 것이었겠지만).

여러 종류의 나무껍질을 이런저런 조리법으로 실험해 보면서 나무껍질 맛이 얼마나 다양한지에 매우 놀랐다. 그럼에도 그것들이 공유하는 공통된 향조를 생각해보려 했을 때는 쓴맛만 떠올랐다. 대개 쓴맛은 사람들이 좋아하는 맛이 아니고, 독초가 쓴맛을 가진 경우가 많아서 쓴맛은 인간에게 즉각적으로 경고 신호를 보낸다.[13] 그렇다고 쓴맛이 꼭 부정적인 것은 아니다.

토닉 워터가 전 세계적으로 인기를 끌고 있다는 사실이 이를 명백히 보여주는 증거일 것이다(진토닉에 들어가는 게 토닉 워터다). 토닉 워터는 '기포가 들어간 개선된 강장 음료'라는 다소 투박한 이름으로 1858년에 에라스무스 본드라는 런던 사람이 특허를 받았다.[14] 하지만 토닉 워터의 발명은 제국주의 시절에 인도 등 열대 지방에 파견된 영국 장교와 영국인들에게로 거슬러 올라간다. 이들에게 토닉 워터는 즐기는 음료라기보다 생존을 위한 약이었다. 열대 지방에 주둔한 영국인들은 목숨을 위협하는 예기치 못한 적에 직면했다. 바로 모기, 더 정확하게는 모기가 옮기는 심각한 질병이었다. 그중에서도 말라리아가 특히 문제였는데, 유럽에서 겪는 것보다 훨씬 혹독했다.

하지만 열대의 땅에는 위험한 감염병뿐 아니라 그에 대한 치료제도 있었다. 기나나무의 속껍질, 기나피(皮)였다. 현재의 페루 지역에 살던 원주민들이 맨 처음 발견했기 때문에 '페루 나무껍질'이라고도 불린다(이것을 17세기에 유럽으로 들여온 사람들을 따서 '예수회 나무껍질'이라고 부르기도 한다). 기나피는 곧 가장 효과적인 말라리아 치료제로 널리 쓰이게 되었다. 처음에는 단순히 기나피를 통째로 갈아서 먹었지만 1820년대에 약효가 있는 성분인 키니네를 따로 추출할 수 있게 되면서 열대의 식민지 전역에 흰 키니네 가루가 분배되었다. 치료만이 아니라 예방에도 효과가 있다고 알려지면서 1840년대에 영국 군인과 영국인들이 소비한 기나피 양은 연간 700톤에 달했다. 하지만 키니네 가루는 쓴맛이 너무 강해서, 사람들은 더 먹기 좋게 만드는 방법을 찾기 시작했다. 이렇게 해서 키니네 가루에 소다수와 설탕을 탄 토닉 워터의 초창기 버전이 탄생했다. 그리고 아마 진토닉의 초창기 버전도. 토닉 워터와 진토닉 모두 오늘날에도 매우 인기가 있으며 나무껍질의 쓴맛이

꼭 부정적인 것만은 아님을 입증해주고 있다.[15]

하지만 쓴맛은 모든 나무껍질의 공통된 맛일 뿐이고, 개별적으로 보면 나무껍질은 루바브 같은, 마누카 꿀 같은, 샐러드 채소 같은, 풋감자 같은 실로 다양한 맛을 담고 있었다. 그런데 이러한 표현을 쓰는 것이 내가 개인적으로 기록해두기에는 좋은 방법일지 모르지만 마누카 꿀이나 풋감자를 한 번도 먹어본 적이 없는 사람에게 맛을 설명해야 했다면 어땠을까? 마누카 꿀이나 풋감자 맛을 모르는 사람이 내 묘사를 읽었다면 무슨 이야기인지 알아듣지 못했을 게 분명하다. 나무의 맛을 찾는 탐험을 해나갈수록, 서구 언어에 맛을 묘사하는 어휘가 부족하다는 사실이 점점 더 심각한 문제로 다가왔다.

맛의 문제

아시아, 아프리카, 남아메리카 문화권의 많은 언어들과 대조적으로[1] 서구 문화권의 언어에는 맛에 대한 어휘가 극히 부족하다. 음식의(그밖의 다른 것도) 맛과 향을 묘사할 때 쓸 수 있는 단어 자체가 적다.

생각해보면 이상한 일이다. 우리 조상들이 '우워스터어셔어-ㄹ'(Worcestershire)이라든가 (내가 개인적으로 무척 좋아하는 단어인) '스쿠워어러얼'(squirrel) 같은 복잡한 발음도 할 수 있을 만큼의 해부학적 조건, 즉 발달된 후두와 성대를 갖게 된 지는 수억 년이나 되지 않았는가? 그런데 나무껍질 맛은 고사하고 딸기 맛을 묘사하기에도 적합한 단어가 이렇게 부족하다니 대체 어찌된 일일까?[2]

고대부터 서구에서는 아리스토텔레스를 위시해 많은 철학자가 감각에 위계를 부여했다. 상대적으로 먼 거리에서 수행될 수 있는 감각, 가령 시각이나 청각이 더 고차원적이고 객관적인 감각으로 인정받았다. 반면 밀접하게 접촉해야 하는 감각, 가령 미각, 촉각, 후각은 동물적이고 주관적인 것으로 여겨져 경시되었다.[3] 맛을 느끼는 감각을 경시하는 태도는 수 세기 동안 이어졌고 언어에도 영향을 미쳤다. 맛은 지식의 진보에는 무용하고 탐욕과만 관계있다고 여겨졌으므로, 맛의 묘사에 필요한 대중적인 언어가 발달되지 못한 것이다. 조르조 바사리 같은 학자들이 시각 예술[4]이나 음악에 대해서는 깊이 있는 저술을 출간했지만 음식에 대해서는 그런 일이 벌어지지 않았다. 오히려 예절에 대한 책은 식사 자리에서 자신의 개인적인 입맛(taste)을 이야기하는 것이 큰 무례라고 가르쳤다.[5]

그런데 예외적으로 몇몇 사람들이 음식 맛을 묘사하려 시도하고 그것을 기록으로 남기게 만든 중요한 사건이 발생한다. 1492년 이후 유럽인이 아메리카 대륙에 상륙하면서 옥수수, 감자, 카카오, 토마토 등 완전히 새로운 곡물과 채소를 보게 된 것이다. 이를테면 크리스토퍼 콜럼버스와 함께 탐험에 나선 굴리엘모 코마는 옥수수에 대해 "좋은 맛"이 난다고 묘사했고[6] 또 다른 동료 미셸 드 쿠네오는 (일반적으로 구황 음식으로 여겨지던) 도토리 맛이 난다고 다소 부정적으로 옥수수를 묘사했다.[7]

하지만 음식 맛에 대한 기록은 여전히 매우 드물었고, 이후 몇백 년 동안에도 계속 그랬다. 그동안 감자, 옥수수, 칠리 고추 등 여러 신대륙 채소가 유럽 전역에 널리 전파되었는데도 말이다. 이런 것들은 처음에는 진귀한 물품으로 여겨져 유럽의 왕실에서 기를 용도로 수입되었지만 점차 유럽 각지의 고유 음식에 쓰이는 주재료가 되었다. 이탈리아 식문화에서 토마토가 차지하는 위치가 이를 잘 보여준다.

이렇게 많은 사람이 완전히 새로운 음식에 접하게 되었는데도 그것들의 맛에 대한 기록이 여전히 별로 없었다니, 더더욱 이상한 일이다. 심지어 16세기에 유럽에서 맛있어 보이는 이국의 음식이 가득 담긴 접시를 식탁에 올려놓고 화폭에 담는 정물화가 유행했을 때도 정작 그것들의 맛은 큰 관심사가 아니었다. 음식과 관련해 중요한 것은 미학, 기하학, 그리고 무엇보다 상징적인 의미였지, 맛이라는 감각이 아니었다.[8]

16세기 말이 되어서야 이것이 조금씩 달라진다. 이탈

리아, 독일, 영국, 스페인, 그리고 조금 더 나중에는 프랑스 요리사들까지도 더 폭넓은 대중을 상대로 요리책을 쓰면서 책의 서문과 조리법 중간중간에 맛에 대한 일반적인 고찰을 담기 시작한 것이다.[9] 그 전까지 요리책은 매우 간결했다. 전문 요리사를 위해 전문 요리사가 쓴 책이어서 맛에 대한 고찰 같은 불필요한 내용은 넣지 않고 핵심으로 곧장 들어가는 식이었다. 하지만 이러한 방식은, 예컨대 프랑수아 피에르 라 바렌느의 『요리사 프랑수아』(1651년) 같은 책이 출간되며 바뀌게 된다.[10] 이 책 또한 전문 조리사가 대상이었지만, 저자와 출판업자의 서문이 실렸고(출판업자는 여기에서 요리책이라는 저열한 책을 출판하려 하는 이유를 설명하려 애쓰고 있다) 더 대중적으로 호소력을 갖기 위해 독자의 이해를 돕는 구조와 색인, 심지어 어떤 재료를 어디에서 싸게 살 수 있는지에 대한 실용적인 조언도 담고 있었다.[11]

『요리사 프랑수아』가 출간된 것과 비슷한 시기에 '맛'(taste)이라는 단어는 '취향'이라는 더 상징적인 의미도 갖게 되었고, 진정한 신사라면 삶의 모든 측면에서 '좋은 취향'에 통달하는 것이 중요해졌다. 이에 더해, '취향'은 예술품에 대한 미학적 판단 능력을 의미하는 용어로도 쓰이기 시작했다.

마침내 18세기에 전문가들이 비전문가를 위한 요리책을 쓰면서 맛과 요리에 대한 논의를 예술이나 과학과 같은 반열에 올리려 하기 시작했다.[12] 그러나 그렇게 하기에 충분한 어휘가 없어서, 단맛, 신맛, 쓴맛이라는 기본적인 표현과 좋은 맛, 나쁜 맛에 대한 유의어 정도, 아니면 단순히 다른 음식과 비교하는 방법을 활용할 수 있을 뿐이었다.[13]

물론 오늘날에는 맛이 더 긍정적으로 이야기된다. 하지만 음식과 맛에 대해 글을 쓰는 우리는 지금도 18세기 프랑스 작가들이 직면했던 것과 동일한 문제를 가지고 있다. 대중적인 어휘가 부족하고 오랜 문화적 영향으로 맛에 대해 이야기하는 것 자체를 꺼리는 분위기가 있는 것이다(다행히 이러한 분위기는 점점 사라지고 있다). 몇몇 다른 언어들은 맛의 표현에서 서구 언어가 가진 소수의 어휘를 훨씬 뛰어넘는 매력적인 대안을 보여준다. 예를 들어 라오어(라오스, 태국 북동부, 캄보디아에서 쓰이는 언어)에는 일상 어휘에 기본적인 맛과 향을 지칭하는 단맛, 쓴맛, 감칠맛, 신맛, 짠맛 외에도 '싱거운'(충분히 간이 되지 않아 밋밋한), '맵싸한'(민트처럼 화한 맛이 있는), '시큼털털한'(덜 익은 사과 같은), '떫은'(덜 익은 바나나, 혹은 지나치게 강한 차와 같이 입안이 마르는 느낌이 나는), '얼얼하게 매운'(매운 고추나 와사비, 혹은 향이 강한 치약 같은), '이가 시릴 정도로 신'(신 사탕을 너무 많이 먹었을 때 같은), '느끼한'(풍성하고 기름이 많으며 전분기가 있는)[14]과 같은 맛에 대해 구체적인 단어가 있다.

추가적인 어휘가 이 정도만 있어도 맛의 표현 가능성이 두 배 이상 확대된다. 하지만 가나의 시우(Siwu)어가 제공하는 다양성에 비하면 아직 약과다. 시우어는 아프리카, 남아메리카, 아시아의 많은 언어처럼 음상어[音象語. 의성어, 의태어 등 음상을 통한 모방 표현어를 포괄하는 용어]가 발달해 있다. 인도유럽어족에는 거의 존재하지 않는 음상어(문법적으로 명사, 형용사, 동사와 다르다)는, 맛과 같은 감각 경험을 정확하게 표현하기 위해 발달되었다.[15] 음상어는 '일상어의 시(詩)'라고도 불리며[16] 감각 경험에 대해 머릿속에 생생한 이미지를 떠올릴 수 있게 해준다. 예를 들어, '티티리티이'(titiritii)는 '고양이 혀처럼 끈적이는'이라는 뜻이고 '싸아아아'(saaa)는 '(생강처럼) 입에서 청량하게 느껴지는'이라는 뜻이다.[17] 영어에서 이와 가장 가까운 것이라면 음상어의 요소가 있는 형용사들, 가령 만화책에 자주 나오는 'splash', 'boing', 'wham' 같은 것일 텐데,[18] 성인들의 일상 대화에서는 널리 쓰이지 않을뿐더러 의미가 그리 정교하지도 않다(시우어와는 비교도 되지 않는다). 그리고 영어에서 복잡한 감각 경험을 묘사할 용도로 음상어를 만들어 쓰면 의미가 잘 통하지 않을 듯하다. 가령, 내가 만든 자작나무 형성층 칩의 맛을 표현하려면 'crunch-starchbittersweetpleasurechomp'['와작전분쓴단냠냠한' 정도의 의미]라는 해괴한 단어를 만들어야 할 것이다. 감각적인 이미지를 나타내는 영어 단어를 만들어보는 것도 흥미로운 일이긴 하겠지만 가독성을 고려해 이 책에서 사용하지는 않을 것이다.

어쨌든, 맛을 표현하는 어휘가 언어마다 매우 다르다는 것을 깨닫고 나니 영어에서 나무의 맛과 조금이나마 관련이 있는 유일한 단어 '나무 같은'(woody)이 다른 언어에도 존재하는지 궁금해졌다. 그리고 존재한다면, 여러 언어에서 이 단어가 동일한 의미일지도 궁금했다.

나는 전 세계에서 활동하는 미식과학대학 동문들에게 도움을 구했고, 몇 시간 만에 '나무 같은'이라는 단어가 많은 언어에 실제로 존재하지만 주된 의미는 각기 다르다는 것을 알게 되었다. 캐나다 프랑스어, 아프리칸스어, 핀란

드어에서는 '나무 같은'이라는 말이 주로 와인이나 위스키와 관련해 쓰이고 있었고 (오크) 통에서 숙성할 때 나오는 전형적인 맛을 뜻했다. 남미 스페인어와 헝가리어, 그리고 내 모국어인 독일어에서는 이 단어가 뿌리 식물이 수확 시기를 놓쳐서 질기고 거칠어진 상태를 의미했다. 히브리어에서는 어색할 정도로 융통성 없고 뻣뻣한 사람을, 이탈리아어에서는 우아하지 못하고 투박한 움직임을 의미했다. 아랍어와 러시아어에서는 놀랍게도 이 단어가 주로 향수에 쓰이는 향의 일종을 의미한다고 했다. 뭐니 뭐니 해도 이 단어가 가장 의외이자 재밌는 뜻으로 쓰이는 경우는 노르웨이어였는데, 딱딱한 걸상에 오래 앉아 있어서 엉덩이가 배길 때 "엉덩이에서 나무 같은 맛이 난다"고 말한다고 한다. 언어의 차이를 이보다 잘 보여주는 사례는 찾아보기 어려울 것이다.

여러 나라의 어휘가 가득 든 도구 상자를 가지고 맛 탐험을 떠날 수 있다면 얼마나 좋을까마는, 나는 어휘의 부족이 커다란 자유를 주기도 한다는 점 또한 깨닫기 시작했다. 우리는 음악, 미술, 감정, 또는 사람을 묘사하는 데 쓰이는 영어 단어 중에서 우리가 표현하고 싶은 특정한 맛에 가장 잘 맞도록 어휘들을 골라 재조합할 수 있다. 솔직히 말하면 나는 영어에 기본적인 맛 외에는 맛을 표현하는 어휘에 하나의 보편적인 표준이 존재하지 않는다는 사실이 꽤 만족스럽다. 표준이 있으면 다양성이 상실되기 때문이다. 물론 우리가 맛을 표현할 때 차용하는 어휘가 때로는 작위적이고 이상하게 들릴 수도 있을 것이다. 하지만 언어가 얼마나 생동감 있을 수 있는지, 또 얼마나 확장성 있게 재조합될 수 있는지를 보는 것도 멋진 일이 아닐까.

2 맛있는 나무

너도밤나무 피자

1787년 봄, 당시에는 활화산이던 베수비오 산자락에 위치한 고대 도시 나폴리를 처음 가보게 된 요한 볼프강 폰 괴테는 기대감에 한껏 부풀었다. 그의 마음속에서 나폴리는 순수한 낙원이었다([괴테에 따르면] 나폴리 사람들도 그렇게 생각했다). 더구나 불을 뿜는 산과 매우 가까이 있다는 사실은 나폴리의 매력을 한층 더해주었다. 나폴리는 극히 대조적인 것, 즉 엄청나게 아름다운 것과 엄청나게 무서운 것이 나란히 존재하는 도시였다. 나폴리에 앞서 들른 로마와 비교한 글에서 괴테는 (아마도 로마 사람들에게는 충격적이었겠지만) 로마를 잘못된 장소에 위치한 수도원이라고 묘사했다.[1]

괴테의 글을 읽고서 나도 나폴리 여행을 매우 고대했다. 요즘 언론에 나오는 나폴리의 이미지는 괴테의 묘사와 사뭇 다르긴 하다. 경제 규모가 이탈리아에서 네 번째로 큰 도시이고 유럽에서 가장 중요한 항구 중 하나인데도 나폴리에 대한 뉴스는 혼란, 부패, 범죄, 목숨을 위협하는 위험 같은 내용들 일색이다. 하지만 내 친구들은 괴테가 그랬듯이 나폴리와 나폴리 사람들을 찬양했다. 물론 그러면서도 돌아다닐 때 소지품을 잘 챙기라고 단단히 주의를 주었다. 무서운 쪽을 예상할 것인가 경이로운 쪽을 예상할 것인가 중에서 나는 경이로운 쪽을 택했다.

밤 기차를 타고 새벽에 가리발디 역에 도착했다. 잠도 덜 깨고 몸도 찌뿌둥한 채로 밖을 내다보니 새로 개발된 비즈니스 지구에 먹구름이 짙게 드리워 있었고, 나폴리에 대해 들었던 무서운 이야기들이 물밀듯이 떠올랐다. 아이고, 내가 여길 왜 왔을꼬?

동료 몇 명이 나폴리 해안에서 조금 떨어진 아름다운 이스키아 섬에 주말여행을 가기로 하면서 내게 같이 가겠냐고

물은 것이 발단이었다(당시에 나는 2015년 밀라노 세계 엑스포에서 일하고 있었다). 나는 로마보다 더 남쪽으로는 가본 적이 없었기 때문에 이스키아 섬에, 더 일반적으로는 이탈리아 남부에 꼭 가보고 싶었다(그리고 동료들과 함께 여행을 한다는 것은 반가워 마지않은 일이었다). 여행에 대한 기대에 너무 들떠서, 며칠 뒤 트렌이탈리아(이탈리아 철도청) 현지 사무소에 기차표를 사러 갔을 때에야 이것이 나무의 맛을 추적하는 나의 취재에도 굉장히 좋은 기회가 되리라는 것을 깨달았다. 피자! 세상에서 제일 유명한 원조 나폴리 피자를 먹어볼 수 있게 된 것이다.

나는 동료들을 만나 이스키아 섬으로 가는 배를 타기 전에 나폴리에서 이틀을 거의 온전히 보낼 수 있도록 기차표를 끊었다. 나폴리 최고의 피자집을 찾겠다는 일념으로, 음식과 관련한 궁금증이 생길 때면 늘 의지하는 정보 원천인 미식과학대학 동문들에게 '페이스북 그룹'을 통해 도움을 청했다. 이내 다미켈레(영화 「먹고 기도하고 사랑하라」에 나와서 세계적으로 유명해졌다)와 소르빌로 중 어디가 나폴리 최고의 피자집인지에 대해 열띤 토론이 벌어졌다. 그러다가 나폴리 출신의 한 동문이 소르빌로가 더 좋은 식재료(특히 오일과 토마토)를 쓴다는 매우 설득력 있는 말로 논란에 종지부를 찍었다. 여기에 어떻게 반박할 수 있겠는가? 그래, 소르빌로다!

나는 '피자욜로'(pizzaiolo), 그러니까 피자 조리 장인을 만나 나무 화덕이 나폴리 피자에 얼마나 중요한지 들어보고 싶었다. 하지만 나폴리를 잘 아는 한 동료가 아마 불가능할 거라고 했다. 나폴리의 유명한 피자집들은 두 가지 특징이 있는데, 서비스가 매우 빠르지만 매우 불친절해서 음식이 나오는 속도만큼이나 빠르게 먹고서(빠르면 빠를수록 좋다) 신속히 돈을 내고 나가야 할 것 같은 분위기를 자아낸다는 것이었다.

그래도 꼭 나폴리 피자에 대해 전문가와 이야기해볼 작정이었기 때문에 이탈리아인인 동료에게 그곳의 전화번호를 찾아서 소유자 지노 소르빌로에게 인터뷰가 가능할지 물어봐 달라고 부탁했다(초보적인 내 이탈리아어 실력으로는 이렇게 조심스러운 일을 해낼 수 없었다). 놀랍게도 우리는 그의 핸드폰 번호를 찾아냈고 몇 차례의 전화와 문자 메시지를 주고받은 뒤에 정말로 나폴리 최고의 피자 장인과 약속을 잡을 수 있었다.

그리하여 그날 새벽에 열 시간 동안 밤 기차를 타고 온통 잿빛으로 음산한 나폴리의 가리발디 역에 들어서게 된 것이었다. 내려서 가장 가까운 지하철역에 도착한 나는 역이 매우 현대적이고 체계적이어서 깜짝 놀랐다. 모든 열차가 제시간에 움직이고 있었다! 내가 조언을 구한 모든 자료와 사람들, 그러니까 괴테, 신문, 친구들 모두 나폴리가 매우 혼란스러운 곳이라고 하지 않았던가? 가차 없을 정도로 현대적인 지하철역에 딱딱 시간 맞춰 들어오는 열차들은 의심스러울 만큼 생뚱맞아 보였다. 하지만 중세의 누오보 성(마스키오 안조이노라고도 불린다)과 유명한 나폴리 항구의 중간 지점에 위치한 무니치피오 역에 내리자마자 익히 들은 바대로 혼란에 곧바로 맞닥뜨렸다. 이제 나는 진정으로 나폴리 한복판에 있었다. 이 지하철역은 거대하고 시끄러운 공사판이었고 사방에서 차량들이 미친 듯이 질주하고 있었으며 스쿠터가 인도를 달리고 보행자는 차도 한가운데를 걸어 다니고 있었다. 그치지 않고 울려대는 경적이 불협화음을 더했고, 때때로 거대한 유람선의 입출항을 알리는 커다란 고동 소리만이 그것을 상대적으로 잠잠하게 만들 뿐이었다. 유럽 도시라기에는 순전한 아수라장에 더 가까워 보였다. 하지만 나는 그것이 좋았고 항구 근처의 산업 지역을 조금 벗어나 안쪽의 좁은 길과 골목, 그리고 역사 지구 사이사이로 구불구불 나 있는 수많은 계단길을 걷기 시작하니 더욱 좋아졌다.

나폴리는 세계에서 가장 오래된 도시 축에 든다. 고고학적 증거에 따르면 기원전 2000년경, 청동기 초기에 시작되었다고 한다. 고대 그리스와 로마부터 시작해서 주요 지중해 문화권 모두가 나폴리를 해상 활동의 허브로 여겼고 1282년부터 1816년 사이에는 자체적인 왕국을 이루었다.[2] 오랜 역사는 나폴리의 좁은 거리들을 조금만 걸어봐도 바로 느낄 수 있다. 자동차가 아니라 마차와 수레가 다니도록 지어진 게 명백하기 때문이다. 좁은 길들은 더 좁은 골목들로 이어지는데 이 골목들은 해가 중천에 떠 있어도 꽤 시원하다. 마치 천연 냉방 덕트 마냥 타는 듯이 뜨거운 날에도 바다에서 직접 불어오는 것 같은 상쾌한 바람을 느낄 수 있다. 사람들은 이 현상을 십분 활용해서, 골목마다 길을 가로질러 거미줄처럼 걸려 있는 빨랫줄에 빨래를 넌다. 고대의 심장 나폴리를 돌아다니는 동안, 머리 위에서는 갓 빨아 널은 빨래가 지치지도 않고 추는 춤이 계속 이어졌다. 별안간, 열 살짜리가 모는 전통 스쿠터가 전속력으로 달려오는 것을 피하려고 구석으로 펄쩍 뛰어올라 가느라 빨래 공연 감상이 뚝 끊겼다. 뒤이어 밝은 회색과 흰색의 수녀복을 입은 수녀님 두 분이 지나가셨으니, 스쿠터에 치었더라도 마지막 성사는 받을 수 있었을 것이다.

스쿠터 사고를 아슬아슬하게 면하고서 그날 묵을 호텔을 찾아 짐을 풀었다. 기운을 조금 차린 뒤 도시 탐험을 계속하기로 했다. 걷다 보니 어릿광대처럼 보이는 희한한 인물의 동상이 계속 나타났다. 몇 차례 마주치고서는 결국 너무 궁금해서 스마트폰으로 검색을 해보았다. 동상의 주인공은 나폴리 익살극의 유명한 등장인물 '풀치넬라'인데, 역동적이고 영민하며 삶의 문제를 늘 유머와 해학으로 넘길 준비가 되어 있는, 나폴리의 영혼을 상징한다고 한다.[3] 이 모든 특성이 괴테가 나폴리에서 받았던 인상과 딱 맞아떨어졌다. 괴테는 나폴리 사람들이 유쾌하고 자유로우며 에너지가 넘치고 걱정 없는 삶을 사는 기술에 통달해 있다고 묘사했다.[4]

고대의 흔적을 따라 나폴리를 탐험하다 보니 내가 가본 다른 이탈리아 도시들과는 매우 다르다는 것을 분명히 알 수 있었다. 나폴리는 이탈리아 도시보다는 스페인 도시 중 수 세기 동안 아랍 영향권에 있었던 세비야나 그라나다 같은 곳을 더 많이 연상시켰다. 나중에 한 친구가 포르투갈의 리스본과도 비슷하다고 했는데, 바다에 면한 위치와 지형적 조건뿐 아니라 건축물과 빨래를 너는 습관까지도 그렇다고 했다. 하지만 리스본에는 전통 나폴리 피자가 없고, 이 차이는 매우 중요하다. 돌아다니는 내내 나폴리 피자 생각이 내 머리를 떠나지 않았다.

종일 쏘다녔더니 식욕이 돌았다. 마침 내가 서 있는 곳 가까이에 원조 소르빌로 피자집이 있었고 저녁 손님을 위해 막 오픈을 준비할 시간이었다. 나는 그 방향으로 향했고 정확히 오픈 시간이 5분 지난 뒤 그곳에 도착했다. 그런데 벌써 자리가 거의 다 차 있었다. 좋은 징조다. 나에게 다가온 웨이터는 근무를 교대한 지 얼마 안 되었거나 신참인 모양이었다. 주문을 받을 때 너무 친절한데다 성의 있게 응대하고자 하는 태도가 투철해 보였기 때문이다. 첫 소르빌로 경험을 전통적인 피자 프리타로 시작하면 어떻겠냐고 굉장히 설득력 있게 추천을 해주기까지 했다. 피자 프리타는 피자 빵 반죽으로 만든 거대 라비올리인데, 생리코타 치즈와 피요르디라테 치즈(모차렐라보다 약간 더 달고 지방분이 적어 더 담백하며 섬세한 맛이 난다), 고추, 치콜리(돼지고기 육포)로 속을 채워 튀긴 것이다. 나는 부팔라(버팔로 모차렐라 치즈를 얹은 피자)를 시켰다.

꽤 오래 기다리고 나서(이것도 놀라운 일이다. 여기는 음식 빨리 나오기로 유명한 동네가 아닌가?) 드디어 부팔라가 나왔다. 완벽했다. 큰 접시도 모자랄 만큼 커다란 크기에, 향은 이 세상의 향이 아닌 듯했다. 한 입 베어 물자 왜 다들 이 피자 빵이 '말로 표현하기 어려운 식감'을 가지고 있다고 말했는지, 그리고 그게 무엇인지 곧바로 알 수 있었다. 바삭하면서도 쫄깃한 것이, 말하자면 완벽한 균형을 이루고 있었다. 토마토는 '정말로' 토마토 맛이 났는데, 북부 유럽 나라들에서는 먹을 수 없는 맛이다. 버팔로 생모차렐라 치즈는 여전히 촉촉해서, 만들어진 지 한두 시간밖에 되지 않은 신선한 치즈임을 말해주고 있었다. 마지막으로, 생바질 잎이 밝은 빨간색, 흰색, 녹색의 그림을 완성했다. 내 평생 맛본 것 중 절대적으로 최고의 피자였다. 특히 맛이 매우 강렬하다는 점이 놀라웠다. 인공 감미료가 들어가지는 않았을 게 틀림없었으므로, 이 맛이 단순히 재료의 질과 신선함에서 오는 것인지 아니면 나무 화덕과도 관련이 있는 것인지가 너무나 궁금했다.

다음 날 나폴리를 굽어보는 호텔 옥상에서 놀라운 아침 식사를 하고 나서 지노 소르빌로에게 질문할 내용을 준비했다. 내 이탈리아어 실력이 좋지 못해서 친구의 친구와 함께 가기로 했다. 나폴리 출신인 그는 영어도 완벽하게 할 뿐 아니라 독일어도 할 줄 알았다. 우리는 소르빌로에서 만나 먼저 점심을 먹고 나서(원래의 계획에 의하면 나도 이때 소르빌로에 처음 가기로 되어 있었는데 전날 너무 배가 고프고 호기심이 동한 덕분에 먼저 가볼 수 있었다), 지노 소르빌로를 인터뷰하기로 했다.

나는 조금 일찍 도착했는데, 일단 골목에서 시원한 바람을 쐬며 열을 식혀야 했다. 신나서 너무 빨리 걷는 바람에 열이 확 오른 탓이다. 38도의 날씨에, 매우 멍청한 짓이었다. 기운을 차리고 나서, 줄지어 선 사람들을 지나 앞으로 가서 대기 명단에 이름을 적었다. "아르투르, 두에 페르소네!"(아르투르, 두 분이요!) 이 말이 나오면 놓치지 말고 들어야 했다.

통역을 맡아줄 모니카가 곧 도착했고 우리는 나폴리의 온갖 것에 대해 즐겁게 수다를 떨기 시작했다. 그런데 대화에 너무 열중한 나머지 커다란 스피커에서 이탈리아어식 발음으로 내 이름이 나오는 것을 놓치고 말았다. 점점 짜증스러워지는 목소리로 스피커에서 "아르투우우우우로!?"가 두 번째 (어쩌면 세 번째) 울려 퍼졌을 때에야 화들짝 알아듣고 서둘러 테이블 안내를 받았다. 이번에는 나폴리 방식으로 서빙을 받았다. 웨이터는 불친절했고, 거의 즉시 피자가 나왔으며, 맛은 역시 놀라웠고, 반쯤 먹었을 때부터 웨이터들이 아직 멀었냐는 듯 눈치를 주기 시작했다.

그런데 중요한 것 하나가 빠져 있었다. 지노 소르빌로가 없었다. 자리에 앉으면서 그에게 메시지를 보내놓았는데 답이 없었다. 그래서 모니카에게 카운터에 있는 사람에게 소르빌로 씨가 여기 어딘가에 있는지 물어봐 달라고 부탁했다. 카운터를 보는 사람은 높은 단상 같은 데서 내려다보며 휘하를 지휘하고 있었다(그의 '휘하'에는 돈을 내는 고객들도 포함된다). 모니카가 이야기하는 동안 나는 테이블에서 기다렸는데, 모니카의 표정에 실망한 기색이 드러나고 카운터 보는 사람이 고개를 가로젓는 걸 보니 계획에 차질이 생긴 게 분명했다. 그의 말에 따르면, 소르빌로는 경찰과 매우 중요한 회의를 하고 있어서 오늘 하루 종일 매장에 못 온다고 했다.

우리는 꽤 실망한 채로 돈을 내고 피자집에서 나왔다. 이런 일이 있을 줄 알기는 했다. 나폴리에서는 계획대로 일이 돌아가지 않는다는 이야기를 누누이 듣지 않았던가? 소르빌로에게 전화를 한 번 더 해보았지만 소용이 없었다. 모니카는 모퉁이에 있는 바에서 카페 샤케라토(에스프레소, 설탕, 얼음을 칵테일 셰이커로 섞어 마티니 잔에 내어준다)를 마시자고 했다. 실망을 달래며 자리에 앉았을 때 갑자기 문자 메시지가 왔다. "Bussi via [거리 주소가 적혀있음] Casa della Pizza." 나는 모니카에게 문자를 보여주었다. 그 주소의 '카사 델라 피자'에 와서 노크하라는 뜻이었다. 보낸 이의 전화번호는 지노 소르빌로의 것이 맞았다. 그런데 방금 그의 피자집에서 그가 바빠서 못 온다는 말을 듣지 않았는가? 나는 우리가 찾아낸 전화번호가 원조 소르빌로가 아니라 또 다른 소르빌로였던 모양이라고 추측했다. 원조 소르빌로 바로 옆에 (맛은 원조에 훨씬 못 미치는) 소르빌로 피자집이 하나 더 있다는 이야기를 들은 바 있었기 때문이다(노르웨이 출신인 친구 한 명이 나보다 며칠 전에 나폴리에 왔는데 그가 이 실수를 했다. 내가 소르빌로에 가보라고 추천했는데, 그만 원조가 아니라 다른 소르빌로에 갔다는 것이다. 나는 나폴리에 오기 전에 그에게서 이 이야기를 막 들은 터였다).

어쨌든 상황을 알아보려고 후다닥 아이스커피 값을

치르고(그 더운 날에 아이스커피는 기운을 북돋우는 데 정말 도움이 되었다) 문자에 적힌 주소로 갔다. 별달라 보이지 않는 대문이 있었고 초인종 옆에 '카사 델라 피자'라고 쓰여 있었다. 초인종을 눌렀더니 바로 문이 열렸고 인터콤 스피커에서 2층으로 오라는 말이 들렸다.

올라갔더니 잘생긴 청년이 우리를 맞이해주면서 무슨 일이시냐고 물었다. 지노 소르빌로와 인터뷰 약속을 했다고 말했는데 청년은 모르는 이야기인 눈치였다. 그는 소르빌로(그러니까, 진짜 지노 소르빌로가 맞았다!)가 지역 유지들과 이 근처의 치안 상황이 악화되는 것과 관련해 회의를 하는 중이라며 거실에서 잠시 기다리라고 했다. 거실에는 우아하게 차려입은 사람들이 가득했다. 커다란 유리 탁자 주위에 일부는 앉아 있고 일부는 서 있었고, 중앙에 지노 소르빌로가 앉아 있었다. 그는 두 줄로 단추가 달린 흰색 주방장 옷을 입고서 법정에서 판단을 내리는 판사와 같은 자태로 양옆에서 오가는 열띤 이야기를 주의 깊게 듣고 있었다. 하지만 본인은 별로 말을 하지 않았다. 회의 진행을 방해하지 않으려고 소르빌로는 조수(우리를 맞이한 청년)에게 문자로 연락해서 우리에게 30분 정도 기다려줄 수 있느냐고 물었고(당연히 기다릴 수 있었다) 기다리는 동안 마시라고 커피를 내어주었다.

그리 오래지 않아 사람들이 떠났고 나는 원조 나폴리 피자에서 나무 화덕이 갖는 중요성에 대해 소르빌로와 인터뷰를 할 수 있게 되었다. 특히 시중에 다른 화덕들도 나와 있는데 왜 여전히 나무 화덕이 피자 요리의 세계적인 황금 기준으로 여겨지는지 알고 싶었다. 소르빌로가 나폴리에서는 피자 화덕에 굴뚝이 있어야 한다는 것이 법으로 정해져 있다고 말해서 나는 깜짝 놀랐다. 굴뚝이 있어야 한다는 말인즉슨 아무튼 나무를 때야 한다는 의미였다. 나무 화덕에서 완벽하게 불을 지피고 유지하는 것은 힘들고 품도 많이 들지만 그 자체가 예술이라 할 만큼 정교한 일이기도 하다. 우선 어떤 나무를 장작으로 쓸지부터 알아내야 한다. 소르빌로는 너도밤나무만 사용하는데, 수액 때문에 껍질은 제거한다. 수액이 타면 연기가 너무 많이 나고 테레빈유를 태울 때처럼 불쾌한 냄새가 나기 때문이다.

그는 오크나 밤나무와 달리 너도밤나무 장작은 얌전하게 타기 때문에 불꽃이 튀어 재가 빵 위에 묻거나 하지 않는다고 했다. 그는 3대째 장작 생산을 하고 있는 포르미사노 집안에서 장작을 납품받는데, 이 집안의 작업장은 베수비오 산자락에 있다. 피자 화덕용으로 최적화된 장작은 만드는 데 시간이 아주 오래 걸린다(품질 좋은 가구용 목재도 이 과정으로 만든다). 먼저 나폴리 인근의 캄파니아 주에서 나오는 너도밤나무 둥치를 톱으로 썰어 큰 나무 판으로 만들고 옥외에서 말리면서 숙성시키는데, 여기에만 2년이 걸리기도 한다. 그 다음에 잘 마른 나무 판을 약 50센티미터 길이의 네모난 장작이 되도록 톱으로 자르고 혹시 남아 있는 껍질을 마저 잘 제거한 뒤 상자에 담아 최고의 나폴리 피자리아들로 배달한다.[5]

전통 화덕은 언제나 가마 안의 왼쪽에서 불을 피운다. 그 다음에 열기가 둥근 지붕을 따라 순환하면서 최대한 골고루 퍼지도록 되어 있다. 소르빌로에서는 납작하게 압축한 불쏘시개 나무를 이용해 불을 붙인다. 다른 피자집에서는 귀리 껍질이나 헤이즐넛 껍질, 밤송이 등을 사용하기도 한다. 불쏘시개는 빠르게 불이 붙고 맹렬하게 타올라서 단단한 너도밤나무 장작에 불을 붙이는 데 제격이다. 불이 피워지면, 가마 내부 온도가 약 385도까지 올라가게 해야 한다. 바삭하면서도 쫄깃한 나폴리 피자 특유의 식감을 만들려면 고온이 필수다. 바삭함과 쫄깃함이라는, 명백히 모순되어 보이는 특성의 결합이 어떻게 가능한지 물었더니, 소르빌로는 높은 온도가 첫 번째 핵심 요소라고 말했다. 반죽에서 습기가 다 빠져나가기 전에 겉이 즉시 바삭해져야 하기 때문이다. 두 번째 핵심 요소는 가마의 모양인데, 특히 천장의 모양이 중요하다. 돔이 너무 높으면 피자가 충분히 부풀지 않아서 납작해지고 너무 낮으면 피자가 타버린다. 나폴리의 화덕 장인 중에서도 최적의 가마 모양을 만들 수 있는 사람은 극소수이며 이들은 대부분 선대에게 지식을 전수받아 대를 이어서 이 일을 하고 있다.

그러니까 완벽한 나폴리 피자에는 화덕 제조와 장작 공급이 피자욜로만큼이나 중요하다. 하지만 화덕 장인은 화덕을 한 번 만들어 제공하면 일이 끝나고 장작 공급자는 최적의 장작을 만드는 일에만 집중하지만, 피자욜로는 오케스트라 지휘자처럼 모든 요소를 몇 분 사이에 한데 모아야 한다. 피자를 하나하나 손으로 만들고 딱 맞는 온도로 불을 맞추어야 할 뿐 아니라, 불이 화덕의 왼쪽에서만 올라오기 때문에 많게는 피자 네 개를 동시에 보면서 중간중간 계속 돌려서 골고루 익게 해야 한다. 전통 방식으로 화덕 피자를 만드는 데 노동이 이만저만 들어가는 게 아니기 때문에, 많은 피자욜로들이 나폴리의 피자 화덕은 모두 굴뚝이 있어야 한다는 법 규정을 부분적으로 피해가는 (혹은 재해석하는) 방법을 고안한 것도 이해가 간다. 작은 훈연

칸이 달린 전기 오븐을 사용하는 것이다. 그러면 피자에 훈연한 맛을 더해 주면서도 여느 전기 오븐처럼 편리하게 사용할 수 있다. 하지만 이렇게 지름길로 만든 피자가 소르빌로에서 먹은 것만큼 맛있을까? 물론 소르빌로는 그렇지 않을 것이라고 했고 내 생각도 그랬다.

모니카와 나는 '진짜' 나폴리 피자와 피자욜로, 화덕 장인, 장작(단지 연료에 불과한 것이 아니었다) 사이의 복잡한 관계에 대해 많은 것을 배우고서 그 집을 나설 수 있었다. 친구들을 만나 이스키아 섬으로 가는 배를 타기까지 시간이 좀 있었으므로 모니카는 자신이 나폴리에서 제일 좋아하는 몇몇 장소를 소개시켜주었다. 우리는 이 고대 도시의 지붕들이 내려다보이는 그의 집 테라스에서 맥주를 마시는 것으로 일정을 마무리했다. 수평선에 베수비오 화산이 보였고 한참 전에 저문 해가 하늘 가장자리에 희미한 붉은 띠를 남겨놓은 가운데 달이 서서히, 하지만 점차로 뚜렷하게 떠오르고 있었다.

나폴리와 소르빌로에서의 놀라운 경험에 이어 이스키아 섬에서 주말여행까지 마치고 밀라노로 돌아온 나는 생각할 것이 아주 많았다. 노트를 다시 읽어보니 이론상으로는 이제 나무 화덕 피자에 대해 모든 것을 아는 것 같았지만 하나가 빠져 있었다. 바로 맛이었다. 지노 소르빌로는 나무 화덕의 높은 온도가 나폴리 피자 특유의 식감에 결정적으로 중요하다고 했고 물론 나도 그렇게 생각한다. 하지만 나무 화덕이 피자의 '맛'에 미치는 영향은 무엇일까? 두 종류의 화덕으로 실험을 해볼 필요가 있었다.

나는 어지간하면 모든 실험을 집에서 해보자는 주의이고 우리 집에는 잘 갖추어진 부엌이 있어서 복잡한 음식 실험도 대체로 다 할 수 있다. 하지만 나에게 없는 것이 하나 있으니, 바로 대를 이은 나폴리 화덕 장인이 만든 나무 화덕이다.

처음에는 나무 화덕이 있는 아무 피자집에나 가서 실험을 하면 되겠거니 했다. 하지만 늘 가는 피자집에서 이 생각을 이야기해보고서 간단해 보이던 내 계획의 치명적인 결함을 깨달았다. 나무 화덕이 있는 피자집은 전기 오븐을 둘 필요도 없고 둘 생각도 없다는 점이었다(약 230도 이상으로 가열해야 하므로 아무 전기 오븐이나 가져다가 실험을 할 수는 없었다. 피자용으로 만들어진 특수 오븐이어야 했다).

화덕 딜레마를 해결하기까지 여러 나라를 다니며 몇 달을 보내야 했다. 그러던 중, 내가 빈에서 가장 좋아하는 피자집 '리바'가 새 매장을 열었는데, 거기에 바로 그 믿을 수 없는 것이 구비되어 있었다. 멋진 나무 화덕 옆에 피자용 전기 오븐이 하나도 아니고 두 개나 있는 것이었다. 물론 전기 오븐은 정통 피자를 만들기 위해서가 아니라 이곳에서 개발한 매우 얇은 아침 식사용 피자 '크리스파렐'을 굽는 용도였다. 어쨌든 이곳 주인은 전기 오븐을 내 실험에 쓸 수 있게 허락해주었다. 그래서 비 오는 5월의 어느 날 '리바'의 피자욜로 다비드가 똑같은 마르게리타 피자를 두 판 준비해서 예열된 전기 오븐과 너도밤나무 화덕에 동시에 넣었다.

그가 완성된 피자를 테이블로 가져왔을 때, 한눈에 보기에도 차이가 확연했다. 나무 화덕에서 나온 것은 완벽하게 갈색으로 잘 구워진 빵과 선명한 색색의 토핑이 정말 먹음직스러워 보였다. 하지만 전기 오븐에서 나온 피자의 빵은 누르스름했고 토핑은 칙칙한 갈색기가 돌았다. 한 입 베어무니 질감의 차이는 더 두드러졌다. 나무 화덕에서 구운 것은 이번에도 바삭한 동시에 쫄깃했지만 전기 오븐으로 구운 것은 딱딱하고 질겼다. 여기까지는 예상한 대로였다. 정작 내가 놀란 것은 두 피자의 '맛'의 차이였다. 전기 오븐에서 구운 피자는 식감만 딱딱하고 질긴 게 아니라 본질적으로 맛이 없었다. 토마토소스는 시큼했고 바질 잎은 씁쓸했으며 모차렐라 치즈에서는 강한 사향 냄새가 났다. 이 모두를 묶어주는 것은 전체적으로 눅눅하고 균형이 부족하다는 느낌이었다.

이와 달리 나무 화덕에서 구운 피자에서는 온갖 좋은 맛을 느낄 수 있었다. 나는 "맛의 무지개"라든가 "맛의 폭발"과 같은, 이 놀라움을 표현하기에는 여전히 부족한 단어들을 노트에 적었다. 먼저 약한 훈연의 향이 느껴졌고, 이어서 놀랍게도 압착 귀리 맛과 자극적이지만 달콤하고 비엔나소시지 같기도 한 강한 맛이 어우러졌다. 토마토소스부터 모차렐라 치즈까지, 모든 재료의 맛이 훨씬 더 균형 잡혀 있었다. 토마토의 신맛은 누그러져서 아름다운 훈연의 단맛으로 변해 있었고 모차렐라 치즈는 불쾌한 사향 냄새가 모두 사라지고 없었다. 바질도 조화롭고 향긋한 '바질 향수'로 다시 태어난 것 같았다. 그리고 종합적으로 나무 화덕 피자의 맛이 훨씬 더 강렬했다. 나폴리의 피자욜로 사이에서만 전해져 내려오는 고대의 비법으로 만들기라도 한 것 같았다.

하지만 나는 그 비법이 무엇인지 안다. 바로 너도밤나무다. 완벽한 온도를 만들면서 약간의 훈연 향과 구운 귀리, 우유, 비엔나소시지 같은 풍미를 내어주는 것, 그리고 모든 요소의 균형을 잡아주는 완충 역할을 하는 동시에 강렬함도 한 차원 높게 끌어올려 주는 것, 이 모두가 너도밤나무의 역할이었다. 드디어 나는 나무가 정통 나폴리 피자의 맛에 미치는 영향을 발견했다.

런던에서 온 엽서

'나무껍질'의 놀라운 맛을 발견하고 너도밤나무의 '연기'가 나폴리 피자에 얼마나 중요한지도 알게 되고 나니 이제는 '나뭇잎'이 궁금해졌다.

나무의 둥치와 가지가 시간이 흘러도 튼튼히 버틸 수 있는 안정성과 끈기를 제공한다면, 뿌리와 잎은 계속해서 자라면서 주변 세계를 지속적으로 탐험하고 주변 세계에 적응하며 주변 세계와 연결된다. 계속해서 변화하는 이 게임에서 뿌리가 맡는 역할은 우리 눈에 보이지 않지만 잎이 맡는 부분은 생생하게 관찰할 수 있다. 그중에서도 가장 눈에 띄는 것은 계절마다 잎의 색이 놀랍게 달라지는 현상이다. 낙엽수에서 특히 두드러지는 변화지만, 상록수도 그보다는 미세하게 잎의 색이 달라진다. 논란은 있지만 잎은 나무에서 가장 중요한 부분으로, 태양열 전지와 같은 역할을 한다. 태양 에너지를 이용해서 물과 이산화탄소(인간이 화석연료를 때서 대기 중에 뿜어내는 바로 그 기체)로 당분을 만들며 그 과정에서 '폐기물'로 우리에게 꼭 필요한 산소를 배출한다. 또 잎은 뿌리가 땅속 깊은 곳에서 빨아들인 물을 증기로 배출하면서 천연 에어컨 역할을 함으로써 주변의 기온을 많게는 약 3.5도나 낮춰준다.[1] 배출된 증기는 물의 순환 시스템으로 들어가서 우림 지역에 비를 내린다. 벌목으로 삼림이 없어진 지역에서 강우량과 강물의 유량이 줄었다는 연구도 있다.[2]

빈에서 20분 정도 떨어진 우리 집 근처의 산에는 낙엽수가 많지만 아래쪽의 협곡에는 점점 더 더워지는 기후 속에서도 어찌어찌 상록수가 시원한 은신처를 찾아 서식하고 있다. 봄이 시작될 때마다 나는 초록빛의 무한한 다채로움에 감탄하곤 한다. 나무마다, 아니 잎마다 각자의 고유한 초록빛을 뽐낸다. 초여름이 되면 나뭇잎들이 점점 커지는 밝은 초록의 뭉게구름처럼 자라 숲에 지붕을 만든다. 솜이불처럼 따뜻하고 안락해 보인다. 그리고 여름을 거치면서 초록이 점점 짙어지다가 마침내 가을이 오면 잎이 화려한 색으로 완전히 변모하고 이어 낙엽이 되어 떨어진다. 땅에 떨어진 잎들은 썩어서 다음번의 순환에서 양분이 된다.

하지만 잎은 이 1차적인 자연의 순환 과정이 아니라 또 다른 순환 과정에 들어가기도 한다. 곤충이나 동물에게 먹히는 것이다. 물론 인간도 나뭇잎을 즐겨 먹는다. 고대 유럽인들은 나뭇잎을 식용이나 약용으로 섭취했고 오늘날에도 그렇다. 어리고 연한 피나무 잎과 너도밤나무 잎은 샐러드에 제격이다. 가문비나무 새순은 설탕이나 꿀에 재어 햇빛에 숙성시키면 훌륭한 기침약이 된다. 일본 오사카의 미노오시에는 적어도 100년 전부터 '모미지 덴푸라'(紅葉の天ぷら)라고 불리는 튀긴 단풍잎을 파는 상점이 있다. 잎은 이 상점이 소유한 숲에서 가을에 수확하는데, 이때는 잎이 밝은 노란색이다. 수확한 잎은 씻어서 나무통에서 1년간 소금에 재운 뒤 밀가루, 설탕, 참깨 등으로 만든 튀김옷을 입혀 튀긴다.[3] 시즈오카현 출신인 한 친구는 자기 동네에서는 어린 감잎으로 튀김을 만든다고 했다. 그런데 이보다 감잎을 더 근사한 용도로 사용한 예를 오사카에서 찾아볼 수 있다. 물길이 많고 어장이 풍부하기로 유명한 오사카에서는 감잎으로 감싼 고등어 스시를 판다. 감잎으로 싼 본

래의 이유는 더 내륙에 있는 도시들로 용이하게 운반하기 위해서였다. 감잎은 항균 및 항곰팡이 성분이 있어서 생선과 단촛물로 양념한 밥이 상하지 않게 보존하는 기능을 했다.[4] 오늘날에는 냉장 차량이 있어서 감잎의 보존 기능은 필요 없어졌지만 감잎 스시(가키노하즈시[柿の葉寿司])는 독특한 맛과 모양으로 지금도 인기리에 판매된다.[5]

하지만 9월의 안개 낀 어느 날 아침에 윔블던 역에서 기차를 타고 런던 중심가의 복스홀 역을 향해 가고 있었던 것은 감잎 때문도, 단풍잎 때문도 아닌, 누구나 한 번은 맛보았을 다른 나뭇잎 때문이었다. 바로 카멜리아 시넨시스(Camellia sinensis), 차나무 잎이다.

우리가 흔히 마시는 차가 '나무'에서 나온다는 사실을 알면 많은 사람이 놀랄 것이다. 대개 '차'라고 하면 키가 1미터도 안 되는 낮은 관목이 네모난 둑 모양으로 다듬어져 자라는 광대한 초록 밭을 떠올릴 테니까. 하지만 이런 모양과 크기는 잎을 따기 편하게 인공적으로 만든 것이고, 야생의 차나무는 키가 약 15미터에 달하기도 하며 수백 년을 산다.[6]

황홀한 차의 세계에 대해 깊은 통찰을 얻으러 가기에 영국만 한 곳이 또 있을까? 뭐니 뭐니 해도 영국은 서구 세계에서 '차'의 성공담의 주인공이니 말이다.

나는 차를 정말 좋아해서 차 전반에 대해 흥미가 많았지만, 더 구체적으로는 차의 맛에 관심이 있었다. 차가 나무에서 나는 것이니만큼 찻잎들이 공통적으로 가지고 있는 맛이 무엇인지 알고 싶었고 내가 이전의 탐험에서 접해본 맛도 있을지 알고 싶었다. 또 제조 공정이 맛에 미치는 영향도 궁금했다. 가령, 녹차(발효하지 않은 차), 우롱차(부분적으로 발효한 차), 홍차(완전히 발효한 차), 보이차(균류로 발효한 녹차)는 맛이 얼마나 많이 다를까?

내가 도움을 구하려는 사람은 팀 도파이였다. 그는 런던 중심가에서 규모는 작지만 매우 유명한 '포스트카드 티' 상점을 운영한다. 나는 친구를 통해 도파이를 알게 됐는데, 그 친구는 고급 레스토랑 및 호텔 컨설팅 일을 하다가 그를 알게 됐다고 했다. 도파이는 런던의 차 업계에서 매우 중요한 인물이다.

나는 도파이가 소유한 자그마한 차 상점에서 그를 만나기로 했다. 그의 가게는 명품 거리로 유명한 메이페어 지구에 있다. 정확하게는 뉴본드 가에서 갈라지는 작은 골목인 데링 가에 있으며 옥스퍼드 서커스 역에서 조금만 걸어가면 나온다. 매우 체계적인 영국의 통근 열차 덕분에 정시에 가게 앞에 도착했다. 밖에서 보는 가게는 어서 들어오라고 유혹하듯 매혹적이었다. 프랑스식의 커다란 창문에, 창틀은 짙은 검정의 피아노 래커로 마감되어 있었고, 위에는 금색 글씨로 가게 이름이 쓰여 있었다. 안은 포근하게 불이 밝혀져 있었고 쇼윈도는 손으로 만든 일본 찻주전자와 찻잔, 여러 가지 다기로 아름답게 꾸며져 있었다. 가게 안 왼쪽과 오른쪽 벽에는 어질어질할 정도로 다양한 차들이 색색의 라벨이 붙은 원통형 용기에 담겨 있었다. 뒤쪽으로는 벤치 두 개와 탁자 하나, 그리고 차를 끓이는 주방을 겸한 카운터가 보였다. 이미 가게에 나와 있던 도파이와 직원 한 명이 문자 그대로 차 한 잔을 권하면서 따뜻하게 나를 맞아주었다. 선택지가 너무 많아서 고민하다가 처음 보는 랍상소우총(正山小種) 차를 골랐다.

마침 이 차는 소나무 연기로 훈연을 해서 강한 향이 특징인 홍차이고, 도파이가 잎차의 세계를 처음 탐험하게 된 계기도 친구 집에서 이것을 처음 마셔보았을 때라고 했다. 그가 대학을 졸업한 1993년에 영국 경제는 심각한 불황에 빠져 있었고 저명한 미술품 수집가인 아버지가 그에게 교토에 가보면 어떻겠냐고 제안했다.[7] 일본인 친구도 있고 아버지가 일본의 뮤지엄들에서 일을 하기도 해서 일본에 연고가 있는 편이었다. 교토로 간 도파이는 곧 자신이 온통 차에 둘러싸여 있음을 발견했다. 교토를 3면으로 에워싸고 있는 산에서 차를 재배하는 농부들부터 다도 학원들까지, 어디에나 차가 있었다. 차와 관련된 일을 하고 싶다는 생각은 굳혔지만 기존의 차 회사에서는 일하고 싶지 않았기 때문에 그는 직접 사업을 하기로 했다. 아버지가 거래하는 화가의 그림 한 점을 팔아서 마련한 종잣돈으로 몇 개월 동안 차 재배지를 돌아다닌 뒤 차 수입 사업을 시작했다.[8]

런던의 차 상점은 2005년에 열었고, 그는 차에도 '프로비넌스'(provenance)가 있다는 개념을 계속해서 개척해 나가고 있다. 프로비넌스라는 용어는 일반적으로 미술계에서 쓰이는데, 해당 미술품의 소장 이력이나 기원, 즉 소유자와 소장처가 어떻게 달라졌고 그 미술품과 관련해 어떤 흥미로운 사건들이 있었는지 등을 상세히 조사해 기록한 것을 말한다. 더 현실적인 의미에서 프로비넌스는 그 미술품의 값을 좌우하며, 모든 딜러는 자신이 흠 없는 프로비넌스를 가진 작품만 판매한다는 것에 자부심을 느낀다. 전 세계의 차 시장에서는 대부분의 거래가 양과 가격을 중심으로 돌아가지만, 도파이는 그가 판매하는 차가 예술품이며 따라서 프로비넌스가 있어야 한다고 생각한다. 그래서 그가 취급하는 60여 종의 차는 모두 소규모 생산자가 생산하며 적어도 제조자의 이름과 장소 정보를 제공한다. 대개 포스트카드 티 웹사이트에서 사진과 향조 설명이 곁들여진 각 차의 일대기를 읽을 수 있다. 웹사이트의 글은 도파이와 마주 앉아서 직접 듣는 이야기만큼 흥미롭다. 아무튼 그날 나는 도파이와 마주 앉아 내가 마시고 있는 랍상소우총 차에 대한 이야기를 들었다. 그 차는 중국 우이산 시의 안개가 많은 산에 위치한 구아 둔이라는 마을에서 5에이커(2만 제곱미터)의 차 밭을 가꾸는 시앙 씨가 재배한 것이었다. 도파이는 친분이 있는 저명한 중국의 차 장인인 쉬 대인을 통해 시앙 씨를 알게 되었다고 한다. 바로 시앙 씨의 200년 된 차나무에서 최초의 랍상소우총 차가 나왔다. 도파이에 따르면, 오늘날에도 랍상소우총 차는 전통적인 나무 헛간에서 소나무를 태운 연기로 살짝 훈연해 따뜻하고 깊은 향을 낸다.[9]

나무 이야기가 나왔으니 나무의 알쏭달쏭한 맛을 추적하는 내 취재에 대해 말하기 좋은 기회였다. 나는 차를 만드는 공정에 따라 다른 맛이 나는지 알고 싶었다. 호기심이 많은 도파이는 내 질문에 잠시 생각을 하더니 차 맛의 세계에 대해 풍성한 이야기를 풀어놓기 시작했다. 첫 소재는 우리가 마시고 있던 랍상소우총 차였다. 훈연해서 만드는 차이니 '나무의 맛'이라는 말을 듣고는 제일 먼저 떠올랐던 것이다. 하지만 가공하지 않은 차로 이야기가 넘어가자 그는 홍차, 더 구체적으로는 아삼 차나 보이차를 '나무 맛' 혹은 '발아 곡물 맛'과 즉시 연결시켰다. 그는 보이차에서 나는 풀 맛과 나무 맛이 차의 숙성 과정에서 서서히 생겨나는 것이라고 말했다. 처음에는 더 밝고 더 과일 향 같은 맛이 난다는 것이었다. 구기자차도 흥미로웠는데, 차나무의 줄기, 가지 등을 섞어 만드는 일본 녹차로 송진 느낌이 섞인 강한 단맛이 난다.

차 맛의 다채로움은 여기에서 끝나지 않았다. 풀 향, 채소 향, 때로는 고소한 땅콩 향이 나는 녹차, 꽃 향과 과일 향의 우롱차, 가죽 같으면서 흙 맛이 감도는 진한 홍차와 보이차는 도파이가 소개해준 차 맛의 아주 일부일 뿐이었다. 특별한 것으로는 단연 중국의 철관음 우롱차를 꼽을 수 있을 것이다. 도파이는 철관음의 톡 쏘는 듯한 히아신스 향을 맡으면 그 꽃을 매우 좋아하셨던 돌아가신 할머니가 늘 생각난다고 했다.

한 시간 남짓의 짧은 대화였지만 차와 차의 맛에 대해 상상했던 바를 훨씬 뛰어넘는 방대한 내용을 알게 되었다.

도파이를 만나고 나니 집에서 내가 제일 좋아하는 차들을 맛보면서 도파이가 말한 차이들을 실제로 발견해보고 싶어졌다. 그리고 또 아는가? 내가 스스로 새로운 맛을 더 발견하게 될지.

인도 차를 매우 좋아하는 집안에서 자랐기 때문에 나는 상당히 많은 다르질링과 아삼 차를 집에 늘 구비해놓는다. 이에 더해, 도파이를 만난 뒤에 흥미로워 보이는 새로운 차도 몇 가지 더 마련해두었다. 이 보물 창고에서 몇 가지를 골라 차를 우리고 맛을 보았다. 밤 맛, 재스민 맛, 헤이즐넛과 캐러멜 맛, 자몽 에센스 맛, 그리고 놀랍게도 특유의 아이오딘 향이 나는 해조류 맛 등을 감지할 수 있었다.

다르질링 차에서 헤이즐넛과 캐러멜 향을 맛보노라니 오래전 가족과 북부 인도에 가서 처음 다르질링 차를 접했던 때가 생생하게 떠올랐다. 새벽 3시에도 사람들이 바글거리는 뉴델리의 복잡한 공항에 내려 그날 밤을 보내고, 우리는 북쪽으로 가는 비행기에 올라 히말라야가 있는 웨스트 뱅골로 향했다. 목적지는 바그도그라 공항이었는데, 동쪽으로 아삼주까지 쭉 이어지는 히말라야 산자락의 비옥한 범람원에 위치해 있었다.

장대한 브라마푸트라강이 가로지르는 아삼주는 영국 식민치하의 인도에서 차 플랜테이션이 가장 먼저 생긴 곳이다. 영국은 차의 세계에서 독립 국가가 되기 위해 이곳에 플랜테이션을 지었다. 그때까지 영국에서 소비하는 차는 거의 다 차 문화의 탄생지 중국에서 수입된 것이었다. 하지만 아삼주에 차 플랜테이션을 세우는 일은 순조롭지 않았다. 덥고 습한 정글 지역인 브라마푸트라 계곡에서도 차나무의 한 품종이 자라기는 했지만 영국인들은 그들이 즐겨 마시게 된 중국 품종을 꼭 들여오고 싶어 했다. 중국은 당시 외국인이 차 묘목을 가져가지 못하게 막고 있었는데 영국은 대담하게도 차나무와 씨앗, 그리고 차 제조 장인을 빼내 올 밀수단을 중국에 들여보냈다. 하지만 이 계획은 대대적으로 실패했다. 중국의 차나무 종인 '카멜리아 시넨시스'(시넨시스는 '중국에서 온'이라는 뜻이다)는 시원한 산악 기후에서 잘 자라는 종이어서 아삼주의 열대 기후와 산성 토양에 적응하지 못했다.[10] 게다가 중국에서 데려온 차 제조 장인들의 실력이 의심스럽다는 것이 곧 드러났다. 영국인들은 중국인이라면 자동적으로 모두 숙달된 차 장인일 것이라는 가정 아래 사람을 데려온 듯했는데, 그것이 잘

못된 가정이었음이 명백해진 것이다.[11]

다행히도 영국의 야심 찬 차 재배자들이 그사이에 현지인들의 도움을 받아 야생에서 자라는 아삼 차나무(카멜리아 시넨시스 아사미카)를 찾아냈고, 그것이 잘 자라도록 가지치기를 하고 주변의 정글을 쳐내는 고된 일에 착수했다. 머지않아 '차의 숲'이라는 매우 적절한 이름이 붙은 이 지역에서 차가 생산되기 시작했고 1839년에 런던 차 경매에서 믿을 수 없이 높은 가격에 팔렸다. 나무 향조가 감도는 강한 향의 아삼 차가 널리 호평받고 대중의 관심도 높아지면서 아삼 지역에 차 재배 열풍이 불었고, 이 지역은 오늘날 세계에서 가장 유명한 차 산지가 되었다.

하지만 인도에서 가장 높은 가치를 인정받는 차가 동부 히말라야의 한복판에 나타나기까지는 14년이 더 있어야 했다. 해발 약 2000미터 높이에 위치한, 그때는 전혀 알려지지 않은 곳이었던 초소 근처에서 중국에서 밀수된 차나무 중 일부가 히말라야 산자락의 토양에 뿌리를 내리고 놀라울 정도로 잘 자라기 시작한 것이다. 이 기지의 감독관이자 의사인 아치볼드 캠벨이 심어본 것이었는데, 에너지가 넘치는 스코틀랜드의 공무원이자 인도 의료국 직원이었던 그는 네팔 사람 수백 명의 도움으로 한적하고 외진 산

골의 초소이던 다르질링을 유럽식 주택 70채와 군 휴양지, 호텔, 시장, 심지어 감옥까지 있는 분주한 마을로 변모시켰다. 곧 차나무가 더 심어졌고 히말라야에 카멜리아 시넨시스를 상업용으로 재배하는 첫 재배지가 생겨났다. 이곳에서 생산되는 고급 차가 바로 '다르질링' 차다.[12]

바로 그 히말라야 깊은 곳의 고급 중국 차 재배지가 우리 가족의 행선지였다. 우리는 바그도그라 공항에서 자동차를 타고 북쪽으로 향했다. 먼저 우리의 자동차는 인도 북동부의 가장 큰 도시 실리구리의 외곽을 지나갔다. 실리구리는 이웃 나라인 방글라데시, 부탄, 네팔과 연결되는 교통의 요충지이다. 도로 양옆에는 금속 골판 지붕을 이은 색색의 목재와 콘크리트 집들, 가판대, 차고, 목공소, 주유소, 농기계점, 그리고 놀랄 만큼 많은 큰 낙엽송이 있었다. 또 도처에 소들이 있었는데, 주위에서 벌어지는 분주한 움직임에는 전혀 관심 없이 그저 졸고 있었다.

주위는 정말로 분주했다. 교통이 혼잡해질수록 운전기사 분이 계셔서 정말 다행이라는 생각이 절로 들었다. 트럭의 경적 소리가 그치지 않았고, 많게는 다섯 명이 탄 오토바이, 세 바퀴로 기우뚱거리며 달리는 트랙터, 화려하게 장식되었지만 엄청나게 과적한 트럭, 빠른 속도로 내달리는 자동차, 사탕수수대를 양옆으로 10센티미터는 튀어나오게 실은 자전거들이 도로에 가득했다. 이에 더해, 모터 달린 삼륜 릭샤('툭툭'이라고 불린다), 일반 릭샤, 사람, 개, 당나귀, 그리고 물론 소도 있었다. 나는 이 모든 것 사이를 피해 달리는 운전기사의 실력에 넋을 놓고 감탄했다가 생명의 위험을 느끼며 공포에 질렸다가를 반복했다. 30분쯤 살려달라고 기도를 한 뒤, 드디어 우리는 복잡한 도시를 뒤로하고 차창 밖으로 스치는 이국적인 풍경을 즐길 만큼 마음을 놓을 수 있게 되었다. 도로 양옆으로 밝은 초록의 카펫이 깔린 듯한 첫 번째 차 재배지(곳곳에서 소의 머리가 찻잎 사이로 불쑥불쑥 보였다), 수확을 마친 논, 티크 목재 생산지가 보였다. 그리고 난생처음 보는 장대한 산의 장벽이 눈앞에 나타났다. 시시각각 높이가 높아졌다. 나는 운전기사에게 이게 그 유명한 8800미터 높이의 히말라야냐고 물어보았다. 그는 웃으면서 이건 그냥 작은 언덕이라며 4000~5800미터밖에 안 된다고 말했다. 오스트리아에서 가장 높은 산보다도 훨씬 높은데… 과연 모든 것은 관점의 문제다.

곧 우리는 범람원 지대를 벗어나 히말라야 산맥 안으로 들어섰다. 고도가 높아지면서 길은 점점 더 좁고 구불구불해졌고 풍경은 더 거대해졌다. 달리는 속도는 상당히 떨어졌다. 도로를 가로막은 것들이 너무 많기 때문이었는데, 그것들을 피하려면 대단한 수완이 필요했고 엄청나게 조심해야 했다. 무섭게도 바로 옆이 낭떠러지인 길가로 바짝 붙어서 가야 할 때도 있었다. 고도가 높아지면서, 습도는 높아지고 반대로 기온은 뚝뚝 떨어졌다. 이 지역에서 불리는 이름인 '인도의 안개 낀 산'에 참으로 걸맞은 환경이었다. 중국 차나무가 여기에 잘 정착할 수 있었던 것은 이상한 일이 아니었다. 이곳의 기후는 차나무의 원산지라고 알려진 남중국과 윈난성 남서부 지역의 산맥과 매우 비슷하다.[13]

더 고도가 높은 산기슭은 한때 이곳을 지배했을 야생 난초, 진달래, 나무고사리, 호랑이, 곰, 수많은 새를 몰아내고서 차 밭과 작은 숲이 번갈아 차지하고 있었다. 이른 오후에 길가 식당에서 점심을 먹었다. 식당은 절벽 위로 쑥 튀어나온 곳에 있었는데 아래로 살짝 보이는 광경이 절경이었다. 춤추듯 계속 달라지는 안개 사이로 무성한 초록의 골짜기가 보였다. 음식도 맛있었지만('모모'라고 불리는 찐 야채 만두와 매운 소스를 먹었다) 정작 우리를 놀라게 한 별미는 디저트였으니, 바로 갓 우려낸 호박색의 다르질링 차였다.

점심을 먹고 나서는 또다시 곡예 운전에 정신이 온통 곤두섰다. 안 그래도 좁은 길을, 불안정하게 기우뚱거리며 내달리는 밝은 파란색의 증기 기관차와 공유해야 했고, 울퉁불퉁한 기찻길이 예기치 못한 간격으로 길에 나타났다. 길이 복잡하고 혼란스러운 것은 도시와 다를 바가 없었고, 이제는 더 좁기까지 했다. 한쪽 옆은 천 길 낭떠러지였고 다른 쪽 옆에는 낡고 불안정한 증기 기관차가 달리고 있었다. 아마 놀랄 일도 아니겠지만 산을 올라갈수록 기도 깃발이 엄청나게 많아졌다.

초긴장 상태로 한 시간을 달려 약 900미터를 더 올라 드디어 비 내리는 다르질링에 도착했다. 작은 언덕(히말라야 기준으로)의 조그마한 기지였던 곳이 이제는 10만 명 이상이 거주하는, 널리 퍼져가는 도시가 되었다. 하지만 알록달록한 키 큰 건물들은 하늘로 치솟은 사이프러스 나무들의 짙은 녹색 풍경에 너무 잘 어울렸다.

날이 빠르게 저물고 있었기 때문에 호텔에 짐을 맡기고 손으로 그린 지도를 들고서 서둘러 도심으로 향했다. 우리가 찾는 곳은 호텔에서 언덕 아래로 7분만 걸어가면 나오는 곳인데도 그 앞을 두 번이나 지나치고 나서야 겨우 찾았다. 다르질링의 가장 오래된, 그리고 가장 명성 있는 차 상점 '나쓰물'이었다.

문을 열자 따뜻하고 강렬한 차향이 훅 몰려왔다. 가게 안에는 사람이 많았고 다들 차를 사고, 팔고, 우리고, 맛보고, 냄새 맡고, 무게를 달고, 포장하느라 분주했다. 양쪽 벽면에는 천장까지 선반이 있었고 라벨이 붙은 포장된 차와 다기 들이 가득 채워져 있었다. 그리고 한쪽 벽은 바닥부터 천장까지 전체가 나무 서랍으로 된 차 보관함이었다. 가게 앞쪽에는 큰 판매대가 있었고 그 위에 차가 담긴 병들이 길게 줄지어 있어서 이 가게에서 파는 모든 차를 시음할 수 있었다. 이 모든 광경에 압도된 채로, 우리는 옆에서 참을성 있게 기다리고 있던 종업원에게 먼저 맛을 보고 나서 다르질링 차와 아삼 차를 조금 사고 싶다고 말했다. 그는 즉시 메뉴를 갖다 주었는데 아주 여러 쪽에 걸쳐 차 종류가 적혀 있었다. 차에 대해 아는 것이 별로 없었기 때문에 메뉴를 보니 더 헷갈렸다. 어리둥절해하는 우리 표정을 본 종업원이 웃으면서 몇몇 차를 권했다. 대부분 이미 우려놓은 것이 있어서 바로 작은 찻잔에 따라 맛을 볼 수 있었다. 그의 도움으로 어떤 것이 우리 입맛에 맞고 어떤 것이 그렇지 않은지 알아보면서 선택지를 좁혀나갔고, 몇 종류를 나무로 된 커다란 차 함에 담아 오스트리아에 있는 우리 집으로 부쳐 달라고 주문했다. 그 함은 지금도 우리 집 거실의 잘 보이는 곳에 놓여 있다. 카페인을 다소 과도하게 섭취한 뒤 우리는 매우 행복한 기분으로 호텔로 돌아왔다. 다음 날 일찍 일어나서 우리는 다르질링 차 한 잔을 손에 들고 아무것도 시야를 방해하지 않는 상태로 칸첸중가 산의 일출을 즐겼다. 해가 뜨면서 정상의 눈 덮인 부분이 붉게 반짝이다가 오렌지 빛 구름 속으로 사라졌다.

우리 가족의 인도 북부 모험은 시킴주, 그리고 분홍 꽃이 핀 벚나무가 드문드문 있는 가운데 펼쳐진 키치스러울 정도로 밝은 초록빛의 차 밭, 약 4000미터 높이의 산악 도로, 회색랑구르들이 있는 운무림 등을 지나 부탄으로까지 이어졌다. 내게 이 여행은 앞으로도 가장 소중한 모험으로 남아 있을 것이다. 숨이 멎을 듯이 놀라웠던 경험도 경험이었지만, 무엇보다 차에 대한 열정에 불을 붙여주었기 때문이다.

이후 몇 년 동안 나는 차에 대해 공부했고 더 많은 차를 마셨다. 그러나 차가 가진 극히 다양한 맛에 대해 새롭게 눈을 뜨게 된 것은 도파이와 이야기를 나누고 난 후였다. 차의 맛은 차나무가 어디에서 어떻게 자라는지뿐 아니라 찻잎이 누구에 의해 어떤 처리 공정을 거치는지에 따라서도 달라졌다. 헤이즐넛, 캐러멜, 밤, 요오드, 자몽, 재스민, 심지어는 히아신스 향까지 수많은 맛을 내는 또 하나의 나무 음식을 알게 되어서 정말 신이 났다. 나는 나무의 맛이 나무에서 나오는 모든 음식의 공통된 맛을 의미한다기보다, '다양성'이야말로 나무 맛의 중요한 특징임을 깨닫기 시작했다. 이런저런 차를 시음하는 동안 반복적으로 나타난 것이라면 '나무 같은' 향조뿐이었는데, 특히 아삼 차를 묘사할 때 많이 쓰게 되는 표현이었다. 쉽게 감지할 수는 있지만 묘사하기는 어려운 이 향조는, 내가 할 수 있는 최선의 표현으로 말해보자면, 낡은 서점과 비슷한 느낌이다. 먼지 같은, 그리고 약간 달콤하지만 매우 건조하고 살짝 떫은기가 느껴지는 이 맛이 내게는 '나무 같은' 향조가 존재함을 알려주는 첫 신호였다.

하지만 곧 나는 복잡한 나무 맛의 세계를 한층 더 폭넓게 열어주는 또 다른 나무 음식을 만나게 된다.

위스키 맛의 70퍼센트

차의 세계에서 새로운 맛을 발견하고서 나무 맛 탐험에 다시 불이 붙은 나는 곧바로 세계적으로 유명한 또 다른 음식에 나무가 미치는 영향을 알아보기 시작했다. 바로 위스키다. 나는 늘 위스키를 더 공부해보고 싶었다. '나무의 맛'이라고 할 때 사람들이 가장 먼저 떠올릴 음식이 위스키일 것 같았기 때문이다. 아마 와인이 막상막하로 두 번째일 텐데, 와인의 경우에는 더 독한 친척뻘인 위스키만큼 나무의 영향에 대해 사람들의 의견이 일치하지는 않는다. 관심은 늘 있었지만 본격적으로 위스키에 대해 알아보게 된 것은 팀 도파이가 지나가는 듯이 한 말 때문이었다. 도파이는 블렌디드 위스키 업계의 대표 기업인 조니 워커의 위스키 블렌더 중 한 명에게 들었다며 차와 위스키 사이의 뜻밖의 관련성에 대해 이야기해주었다.[1] 조니 워커는 1820년에 스코틀랜드의 작은 마을 킬마넉에서 젊은 식료품점 주인으로 경력을 시작했고,[2] 곧 차와 향료를 잘 블렌딩하는 것으로 이름을 알리게 되었다. 당시에 스코틀랜드 식품점은 인근 농장의 증류소에서 숙성되지 않은 위스키 원액을 들여와 자신이 가지고 있는 낡은 통에서 숙성시켜 판매하곤 했다. 전에 와인부터 셰리까지 모든 것을 담았던 이 통들은 위스키에 특유의 향을 더해주었다. 아마도 몇몇 식품점 주인이 이 예기치 않았던 결과에 흥미를 느껴 이런저런 방식으로 블렌딩을 시도해보았을 것이다.[3] 도파이에게 이 이야기를 들려준 사람(그도 위스키 블렌더다)에 따르면, 조니 워커도 그런 식품점 주인 중 한 명이었으며 그가 훈연 향이 감도는 위스키를 블렌딩하게 된 데는 차 블렌딩 경험이 크게 영향을 미쳤을 것이다. 지나친 추측이 아니다. 당시에는 수입 차 상당수가 운송 시 보존을 위해 훈연 처리되었기 때문이다.

두 가지 나무 음식 사이의 연결고리에 대해 이보다 더 흥미로운 이야기가 있을까? 런던에서 집으로 돌아오는 비행기에서 벌써부터 나는 사람들의 연상 속에서 왜 그렇게 위스키와 나무 맛이 깊이 연결되어 있는지를 곰곰이 생각하고 있었다. 정말로 위스키가 다른 음식보다 나무 맛이 더 강하게 날까? 위스키 업계가 그런 쪽으로 마케팅을 잘해서일까? 그렇다면 왜 하필 나무 맛을 강조했을까? 위스키의 세계를 탐험해야 할 때였고, 의외로 보일지도 모르지만 오스트리아가 좋은 출발점이 될 수 있을 것 같았다.

체코와의 국경 근처에 있는 오스트리아 북부의 전형적인 농촌 마을 로겐라이트에 오스트리아 최초의 위스키 증류 회사가 있다. 이 지역은 '숲의 지역'이라는 뜻의 발트피에르텔이라고 불린다. 해발 900미터의 로겐라이트에서는 주변의 시골로 이어지는 아름다운 풍광을 볼 수 있는데, 그 시골들은 이름에 걸맞게도 다 숲으로 덮여 있으며 간간이 좁고 기다란 밭이 있을 뿐이다. 밭의 폭이 정말 좁아서 트랙터 한 대가 겨우 방향을 돌릴 수 있을 정도다.

미식과학대학 대학원 시절에 함께 공부했던 세계 각지 출신의 동문들과 이 길을 차로 달리는 동안 그들은 왜 내가 숲과 나무에 대해 그렇게 노상 떠들었는지 알 것 같다고 했다. 대부분 도시에 사는 그들에겐 이 지역이 완전히 야생의 땅으로 보였을 것이다. 다행히도 외부 세계의 혁신이 아예 닿지 못할 만큼 외진 곳은 아니었다. 1995년에 위스키 증류소가 성공적으로 세워진 것이 그 증거다.

최초의 위스키가 정확히 언제 만들어졌는지는 아무도 모른다. 역사 기록에 처음 언급된 사례는 1494년에 작성된 일종의 사업 문서로, 스코틀랜드 린더스의 베네딕토 수도회가 에든버러의 제임스 4세 궁정에 공급되는 위스키의 양을 상세히 밝힌 서류다. 이 무렵이면 증류 기법은 이미 유럽 전역에 잘 알려져 있었다. 하지만 아직 '위스키'라고 불리지는 않았다.[4] 라틴어로 증류주는 생명수라는 뜻의 '아쿠아 비타이'(aqua vitae)라고 불렸고, 몇몇 유럽 국가에서는 이 말을 자국 언어로 번역해 사용했다. 프랑스에서는 '오드비'(Eau de Vie), 스칸디나비아에서는 '아쿠아비트'(Aquavit)라고 불렀고, 게일어를 사용하는 스코틀랜드에서는 '우스케 바하'(Uisge-Beatha)라고 부르다가 이것이 점차 간략하게 줄어 위스키(whisky. 미국과 아일랜드에서는 e가 들어간 whiskey를 쓴다)가 되었다. 또한 각국은 기본적인 증류 기법을 자신의 지역에 맞게 수정했고 주재료도 현지에서 쉽게 구할 수 있는 것을 사용했다. 가령, 프랑스는 포도, 스칸디나비아와 스코틀랜드는 보리를 증류했다.[5] 오늘날에는 몰트위스키(맥아만 넣고 다른 곡물은 넣지 않은 것)와 그 밖의 곡물 위스키(다른 곡물과 맥아를 섞어 만든 것)를 엄격히 구분하지만, 이때까지는 그렇지 않았다. 그때그때 구할 수 있는 곡물을 사용했기 때문이다.

대개 아쿠아 비타이는 의료 효과가 있는, 거의 신비로운 강장제로 여겨졌으므로, 증류 기법을 개발하고 전수하고 증류주를 생산하는 것은 수도원 같은 종교 기관이 담당했다.[6] 하지만 곧 농민들도 증류의 장점을 발견했다. 남는 작물을 벌레가 꼬이지 않는 액체로 바꿀 수 있는데다 일시적으로라도 온갖 긍정적인 부수 효과를 얻을 수 있었던 것이다.

처음에 위스키는 나무통 숙성을 거치지 않은 무색투명의 백주(white spirit)로 소비되었다.[7] 백주를 처음으로 나무통에서 숙성한 것이 언제인지는 기록이 남아 있지 않지만 18세기경 순전히 우연히 시작되었으리라는 게 정설이다.[8] 그 시절에는 나무통이 보편적인 운송 및 보관 도구였으므로, 몇몇 농민이 백주가 통에 남아 있는 것을 잊고 있다가 몇 년 뒤에 우연히 통을 열어보고 그것이 완전히 달라져 있는 것을 발견하는 장면을 상상해보기란 그리 어렵지 않다. 그것을 마셔볼 용기를 어떻게 낼 수 있었을지는 상상하기가 좀 더 어렵지만, 아무튼 누군가는 그렇게 했을 것이다.

하지만 숙성된 위스키가 발견된 이후에도 150년 동안 증류주를 소비하는 방식은 의외로 별로 달라지지 않았다. 증류주는 여전히 맑은 백주로 소비되었고 숙성시킨 위스키를 마시는 경우는 드물었다. 그러다가 1915년에 영국에서 금주 운동 단체들의 로비로 숙성하지 않은 술을 금지하는 법(Immature Spirits Act)이 통과되었는데, 이 법에 따르면 모든 위스키는 3년하고 1일간 나무통에 보관된 것이어야 했다. 이 법의 목적은 증류주 산업을 위축시키는 것이었다. 3년이나 판매를 못하면 살아남을 증류소가 없으리라고 생각한 것이다. 하지만 몇몇 증류소가 어찌어찌 살아남았고 위스키의 새로운 시대가 열렸다.[9] 나무통 숙성은 증류주에 완전히 다른 층위의 색과 복잡성을 부여했고, 이것이 너무나 성공적이어서 위스키는 세계에서 가장 많이 소비되는 증류주로 자리매김했다.[10]

하지만 나무통 숙성이 실제로 하는 역할은 무엇일까? 색만 더하는 것일까, 아니면 맛도 더하는 것일까? 나는 10분만 더 가면 나오는 발트피에르텔 로겐호프 위스키 증류소에서 답을 찾을 수 있기를 기대했다.

작은 마을 로겐라이트에 [곡물 기반의] 위스키 증류소가 들어온 것은 비교적 최근이지만 오스트리아에서 증류 기법 자체는 오랜 전통이 있다. 오스트리아의 증류주 제조에 대해 남아 있는 첫 기록은 14세기로까지 거슬러 올라간다. 오스트리아에는 늘 과일 나무가 많았으므로 대부분의 증류주는 과일로 만든 슈납스(schnapps)였다. 이것은 미국에서 판매되는 '슈냅스'와는 다르다. 슈냅스는 곡물로 만들고 나중에 과일 향을 입힌 것이다.[11]

발트피에르텔 로겐호프의 설립자이자 소유주인 요한 하이더는 과일도 사용하지 않고, 전통적으로 위스키에 사용되는 보리도 사용하지 않는다. 대신 호밀을 사용한다. 그가 쓰는 호밀의 일부는 그의 농장에서 직접 재배하는데, 호밀은 더 단단한 곡물이어서 북부 오스트리아의 척박한 땅과 추운 겨울에 잘 자란다. 사실 이 마을 이름인 로겐라이트가 '호밀을 키우는 숲 개간지'라는 뜻이다.

1995년에 하이더는 가족 농장에 추가적인 경제 기반이 절실히 필요하다는 것을 깨닫고 증류소를 시작했다. '하면 된다'는 신조대로 증류 기술을 배워본 적도 없이 시작했지만, 책을 보고, 시행착오를 통해, 강의와 수업을 들어서, 그리고 다른 나라의 저명한 증류소들을 다녀보면서, 증류 기술에 통달하게 되었다. 1998년에 그가 첫 위스키를 선보였을 때 오스트리아 언론은 "오스트리아 최초의 증류소"라고 대대적으로 보도했고 그는 곧바로 유명해졌다. 이 증류소를 견학하고 위스키를 사고 싶어 하는 사람들이 버스로 수백 명씩 찾아왔다. 20년 뒤 그의 위스키는 저명한 '국제 주류 품평회'를 포함해 여러 곳에서 상을 받았고, 짐 머리(『짐 머리의 위스키 바이블』 저자), 마이클 잭슨(『마이클 잭슨의 몰트위스키 동반자』 저자) 등의 저술에도 단골로 등장해 찬사를 받았다. 또한 그의 농장은 '위스키 어드벤처 월드'로 바뀌어 한 해에 7만 명 이상이 찾는 명소가 되었다.[12]

약속 시간보다 약간 늦게 도착했는데, 다행히 하이더도 몇 가지 일을 처리하느라 조금 늦었다. 그는 호기심 어린 얼굴로 나를 반겨주었다. 나무의 맛이 궁금하다는 이 사람에게 무슨 이야기를 해줘야 하나 싶은 표정이었다. 내가 취재하고 있는 것이 무엇인지 조금 더 설명을 하자 그는 기꺼이 증류소를 보여주면서 호밀 위스키의 세계를 안내해주었다. 제일 먼저 본 것은 증류소의 심장인 독일제 고성능 증류기 두 대였다. 조명을 받아 번쩍이는 이 장치는 두 개의 스테인리스 스틸 통이 연결된 복잡한 시스템으로, 구리로 된 내화성 탑 두 개가 위에 달려 있고 중간에 또 다른 탑이 있었으며 각양각색의 다이얼, 계기판, 부품, 파이프 등이 잔뜩 붙어 있었다. 우주로 발사될 준비를 마친 위성처럼 보였다.

하지만 이 우주 위성 같은 장비는 사실 지극히 간단한 물리 원칙에 기반하고 있다. 증류는 여러 액체가 각기 끓는점이 다르다는 사실을 이용한 기법이다. 물은 100도에서 끓지만 에탄올(술)은 그보다 낮은 약 78도에서 끓는다. 따라서 에탄올과 물을 분리하고 싶으면 가열 원료와 가열 용기(밀폐할 수 있는 뚜껑이 달린 냄비), 그리고 냉각 장치(일반적으로는 물을 사용해 냉각하는 나선형 관)가 달린 장비가 있으면 된다. 장비를 구했으면, 물과 에탄올이 섞인 액체를 78도 정도로 가열한다. 그러면 물은 계속 액체 상태를 유지하지만 에탄올은 증기가 된다. 그 에탄올 증기를 나선형의 냉각관을 통과시켜 끓는점 이하로 다시 식히면, 짜잔, 액체 에탄올이 만들어진다.[13]

물론 이론상으로만 그렇고, 실제로는 약간의 물과 원래의 액체에 들어 있던 추가적인 물질들(착향 유기화합물)

이 함께 섞여 나온다. 증류 장비가 정교하지 못할수록 에탄올 이외에 다른 것이 많이 섞여 나온다.

우리는 증류실을 나와서 로겐호프 위스키에 실제로 쓰일 곡물들이 있는 전시실로 이동했다. 여러 상태로 준비된 곡물을 보여주면서, 하이더는 맛의 변화를 일으키는 데 주되게 기여하는, 위스키 제조에서 막대하게 중요한 과정을 설명해주었다. 바로 발아 과정으로, 곡물을 더운물에 담가 움을 틔우되 빠르게 건조시켜 실제로 싹이 자라지는 않게 하는 것이다. 발아를 시키면 곡물 안의 전분이 당분이 되고 그 당분을 이스트가 소화시켜 에탄올과 이산화탄소로 만든다. 가열 온도와 건조 기간에 따라 발아 곡물의 로스팅 향이 달라진다. 훈연으로 추가적인 향을 낼 수도 있다. 로겐호프 증류소에서는 인근 탄광에서 소량씩 조심스럽게 채굴한 토탄으로 발아 곡물의 일부를 훈연해 이곳 제품 특유의 위스키향을 만든다.

하이더가 사용하는 곡물은 대체로 지역산이다. 물도 근처 숲의 샘물을 사용한다. 유독 부드럽고 풍미가 있어서 선택한 것이다. 하지만 그가 지역산 원료를 선호한다는 것을 가장 잘 보여주는 곳은 창고였다. 바닥부터 천장까지 커다란 나무 선반이 있었고 완벽한 정방형으로 된 칸마다 위스키가 채워진 60갤런들이(약 227리터) 통이 누워 있었다. 그 앞에 서 있노라니 왜 사람들이 위스키와 나무를 그렇게 직결시켜 생각하는지를 대번에 알 것 같았다. 내가 이제까지 본 어떤 것도 음식에 사용되는 나무를 이렇게 시각적으로 잘 체현한 것은 없었다.

그렇다면, 맛은 어떨까? 하이더는 위스키에 나무의 맛이 들어 있다고 확언하면서 나무통을 가지고 탐험했던 흥미로운 맛의 여정을 들려주었다.

다들 그렇게 하듯이 그도 처음에는 프랑스산이나 미국산 화이트 오크로 만든 통을 사용했다. 위스키 업계는 일반적으로 이 두 종류의 오크를 선호하는 듯한데, 다들 좋아하는 바닐라 향(미국산)과 초콜릿 향(프랑스산)을 내기 때문이다. 그런데 어느 날 오스트리아 인근 지역에도 오크나무가 많다는 사실이 문득 떠올랐다고 한다. 왜 수천 킬로미터나 떨어진 곳에서 비싸게 통을 수입한단 말인가? 그래서 그는 지역산 오크를 시도해보기로 했다. 이 숲의 삼림 관리인과 오스트리아의 통 제조공 슈네켄라이트너와 함께 하이더는 시험용 통을 만들어 그의 호밀 위스키를 담아보았다. 초콜릿 향이 나는 프랑스 리무쟁산 오크보다 바닐라 향이 나는 미국산 화이트 오크와 더 비슷했지만 덜 공격적이고 더 둥글둥글한 맛이 났다. 결과가 매우 마음에 들었던 하이더는 이제 호밀 위스키에 오스트리아산 오크만 사용한다.

그곳의 위스키를 시음해볼 때가 되었는데 바닐라 향조를 비교해볼 스카치위스키가 없었다. 하지만 하이더에겐 더 나은 것이 있었다. 바로 백주 위스키였다. 숙성하지 않은 것이어서 나무가 위스키에 어떤 역할을 하는지를 직접적으로 비교해볼 수 있었다. 색의 변화는 명백했다. 투명한 무색에서 아름답고 깊은 반투명 구리색으로 바뀌어 있었고 조명에 따라서는 거의 불투명한 호박색으로 보이기도 했다. 하지만 정작 흥미로운 것은 색보다 맛의 변화였다. 100퍼센트 발아 호밀로 만든, 숙성하지 않은 백주는 처음에 매우 가벼운 꿀 향이 나다가 곧 목이 타들어 가는 듯한 41퍼센트의 고농도 알코올 느낌이 그것을 압도했다. 하지만 오스트리아산 오크 통에서 3~4년 묵힌 숙성 위스키의 맛은 더 조화롭고 풍성했다. 바닐라 향은 물론이고 꿀 향이 백주에서 나는 것보다 더 분명했고, 은근하게 코코넛 향이 났으며 훈연한 시나몬 향까지 살짝 감돌았다. 흥미롭게도, 목이 타들어 가는 듯한 알코올의 독한 느낌도 훨씬 줄어서 즐길 수도 있을 만한 정도가 되어 있었다.

시음을 하고 나서야 이 증류소에 벌써 두 시간 반이나 머물렀다는 사실을 퍼뜩 깨달았다. 하이더에게 그가 나눠준 시간과 지식에 감사 인사를 하고서 차를 몰고 부모님 댁으로 돌아왔다. 위스키, 그리고 나무가 위스키에 미치는 영향에 대해 새로 접한 내용이 머리에 가득했다. 하지만 나는 아직 표면만 긁었을 뿐임을 잘 알고 있었다.

알아야 할 것이 얼마나 더 많은지를 확실히 깨달은 것은 몇 주 뒤 아나벨 메이클과 흥미진진한 대화를 나누면서였다. 메이클은 저명한 위스키 전문가로, 처음에는 '스카치 몰트 위스키 협회'에서, 그 다음에는 글로벌 기업 글렌모렌지 증류소에서 브랜드 매니저로 일했고, 지금은 직접 세운 컨설팅 회사 '위스키 벨'의 소장이자 [세계적인 위스키 클럽] '키퍼스 오브 더 퀘이흐 소사이어티'의 이사로 일하고 있다. 이곳은 위스키 업계의 주요 회사들이 만든 클럽으로, 엄격하게 초청받은 사람들만 모여 스카치위스키를 시음한다.

나는 친구를 통해 아나벨과 연락이 닿았는데, 곧 아나벨의 친절함과 위스키 맛에 대한 박식함에 감탄했다. 내가 언급한 바닐라, 코코넛, 초콜릿 향은 대부분의 사람들도 감지할 수 있다. 하지만 아나벨은 더 예민한 미각의 소유자였다. 그는 (모든 위스키까지는 아니라 해도) 상당히 많은 위스키에서 실제로 나무 맛을 감별한다. 하지만 아나벨은 어떤 하나의 '나무 맛'이 있는 게 아니라, 더 풀잎 같고 송진 향이 많이 나는 것부터 더 이국적인 백단 나무까지 나무 맛은 매우 다양하다고 설명했다.

또한 그에 따르면, 자칫 위스키에 나무 맛이 '과도하게' 들어가는 경우가 생길 수 있다. 여러 가지가 이유가 있을 수 있는데, 전에 사용된 적이 없는 새 통을 쓰거나 숙성이 너무 오래되어서 나무 맛이 지나치게 많이 들어갔을 경우 등이 그런 사례다. 나는 더 오래 숙성한 위스키가 자동적으로 더 좋은 위스키가 되는 게 아니라는 사실을 알고 깜짝 놀랐다. 하지만 아나벨이 말해준 이야기 중 가장 놀라운 사실은 최종적인 위스키 제품이 내는 맛의 70퍼센트까지도(색은 100퍼센트) 나무통 자체에서 나올 수 있다는 것이었다(전에 사용된 적이 없는 새 통을 사용했을 경우에 그렇다).

나무가 위스키 맛에 강한 영향을 미치리라고는 예상했지만 70퍼센트나 될 수 있을 줄은 몰랐다. 그러니까, 사람들이 으레 위스키와 나무를 연결시켜 연상하는 데는 실질적인 근거가 있었던 것이다! 나무는 그 외의 재료, 기법, 제조 과정을 다 합한 것보다도 위스키 맛에 큰 영향을 미친다.

비밀 술집의 스페셜티 칵테일

독일 속담에 이런 것이 있다. "4월, 4월은 자기 하고 싶은 대로 한다." 4월의 어느 날 오스트리아 북부의 부모님 댁에 갔다가 빈으로 돌아오는 길에, 따뜻하고 화창하던 날씨가 10분 사이에 굵은 눈이 쏟아지는 날씨로 바뀌면서 풍경이 완전히 딴판이 되는 것을 보았다. 다채로운 초록의 벌판에 드문드문 흰색 꽃이 핀 자두나무, 파란 하늘, 막 밭갈이를 한 갈색의 밭으로 눈부시던 봄 풍경이 삽시간에 회색빛이 서린 어두운 초록과 갈색의 풍경으로 바뀌더니 이내 세찬 눈과 비가 쏟아지는 날씨로 또다시 바뀌었다. 그런데 10분을 더 가자 똑같은 장관이 이번에는 반대로 펼쳐졌다. 불과 몇 킬로미터 전에는 진흙밭에 눈투성이였는데 갑자기 무성한 초록의 풍경이 나타났다. 기차가 역에 도착할 때 날씨가 어떨지는 순전히 복불복이었다. 눈 폭풍 한가운데에 도착하게 될까, 아니면 완연한 봄 속에 도착하게 될까?

어느 쪽이든, 나는 빈에서 약속이 두 개 있었다. 하나는 온라인 광고 사이트에 미술품을 판매하겠다고 올린 사람과의 약속이었는데, 그 그림을 실물로 보기 위해 잡은 약속이었다. 그다지 알려지지 않은 오스트리아 화가의 작품이어서 내가 구매할 수 있을 만한 가격대였다. 20세기로 넘어가는 전환기에 살았던 화가로, 전통적인 일본의 목판화 기법을 유럽과 동방의 풍경에 흥미롭게 결합해 진정으로 놀라운 조합을 선보인 화가였다.

판매자의 주소는 기차역에서 몇백 미터 떨어져 있었다. 기차가 도착한 시점에 날씨 운이 안 좋았기 때문에, 거리라도 가까워서 무척 다행이었다. 미끄러운 길에서 고전하면서 겨우 약속 장소에 도착했다. 어느 집에서 사람들이 바삐 상자들을 내와서 자동차에 싣고 있었다. 하나씩 내 옆을 지나갈 때마다 '오래된 책장 냄새'가 훅 끼쳐왔다. 냄새의 원천을 찾아가다 보니 빈 스타일의 고택 한가운데에 당도했다. 19세기 비더마이어 양식의 밝은 가구와 앙피르 양식의 짙은 가구로 아름답게 꾸며진 곳이었다. 약간 삐걱

대는 마루에는 페르시아 실크 러그가 깔려 있었고 벽에는 육중한 금색의 바로크 풍 액자에 표구된 온갖 그림들이 걸려 있었다. 조금 멀리 계단 위아래로 사람들이 분주히 왔다 갔다 하는 소리가 들렸고 그중 한 명이 내게 다가왔다. 나와 통화했던 사람이었다. 그는 내가 누구인지 바로 알아보고 방마다 구석에 놓여 있는 그림 무더기에서 내 것을 찾기 시작했다.

열렬한 미술품 수집가이던 이 아름다운 저택의 소유주가 최근 사망해 유족이 집을 매각했으며 골동품 딜러가 고인의 소장품을 조사하고 처분하러 온 것이 틀림없었다. 지금 분주히 (더 정확하게는 정신없이) 내 그림을 찾고 있는 사람이 그 딜러였다. 바로 다음 날 건물 철거팀이 온다는 연락을 방금 받아서 스트레스가 심한 것 같았다. 이제 이 아름다운 건물은 또 하나의 콘크리트 건물로 바뀔 것이고 50년도 못 가서 부수고 또다시 지어야 할 것이다. 부끄러운 일이다.

잠시 후, 그가 그 그림을 이미 누군가에게 팔았다는 것이 분명해졌다. 하지만 그는 내가 집 안을 조금 더 둘러볼 수 있게 해주었다. 꿈이냐 생시냐? 나는 신이 나서 한 시간도 넘게 그곳의 작품들을 살펴보았다. 얼마 뒤에 나는 푸른 색조의 작은 그림을 하나 발견했다. 오렌지색으로 '샤갈' 이라고 서명이 되어 있었다. 심장이 멎을 뻔했다. 내가 지금 샤갈의 진품을 우연히 발견한 것인가? 그 러시아 프랑스계 초기 모더니스트 화가, 샤갈? 나는 재빨리 검색을 해보았다. 이 그림이 샤갈의 「인간의 창조」 시리즈와 비슷한가? 아니면 「이삭의 희생」과 더 비슷한 화풍인가? 인물의 윤곽을 단순하게 그린 것이나 색상의 톤으로 볼 때 「노아의 방주」를 더 닮은 듯도 하고….[1] 하지만 검색을 할수록 이 그림이 샤갈의 그림과는 결이 다르다는 것을 알 수 있었고, 진짜 샤갈 그림이 아니라는 쪽으로 판단이 기울었다. 아름답기는 했지만 가짜가 틀림없어 보였다. 매우 잘 만들어진 가짜.

그것을 한쪽에 빼 두고 보물찾기를 계속했다. 다음 한 시간 동안 원래 사려고 했던 그림을 그린 화가의 작품 두 개를 찾았고 좋은 가격으로 흥정했다. 골동품 딜러는 가짜 샤갈 그림까지 덤으로 주었다. 날아갈 것 같았다. 가짜이든 아니든 그 그림이 정말 마음에 들었으니까.

그림 찾는 데 너무 열중한 나머지 다음 약속과 관련해 여러 차례 문자가 온 것을 못 보고 있었다. 조금 더 일찍 와줄 수 있냐는 것이었다. 다행히 늦지 않게 문자를 확인해서, 고인이 된 미술품 수집가의 집에서 제 시간에 떠날 수 있었다. 그리고 라인하트 포호렉을 만나러 발걸음을 옮겼다.

라인하트는 27세밖에 되지 않았지만 빈의 바 업계에서 알아주는 인물이다. 어느 날 내 친구 한 명이 빈에 새로 오픈한 바의 콘셉트가 굉장히 재밌다며 소개해주었다. '튀르 7'(Tur 7. '제7의 문'이라는 뜻)이라는 바였는데, 금주법 시절의 미국 밀주점에서 아이디어를 얻은 '스피크이지'(speakeasy) 스타일 바였다. 금주법 시절에 미국에서는 장소를 달리해가며(주로 개인 아파트에서) 은밀히 술집을 열어 불법으로 입수한 술을 마시곤 했다. 단속을 피하기 위해 손님들이 최대한 조용히 말해야 했기 때문에 '스피크이지'라는 이름이 생겼다.[2]

튀르 7은 엄연히 주류 판매 허가를 가진 곳이지만, 밀주점의 은밀한 분위기를 느낄 수 있도록 고안되었다. 안으로 들어가려면 바의 주소와 전화번호를 알아야 하고 문자로 예약을 해야 하는데, 대개 친구의 친구를 통해 알음알음 얻는다. 적어도 나는 그랬다. 조용한 골목의, 아무 간판이나 표시도 없는 평범한 문 앞에서 초인종을 누르면 누군가가 나온다. 안으로 들어가면, 바 내부는 화려하고 안락한 가정집처럼 보인다. 바텐더와 당신을 초대한 사람 등이 당신을 반기면서 코트를 받아 걸어주고 슬리퍼를 내어주기도 한다. 친구 집에 놀러 왔을 때처럼 느끼게끔 말이다. 실제로 어느 정도 그렇기도 하다.

라인하트는 이 독특한 장소를 오픈하는 데 관여한 핵심 멤버 중 하나다. 나는 거기에서 그를 처음 만난 후 죽 연락을 주고받아왔다. 나무가 증류주 맛에 미치는 영향에 대해 생각하기 시작했을 때 제일 먼저 떠오른 사람 중에 라인하트도 있었다.

그래서 4월의 그날, 우리는 그의 최근 프로젝트 중 하나가 진행된 장소에서 만났다. 빈에 있는 파크 하얏트 호텔이었다. 컨설턴트인 그는 이곳 바의 개념을 완전히 새롭게 바꾸었고 밀라노와 모스크바의 하얏트 호텔에서도 비슷한 작업을 앞두고 있었다. 우리는 티타임 즈음 호텔 라운지에서 만났다. 둘 다 차를 주문하고 나무와 증류주에 대해 이야기를 나누기 시작했다.

대화가 시작되자마자 라인하트는 그 역시 개인적으로나 술의 세계 전반과 관련해서나 나무에 대해 관심이 많다며, 나무의 영향을 말할 때 두 가지 측면을 구분하는 것이 중요하다고 말했다. 하나는 숙성이고, 다른 하나는 나무의 맛이었다. 통상 이 둘은 구분 없이 이야기되곤 하지만 라인하트는 증류주를 숙성한다는 것이 꼭 우리가 감지할 수 있는 방식으로 술에 나무 맛이 나게 한다는 의미는 아니라고 했다. 나무통이 두 가지의 상이한 방식으로 술에 영향을 미치기 때문인데, 하나는 나무 자체로부터 착향 화합물을 술에 이전시키는 것이고 다른 하나는 통의 미세한 숨구멍을 통해 술이 산소에 닿게 하는 것이다. 이해를 돕기 위해 라인하트는 몇 가지 예를 들어 설명을 이어갔다.

첫 번째 사례는 스코틀랜드 위스키 업계에서 일어난 '연식 미표기'(no age statement, NAS) 운동이었다. 여기에 참여한 증류주 제조자들은 여러 연식의 싱글몰트위스키들을 섞어 제품을 만들었고 따라서 병에 몇 년식인지를 적을 수 없었다. 대개 연식이 더 오래된 위스키가 더 좋다고 여겨지지만, 이 운동을 통해 증류주 제조자들은 이 규칙에서 어느 정도 벗어나 자유롭게 실험을 해볼 수 있었다.[3] 그 자체는 대단한 아이디어였지만, 불행히도 몇몇 업체가 전에 사용된 적이 없는 '풋'(green) 통을 이용해 오래 숙성된 위스키 맛을 흉내 내려 했다. 새 통은 전에 증류주에 닿아 본 적이 없기 때문에 타닌과 그 밖의 2차적인 물질이 많다. 거기에 술을 채우면 나무에서 그러한 물질이 빠르게 빠져나와 술에 첨가돼 오래 숙성한 위스키 흉내를 (어느 정도까지는) 낼 수 있다. 하지만 그 과정이 짧은 기간에 일어나기 때문에 나무 향은 강할지 몰라도 오랜 시간 산소에 닿아야만 하는 숙성의 맛은 나지 않았고, 이는 부적절하게 숙성된 증류주가 시장에 들어오는 결과를 낳았다.

'숙성'이 전부라고 말해도 과언이 아닐 완벽한 사례로 라인하트는 셰리주를 꼽았다. 셰리주는 나무통에서 숙성한 강화 와인으로, 스페인 남부 안달루시아 지역에서 주로 생산된다. 셰리주의 세계에서는 최소 50년 동안 와인 만드는 데 사용되었던 통만 숙성에 적합하다고 여겨진다. 셰리주로 유명한 도시 헤레스에는 200년, 300년이 된 통도 있다. 이것들은 더 이상 나무 맛을 내지는 않지만 숙성에는 여전히 꼭 필요하다. 여기에서 핵심은 '미세 산화'(microoxidation)라는 과정인데, 이는 자연적으로 통기성이 있는 목질을 통해서만 가능하다.

나무의 숨구멍은 굉장히 흥미로운 주제다. 단지 통 안에 담긴 술에 미세한 양의 산소가 닿을 수 있게 하는 것을 넘어 훨씬 많은 일을 하기 때문이다. 숨구멍은 술이 통 벽으로 스며들어 나무에서 화합물들을 추출할 수 있게도 해준다. 숨구멍은 나무마다 다르다. 직경이 큰 것도 있고 매우 미세한 것도 있다. 같은 나무에서도 아래쪽이냐 위쪽이냐에 따라 직경이 다르다.[4] 그렇더라도 모두 미세한 크기이기는 하다. 가장 큰 것도 직경이 사람 머리카락 정도다.[5]

숨구멍은 나무의 종에 따라서만 차이가 나는 게 아니라 나무가 성장할 때 어떤 환경 조건에 있었는지에 따라서도 차이가 난다. 나무가 자라는 시기에 공간이 널찍해서 빠르게 자랄 수 있었으면 숨구멍의 직경이 크다. 반면 제한된 공간에 있었으면 느리게 자라고 숨구멍이 작다. 라인하트는 이 차이를 코냑에서 명백하게 볼 수 있다고 했다.

코냑은 와인 증류주인 브랜디의 일종으로, 프랑스 남서부 마을인 코냑 지역에서만 생산되며(규정상 여기에서 생산된 브랜디만 코냑이라고 불릴 수 있다) 반드시 프랑스산 오크 통에서 숙성되어야 한다. 그래서 코냑 근처의 리무쟁 숲이나 프랑스 중부 트롱세 숲에서 나오는 오크를 쓴다. 리무쟁의 오크는 대개 케르쿠스 로부르(Quercus robur) 종으로, 트롱세 숲에서 많이 자라는 케르쿠스 세실리스(Quercus sessilis) 오크보다 부드럽고 통기성이 좋다.[6] 또 리무쟁 숲의 나무가 훨씬 더 어리고 더 너른 공간에서 자라기 때문에[7] 숨구멍이 더 크다. 오래된 트롱세 숲에서는 상대적으로 균일한 수령의 나무들이 비교적 촘촘한 공간에서 자라므로[8] 숨구멍이 더 작다. 리무쟁의 나무가 타닌이 더 많고 전반적으로 맛이 더 강하며, 트롱세의 나무는 부드럽고 감미롭다. 코냑 생산자마다 자신의 제품과 전통에 더 어울리는 통을 쓴다.

전통을 존중하는 태도는 코냑이든, 셰리든, 위스키든 수 세기를 이어온 증류주 제조자 모두에게 공통적인 특징인 것 같았다. 라인하트는 전통이 단순히 전통이기만 한 게 아니라 방대한 경험이기도 하다고 생각한다. 그가 그러한 경험을 깊이 존중한다는 것을 대화에서 분명히 알 수 있었다. 그는 바텐더들이 그 경험을 인정하고 신뢰해야 한다고 생각하며, 따라서 바 업계에서 '트렌디'하다고 여겨지는 유행에 대해 다소 조심스러운 태도를 보였다. 가령, '나무통에서 숙성한 칵테일' 같은 것 말이다. 칵테일을 작은 나무통(불행히도 늘 최고 품질인 것은 아니다)에 붓고 며칠 혹은 몇 주간 두었다가 내놓는 것인데, 라인하트가 문제 삼는 부분은 그렇게 하는 것 자체라기보다 베이스가 되는 술의 특성과 더 관련이 있었다. 그는 이미 통에서 섬세하게 숙성시킨 코냑이나 위스키에 무언가를 섞어서 그것을 다시 한 번 나무통에서 숙성시킨다는 것 자체가 말이 안 된다고 생각한다. 가치 있는 원래의 맛이 사라지고 밋밋하고 동질적인 나무통 맛으로 변해버리기 때문이다. 그보다, 그는 백주를 숙성시켜 칵테일의 베이스로 쓰는 쪽을 선호한다. 그가 창조적으로 재해석한 핸키 팬키(진, 레드 와인, 칵테일 체리를 섞어 나무통에서 한꺼번에 숙성한 뒤 물을 부어 상온에서 낸다)나 고전적인 칵테일 앤젤 페이스의 통 숙성 버전(진 대신 백주 위스키를 사용하며, 동량의 백주 위스키, 살구 브랜디, 칼바도스를 섞어 통에서 숙성시켜 만든다) 등이 그렇게 만들어진다.

그가 해준 이야기 중 가장 관심이 갔던 것은 가지, 잎, 껍질, 생목재, 숙성 목재 등 나무의 여러 부분들로 그가 했던 실험이었다. 그는 알코올로 나무의 각 부분에서 추출물을 만들어보면서 매우 다양한 색과 맛을 얻을 수 있었다고 했다. 어떤 것은 시간이 지나면서 굉장히 강하게 쓴맛이 났다. 이러한 실험을 통해 그는 오크에서 나는 맛 외에도 세상에는 많은 나무 맛이 있다는 것을 알게 되었다. 라인하트는 자신이 만드는 제품에 최대한 잘 맞는 통을 알아내고, 그것을 구한 다음, 맛의 프로필이 균형 잡히도록 조절하는 것이 와인, 증류주, 맥주 제조업자 모두에게, 그리고 나무통에서 칵테일 맛을 한층 더 다듬으려는 바텐더에게도 필수적이라고 생각한다.

나중에 튀르 7을 다시 찾았을 때 나는 라인하트에게

코냑 베이스의 드라이한 칵테일을 만들어 달라고 부탁했다. 몇 분 후에 그는 복잡하게 장식된 얇은 크리스털 잔에 투명하고 중간 정도로 짙은 호박색 칵테일을 가져왔다. 하지만 맛보기 전에는 무엇인지 알려주지 않겠다고 했다. 할리우드 스파이 영화에서는 암살을 암시하는 위험한 복선이겠지만 튀르 7에서는 흥미로운 제안이었다. 나는 차가운 칵테일을 한 모금 마셔보았다. 즉각 증류한 와인의 가벼운 단맛이 났다. 그러나 익숙하지 않은 상큼함이 있었다. 어느 정도 후에 이 두 가지 기본적인 맛에, 전형적인 코냑과는 다소 다른, 오크 통의 익숙한 바닐라 향이 어우러졌다. 한 모금 더 마시니 독특한 귤 맛이 드러났다. 그 다음 모금에서는 훈연한 향이 코에 감돌았고 붉은 포도즙의 향이 여기에 어우러졌다.

우연히 발견한 가짜 샤갈 그림처럼, 이 칵테일은 새로운 층을 계속해서 내놓았고 한 모금씩 마실 때마다 전체적인 감각이 다르게 느껴졌다. 무엇이 들어 있는지 도통 감을 잡을 수가 없었다. 어쨌든 나는 그 칵테일이 너무나 마음에 들었다. 라인하트는 코냑 외에 매우 달고 풍성한 맛이 나는 오스트리아와 독일의 디저트 와인 베렌아우스레제('고귀한 곰팡이'라고도 불리는 잿빛곰팡이균 보트리티스 시네

레아가 핀 포도로 만든다), 약간의 위스키와 라벤더 추출물, 엘더베리 시럽이 들어간 칵테일이라고 알려주었다. 그 재료들을 따로따로 생각했을 때의 맛은 그것들이 들어간 칵테일의 맛과 닮은 부분이 거의 없어 보였다.

이것이야말로 예술가의 진정한 천재성일 것이다. 이미 존재하는 기본 물질들을 섞어서 부분들을 단순히 합한 것보다 훨씬 큰 무언가를 만드는 것. 그림이든 칵테일이든 이러한 천재성이 꽃필 수 있으려면 예술가는 기본 물질들 중 어떤 것을 구할 수 있는지, 그것들이 각각 어떤 특성을 갖는지, 서로 어떻게 상호작용을 할지 등을 완전하게 파악하고 있어야 한다. 이제 나는 라인하트가 전통, 경험, 지식이 좋은 숙성 술을 만드는 데 얼마나 중요한지 누차 강조했던 것의 의미를 알 것 같았다. 그 전까지 나는 양질의 증류주를 양질의 통에 오랫동안 넣어두면 저절로 놀라운 맛의 술이 탄생하리라고 생각했었는데, 좋은 술을 만들기란 결코 그렇게 간단하지 않음을 라인하트 덕분에 깨달을 수 있었다.

제노바 럼 투어

라인하트 포호렉 덕에 칵테일 맛에 새롭게 눈뜬 후, 증류주의 세계에서 나무가 얼마나 중요한지에 대해 내가 아직 빙산의 일각밖에 보지(이 경우에는 맛보지) 못했다는 것을 절감했다. 나는 위스키의 세계를 탐험해보았고, 라인하트를 통해 셰리주, 코냑, 통 숙성 칵테일에 대해서도 흥미로운 통찰을 얻을 수 있었다. 하지만 많고 많은 또 다른 증류주들은? 그것들도 틀림없이 나무의 영향을 받았을 것이다. 그런데 어떻게? 통에서 숙성한 증류주에서 꼭 나무 맛이 나는 게 아니라면 나무통 숙성이 실제로 달성하는 효과는 무엇일까? 갓 증류한 술이 나무통에 들어가지 않고도 숙성될 수 있을까? 궁금한 게 너무 많았다.

나는 증류주로 대담한 실험들을 함께 해본 적이 있는 이탈리아 친구 마르코 칼레가리에게 연락을 취했다. 우리가 처음 만났을 때 그는 미식과학대학에서 학부를 마치고 그 대학의 커뮤니케이션팀에서 일하고 있었고 나는 그곳에서 석사 과정을 막 시작한 상태였다. 우리 둘 다 증류주의 모든 것에 관심이 많았기 때문에 곳곳에서 자주 마주쳤고 지금까지도 연락을 주고받으며 가깝게 지내고 있다.

믿기지 않을 만큼 해박한 지식과 열정 덕분에, 곧 이탈리아 증류주 업계의 많은 사람들이 마르코를 눈여겨보게 되었다. 어느 날 이탈리아의 저명한 증류주 수입업체 벨리에의 소유주 루카 가르가노가 그에게 전화해 제노바에 있는 벨리에 본사에서 소규모 증류주 생산업체를 발굴, 관리하는 일을 제안했다(벨리에는 주류 공급처를 매우 신중하게 엄선한다). 물론 마르코는 주저 없이 수락했고 한두 달 뒤 리구리아주의 주도이자 이탈리아의 주요 항구 도시인 제노바로 이사했다.

벨리에를 방문할 수 있을지 물어보려고 연락했더니, 소규모 코냑 생산자들을 찾으러 프랑스 남서부에 출장 중이라 당장은 내 방문을 주선해주기 어렵다고 했다. 하지만 제노바에 돌아오자마자 벨리에 본사와 세계적으로 유명한 벨리에의 시음실에 가볼 수 있게 주선해주었을 뿐 아니라, 더더욱 믿을 수 없게도 루카 가르가노, 그러니까 수입 와인계의 그 어마어마한 대가를 만날, 아니 알현할 수 있게 자리를 만들어주었다.

부활절 며칠 뒤로 약속이 잡힌 것도 운이 좋았다. 부활절에 여자친구 카르멘과 함께 카르멘의 가족을 방문하기로 되어 있었기 때문이다. 카르멘의 가족은 피렌체 남동쪽에 있는 진짜배기 토스카나 언덕에 살고 있는데, 제노바까지는 기차로 네 시간이면 쉽게 갈 수 있을 터였다.

…고 나는 생각했지만 트렌이탈리아(이탈리아 철도청), 더 정확하게는 트렌이탈리아의 영민한 고객들은 내 예상대로 되게 둘 생각이 없었던 듯하다. 불과 하루 이틀 전에 피렌체발-제노바행 기차가 매시간 있는 것을 온라인으로 똑똑히 확인했는데, 화요일 오후에 피렌체의 산타 마리아 노벨라 기차역에 도착해보니 알 수 없는 이유로 다음 석 대의 기차가 모두 매진되어 있었다. 도리 없이 피렌체에서 몇 시간을 기다려야 했다.

르네상스의 본고장에서 몇 시간을 보내야 하게 되었는데 폭우 때문에 도시 구경을 못하게 된 사람보다 불운한 사람이 또 있을까? 다행히 피렌체 토박이인 카르멘과 전에 와본 적이 있어서 나는 이 아름다운 도시의 중요한 곳들을 이미 꽤 둘러보았고 근처에 무엇이 있는지도 좀 알고 있었다. 훌륭한 차를 파는 카페(이탈리아에서는 무척 드물다)가 기차역 바로 근처에 있다는 것도 말이다.

흠뻑 젖은 채 카페에 도착해 뜨거운 차와 초콜릿 케이크 한 조각을 주문하고서 벨리에와 루카 가르가노에 대해 알아보기 시작했다. 벨리에는 1947년에 주제노바 프랑스 대사관의 상무관이 설립했다. 샴페인, 차, 카카오 콩 등과 함께 소량의 고급 와인과 증류주를 이탈리아로 들여오기 위해서였다. 벨리에는 이러한 물품을 이탈리아 북부 전역에 공급했다. 1983년까지 그렇게 운영되다가 당시에 이미 이탈리아 최대 주류 수입업체의 마케팅 담당자였던 27세의 루카 가르가노가 벨리에의 지분을 인수해 경영권을 넘겨 받으면서 수입품의 종류를 대폭 확대했다. 신대륙에서 양질의 와인을 수입했을 뿐 아니라 남미의 독특한 증류주인 카샤사, 메스칼, 피스코, 세계적으로 유명한 쿠바의 시가, '진짜' 압생트, 훌륭한 싱글몰트 스카치위스키, 화학 방부제가 들어가지 않은 내추럴 와인, 그리고 가장 중요한 것으로, 최고 품질의 카리브해산 럼을 수입했다.

곧 벨리에는 수입한 럼으로 유명해지게 되는데, 종종

2 맛있는 나무

저평가받곤 하는 럼에 대한 가르가노의 열정 덕분이었다. 마르티니크의 '세인트 제임스 럼' 브랜드 매니저로 일하면서 굉장히 젊은 시절부터 카리브해 전역을 돌아다닌 그는 아름다운 카리브해 지역 자체뿐 아니라 그곳에서 생산되는 강렬한 증류주와도 사랑에 빠졌다. 그러니 그가 벨리에를 인수하자마자 잘 알려져 있지는 않지만 매우 훌륭한 품질의 럼을 이탈리아 시장에 독점 수입하기 시작했다는 것은 이상한 일이 아니었다. 때마침 이탈리아 소비자들 사이에서 카리브해 증류주 붐이 일기 시작하고 있었다.

그의 가장 큰 성공은 과들루프섬의 유명한 다무아조 증류소에 갔을 때 이루어졌다. 다무아조에서 그는 1980년대에 생산된 럼이 한쪽에 잔뜩 놓여 있는 것을 발견했다. 원산지명칭보호 인증기관(PDO)인 프랑스원산지명칭협회(INAO) 기준에 맞지 않아 판매되지 못한 것이었다. 원산지명칭보호 인증은 특정 지역의 제품임을 표시하는 원산지 트레이드마크 비슷한 것으로, 특정 지역에서 오랜 제조 전통을 가진 식품이 유럽연합 내의 다른 지역에서 복제되지 않도록 보호한다. INAO 기준에 따르면 과들루프산 럼은 100퍼센트 사탕수수즙으로만 제조되어야 하는데, 가르가노가 그날 다무아조에서 발견한 것은 설탕 정제 공정의 부산물인 당밀이 약간 포함되어 있었다. 궁금해서 맛을 보았더니 너무나 훌륭해서, 가르가노는 그것을 구매해 60.3퍼센트 도수 그대로 판매하기로 그 자리에서 결정했다. 과학적 근거는 아직 분명하지 않지만 물로 희석하면 특정한 맛을 내는 화합물이 풀려나도록 촉진하고 바람직하지 않은 향의 화합물을 가려주어서 술 맛이 더 좋아진다고 여겨지기 때문에 증류주는 희석해 판매하는 경우가 많다.[1] 하지만 가르가노 같은 순수주의자들은 희석을 못마땅해한다. 럼의 세계에서 희석하지 않은 증류주를 판매한다는 것은 전례가 없는 일이었지만, 그의 대담한 결정에 시장은 열광적으로 반응했고 무희석 럼은 곧 전 세계 럼 애호가들이 아끼는 술이 되었다. 2002년에 '벨리에 1980년 다무아조 무희석 럼'을 내놓으면서 벨리에와 루카 가르가노는 일약 럼의 명예의 전당에 올랐다. 그 이후에도 가르가노는 독특하고 희귀한 증류주를 계속 선보이고 있다.[2]

루카 가르가노와 벨리에에 대한 자료를 읽는 데 푹 빠져서 시간 가는 줄 모르다가, 퍼붓는 폭우를 뚫고 기차역으로 황급히 뛰어와야 했다. 무장 군인들이 사방을 지키고 있어서 기차역이 군사 기지처럼 보였다. 유럽에 끔찍한 테러 공격들이 있은 뒤 경계 태세가 굉장히 높아져 있었다. 다행히 나는 무사히 통과했고 지선 열차에 올라 피사로 향했다. 제노바에 가려면 피사에서 고속 열차로 갈아타야 했다.

꽤 한참이 지나서야 기차가 장관으로 유명한 리구리아주의 아름다운 해안에 들어섰다는 것을 알아차렸다. 어둠이 내린데다 터널이 연달아 나와서 경관을 잠깐씩밖에 볼 수 없었던 탓이다. 터널 사이사이로 폭풍이 몰아칠 듯한 잿빛 바다가 나타났다가, 희미한 불빛이 있는 그림 같은 해안 마을이 나타났다가, 수평선에서 불빛을 깜빡이는 배들이 나타났다가 했다.

제노바에 드디어 도착하니(20분 연착했다) 마르코가 그의 충실한 베스파 스쿠터를 몰고 마중을 나와 있었다. 우리는 스쿠터를 타고 완전히 이탈리아 식으로 도로를 달려 널찍한 그의 아파트로 갔다. 거기에서 그와 벨리에에서 같이 일하는 동료 파올라와 그의 룸메이트인 조선공학자를 만났다. 세상에나, 너무 멋져 보였다. 배를 만드는 기술이 복잡하기로는 로켓 과학에 필적한다고 늘 생각했기 때문이다. 하지만 대규모 조선소가 몇 개나 있는 제노바에서는 조선공학자로 일하는 것이 꽤 평범한 일처럼 보였다. 우리는 리구리아주 전통 요리인 파리나타(farinata. 병아리

콩 가루에 소금, 올리브유, 로즈마리를 넣고 반죽해 부쳐 먹는 팬케이크)로 저녁을 먹으면서 증류주에 대해 즐거운 대화를 나누었다(중간중간에 배를 만드는 것에 대한 나의 경외감 어린 질문도 끼어들었다). 저녁을 먹고 우리는 거실에 자리를 잡았다. 너무나 신나게도 마르코가 샘플 술병들을 가져와 탁자에 늘어놓았다. 손으로 쓴 라벨에는 클라이넬리시, 가루이자와, 에즈라 브룩스, 컴파스 박스, 보모어, 글렌드로낙 등 증류소 이름이 적혀 있었다.[3] 증류주에 대해 마르코만큼 해박하지는 않지만 몇 개는 이름을 들어본 적이 있었다. 나는 경배하는 마음으로 그 이름들을 발음해 보았다. 세상에나, 바로 이것들이 지금 우리 앞에 깔끔하게 줄지어 있고 그 뒤에서 빈 위스키 잔들이 채워지기를 기다리고 있다니!

잔들이 설렘으로 떨렸다. 아니, 내가 떨린 건가? 아마 우리 모두였을 것이다. 전에 그것들을 맛본 적이 있는 마르코까지 말이다. 각각의 술병에서 조금씩 술을 따르기 전에 마르코는 술 자체에 대해서뿐 아니라 그것을 그가 갖게 된, 때로는 믿기지 않게 흥미로운 경위까지 각각의 배경 이야기를 들려주었다. 더없이 적절한 이름의 '스파이스 트리 엑스트라바겐자'는 컴파스 박스에서 만든 블렌디드 위스키로, 세게 그을린 통에서 나오는 균형 잡힌 초콜릿 향이 특징적이었다. 또 다른 하이라이트는 일본 가루이자와(지금은 문을 닫았다) 제품으로, 스파이스 트리 엑스트라바겐자만큼이나 드문 아사마 싱글몰트위스키였다. 오래된 티크 목재 가구를 연상시키는, 고무와 흑설탕 향조의 비할 데 없는 맛이 났다.

하지만 단연 최고는 가장 오래된 스카치위스키 증류소 중 하나이며 아일레이섬 최초의 증류소인 보모어의 1971년산 위스키였다. 마르코는 이 놀라운 술을 친구의 술 창고에서 발견했다. 그 친구가 전문가인 마르코를 불러 지금은 폐업한 독립 이탈리아 병입업체 세스탄테가 병입한 이 술이 어떤지 봐달라고 했다. 지금은 에밀리아-로마냐에서 카페를 운영하고 있는 세스탄테는 60년대와 70년대에 직접 고른 스카치위스키를 큰 통 채로 들여와 병입해 판매했다. 너무나 드물어서 구글에 검색해도 그곳에서 병입한 술들의 시음기를 찾기 어렵다. 완벽한 상태였다면 한 병에 수천 달러를 호가했겠지만 마르코의 친구가 가지고 있던 것은 자연 증발로 술의 양이 조금 줄어든 상태여서 판매했더라면 수백 달러 정도를 받았을 것이다. 아무튼 그들은 그것을 열어서 대부분은 위스키 수집가인 친구에게 선물하고 자신들이 맛볼 요량으로 소량만 남겨놓았다. 그리하여 마르코의 몫이었던 반쯤 채워진 작은 병이 지금 우리 앞에 있었고, 믿을 수 없게도 마르코는 그것을 우리와 나눠 마시려 하고 있었다.

경건하게 아주 조금씩 맛을 보면서 우리는 그것의 대담한 향조를 묘사하는 데 이구동성으로 '불꽃놀이'라는 단어를 사용했다. 10분이 지나도 향이 계속 달라지면서 가시지 않고 지속되었다. 이러한 복잡성은, 1950년대에만 구할 수 있었던 극히 양질의 셰리주 통에서 숙성되었다는 점, 오늘날에는 거의 쓰이지 않는 최고급 마리스오타 품종 보리의 맥아가 원료라는 점, 아일레이 증류소 특유의 토탄이 사용되었다는 점이 결합해 나오는 효과였다. 토탄, 버터, 향신료, 담배부터 과일, 진저에일, 코코넛, 심지어 해초와 굴까지 다양한 향이 등장하면서, 매 모금 완벽한 안무와 연출의 공연을 보는 느낌이었다. 혹시 이 위스키가 '숙성의 맛'이란 무엇일까라는 내 질문에 답을 준 게 아니었을까? 나는 그렇게 믿고 싶다. 14년간 셰리주 통에서 숙성시킨 뒤 57.7퍼센트 도수 그대로 병입한 1971년산 무희석 보모어 위스키는 '숙성된 맛'의 본질을 보여주는 것 같았고 물론 이것은 나무의 도움이 있었기에 가능했다. 다들 더할 나위 없이 만족한 상태로, 그리고 알코올보다는 흥분에 취해(한 모금 한 모금 조심스럽게 집중해서 맛을 보았으므로 마신 양이 많지는 않았다) 잠자리에 들었다. 마르코는 나를 위해 따로 손님방까지 준비해주었다.

환대에 조금이라도 보답해야겠다는 생각에 다음 날 일찍 일어나서 설거지를 했다. 그리고 다 일어났을 때 달콤한 코르네토(프랑스의 크루아상과 비슷한 이탈리아 빵)와 에스프레소 커피로 이탈리아 식 아침 식사를 했다. 가르가노와의 약속은 정오였고 마르코는 일을 하러 갔기 때문에, 나는 이 짬을 이용해 버스로 한두 정거장만 가면 나오는 제노바 역사 지구를 구경하기로 했다. 페라리 광장의 인상적인 분수대 앞에서 내려 곧장 제노바의 역사적인 항구 쪽으로 향했다. 이 항구야말로 제노바라는 도시가 형성되는 데 무엇보다도 크게 기여한 기념비적 장소이기 때문이다.

제노바가 언제 어떻게 세워졌는지는 다소 모호하지만(아마도 에트루리아인이 세웠거나, 켈트-리구리아인이 세웠거나, 이 둘이 세웠거나일 것이다), 고고학적 증거들에 따르

면 기원전 6세기 초에 세워진 것이 어느 정도 확실해 보인다.[4] 이탈리아의 유명한 다른 도시들에 비해서는 늦게 꽃핀 도시다. 완벽한 천연 항구가 있는데도 수 세기 동안 이곳은 작은 촌락 수준에 머물러 있었다. 제노바 항은 험한 리구리아 해안에서 크고 안전한 피난처를 제공했을 뿐 아니라 남서 방향의 연안류가 약하게 흐르고 유리한 북서풍이 지속적으로 불어서 범선이 쉽게 들고 날 수 있는 천혜의 항이었지만, 페니키아, 그리스, 로마 모두 이곳을 당장에 차지해서 주요 도시로 발달시키려 하지는 않았다. 특히 로마는 이곳을 서쪽(프로방스, 스페인)과 북쪽(롬바르디아, 밀라노, 파비아 등)의 더 관심 있는 지역들로 가는 전초 기지 정도로만 여겼다. 그렇게 유리한 조건을 갖추었는데 왜 곧바로 주요 항구 도시로 성장하지 못했을까?

답은 단순하다. 천혜의 항구를 빼면 가진 게 아무것도 없었기 때문이다. 지리적으로 험하고 가파른 산에 바로 면해 있어서 더 많은 인구를 지탱하기에는 경작할 만한 땅이 부족했고 [키 큰 나무들이 주로 사는] 교림(喬林)이 가까이에 없어서 배를 만드는 데 꼭 필요한 목재도 쉽게 조달할 수 없었다. 더 멀리 있는 교림들은 제노바까지 목재를 운송할 수 있을 만큼 깊은 강으로 연결되어 있지 않았다. 어업에도 불리했다. 바다 바닥에서 대양저가 갑자기 뚝 떨어져서 물고기가 많이 살기에 좋은 조건이 아니기 때문이다. 광물이나 귀금속 자원도 없었다. 한마디로, 모든 자원이 부족했다. 담수도 부족했는데, 그 때문에 모기가 없어서 말라리아가 상대적으로 적었다는 것이 수많은 단점 사이에 존재했던 하나의 작은 장점이었다.[5] 하지만 제노바는 리구리아인들의 불굴의 강인함에 힘입어 결국에는 불리한 조건들을 딛고 번성하는 도시가 되었다. 리구리아인들은 537~642년에 비잔티움 제국의 통치를 겪었고 934~935년에는 몇몇 역사 기록 말고는 모든 것을 파괴시킨 북아프리카의 무슬림 왕조 파티마 칼리프 해군의 대대적인 침략을 견디고 살아남았다. 파티마 왕조의 약탈 이후 제노바는 몇 년간 완전히 버려졌지만 곧 재건되었고 파티마에 맞서 샤르데냐섬을 공격하는 데도 참여했다(파티마는 1016년부터 샤르데냐섬의 상당 부분을 지배하고 있었다). 인근의 강력한 해상 세력이었던 피사와 연합해 개시한 대(對)파티마 교전은 점점 더 치열해졌고 파티마의 주요 군사 기지 마디야(오늘날의 튀니지에 해당한다)에 대한 합동 공격으로 이어졌다.

이러한 원정 공격과 무역 활동, 샤르데냐의 은광 확보,

약간의 해적 활동 등은 느리지만 분명하게 제노바의 부와 규모가 커지는 데 일조했을 것이다. 하지만 제노바가 해상 및 교역의 중심 세력으로 세계 지도에 확고하게 입지를 굳히게 된 것은 11세기 말 제1차 십자군전쟁에 참여하면서였다.[6] 해상 교역이 중요해진 상황에서, 제노바는 12세기와 13세기 유럽의 상업 혁명에서 선도적인 역할을 했다. 동방의 향신료, 염료, 의약품부터 직물, 양모, 산호, 금까지 온갖 것을 교역하면서 조선업, 은행업, 직물 산업을 육성할 수 있을 만큼의 자본을 축적했고 지중해 연안 전역과 나중에는 흑해 연안에까지 이르는 식민지들의 방대한 네트워크를 구축했다. 이탈리아의 또 다른 해상 세력이자 과거의 동맹이었던 피사를 누르고 대대적으로 승리하면서 제노바의 부상은 정점에 올랐다.

다음 몇 세기 동안에는 부침이 심했다. 외세(대표적으로 프랑스)의 지배에 시달렸고 점차 식민지도 모두 잃었다. 1861년에는 독립적 지위를 완전히 상실해 이탈리아의 일부가 되었다.[7] 그럼에도 제노바는 오늘날까지 지중해에서 가장 중요한 항구이자 혁신의 허브라는 지위를 유지하고 있다. 흥미롭게도, 17세기의 한 거장 화가(아직도 누구인지 밝혀지지 않았다)가 남긴 그림을 보면 제노바의 노동자들이 구조와 색상 면에서 오늘날의 데님(청바지 소재)과 매우 흡사한 직물로 만들어진 옷을 입고 있다. '블루진의 거장'이라고 불리는 그 화가의 그림들은 데님의 기원이 제노바일 가능성을 처음으로 시사한 증거였다. '진'(jeans. 청바지)이라는 명칭이 제노바의 프랑스어 이름인 젠느(Gênes)에서 나왔다는 설도 있다.[8]

사정없이 얼굴을 때리는 북서풍을 맞으면서 제노바의 명소 중 하나인 '일 비고'에 도착했다. 제노바 출신 스타 건축가 렌초 피아노의 작품으로, 거대한 크레인 팔이 거미줄 모양으로 뻗어 있는 흰색 조형물에 전망용 엘리베이터가 있다. 일 비고의 한쪽 옆에는 세계적으로 유명한 수족관이 있고, 다른 쪽 옆에는 온갖 모양과 크기의 개인 소유 요트들이 기다랗게 줄지어 있다. 오늘날 제노바의 구항은 이 개인 소유 요트들, 그리고 몇몇 크루즈선과 페리선만이 사용하며, 산업적 역할은 해안을 따라 좀 더 위쪽에 지어진 신항이 담당한다.

가게들이 문을 열기에는 아직 좀 이르고(나는 '이탈

리'[Eataly]에 꼭 가보고 싶었다. 이곳은 고급 이탈리아 식재료 구매를 모든 감각이 즐거워지는 경험으로 만들어주는 세계적인 쇼핑몰이자 레스토랑이다) 바깥을 돌아다니면서 구경을 하기에는 바람이 너무 세서, 바람이 조금 덜한 옆 골목으로 다시 들어갔다. 내 발소리에 더해 에스프레소 기계에서 포타필터를 비우는 리드미컬한 소리와 에스프레소 잔에 설탕 스푼이 가볍게 부딪치는 소리가 어우러졌다. 아침을 깨우는 이탈리아 도시 특유의 소리를 따라 모퉁이마다 있는 카페 중 한 곳에 들어가 차를 주문하고 잠시 바람을 피하면서 휴식을 취했다.

한숨 돌리고 카페를 나서자마자 제노바 출신의 또 다른 유명인 이름이 적힌 자그마한 옛집을 지나쳤다. 지금은 관광객과 주차된 스쿠터들이 바글거리는 콜럼버스 생가였다. 벨리에 본사는 그곳을 지나 올라가야 하는 언덕배기에 있었다. 숨이 멎을 만큼 아름다운 제노바의 경관이 굽어보이는 언덕 위에 19세기에 귀족의 저택으로 쓰이던 건물이 있었고, 이곳 1층 전체를 벨리에가 사용하고 있었다.

안내 데스크에서 기다리던 마르코가 나를 맞아주었다. 우리는 에스프레소를 마시면서 가르가노가 내추럴 와인 생산자와 회의를 마치기를 기다렸다. 곧 마르코가 불이

환하게 켜진 사무실로 나를 안내했다. 단일 상판으로 된 커다란 카우리 나무 테이블이 먼저 눈에 들어왔다. 흰 벽에는 현대 미술품이 걸려 있었고 벽의 빈자리에는 아무렇게나 쓴 것 같은 그래피티가 가득했다. 여기에 흰색 소파, 그리고 세계 각지의 와인과 증류주 병들이 저마다 많고 적게 술이 든 상태로 빽빽하게 놓여 있는 몇 개의 바까지, 사무실이 마치 아트 갤러리 같았다.

바람이 점점 거세게 창문을 때리는 가운데 우리는 이야기를 시작했다. 이 대화는 나무가 증류주에 미치는 영향에 대한 내 견해를 대폭 다각화하면서 근본적으로 바꿔놓았다. 내가 무엇을 조사하고 있는지 간단히 소개하자 가르가노는 곧바로 증류주에 나무가 매우 중요하다고 확언해주었다. 그리고 각각 별개로 보아야 하는 세 가지 과정에 대해 설명했다. 하나는 살아 있는 식품과 살아 있는 나무 사이의 상호작용(가령 뿌리에서 자라는 트러플), 둘째는 살아 있는 식품과 죽은 나무와의 상호작용(가령 나무통에서 벌어지는 발효), 마지막은 비활성 식품과 죽은 나무와의 상호작용(가령 통에서 숙성되는 증류주)이다. 솔직히 나는 음식과 나무의 상호작용을 범주화해볼 생각은 전혀 못 해봤는데, 그의 의견은 일리가 있었다. 각각이 서로 다른 방식으로 맛에 기여하기 때문이다. 가르가노는 특히 두 번째와 세 번째, 즉 발효와 통 숙성에 관심이 많았다.

가르가노는 발효 과정을 '변이' 과정이라고 칭하면서, 나무 용기가 유용할 뿐 아니라 금속-플라스틱 용기보다 훨씬 우월하다는 점을 여러 사례를 들어 설명했다. 그는 카보베르데에서 동일한 머스트(발효 과정 중인 사탕수수즙)를 나무통과 스테인리스 스틸 통에 나란히 넣어 실험해보았는데, 흥미롭게도 나무통의 머스트가 유독 달라 보였고 말하자면 더 많이 '살아 있는' 것 같았다고 한다. 또 생사탕수수즙을 발효해 만드는 아이티의 전통 증류주 클레랭을 수년간 수입하면서, 나무통(신기하게도 망고나무로 만든다)에서 발효되었는지 금속-플라스틱 통에서 발효되었는지에 따라 질이 크게 차이 나는 것을 알게 되었다. 그는 일반적으로 카리브해에서 현지의 천연 이스트로 이뤄지는 '변이'는 작은 나무통에서만 제대로 성공한다는 사실을 발견했다. 나무통이 아니거나 크기가 큰 통은 완전한 발효를 방해하는 것 같았다. 이 사실을 알게 된 가르가노는, 아이티에 있던 당시에 클레랭의 독특한 맛을 한층 더 강화하기 위해 그가 거래하던 소규모 통 제조업자에게 망고나무로 작은 통을 제작해달라고 해서 그것으로 발효를 시도했다.[9] 그의 회사는 또한 [발효뿐 아니라] 나무통 숙성(전통적인 오크 통이긴 했지만)에 대해서도 초기 실험들을 진행하고 있었다.

세 번째 범주(비활성 식품과 죽은 나무 사이의 상호작용)인 통 숙성으로 대화가 자연스럽게 이어졌다. 범주화만으로도 이미 크게 놀랐는데 그가 통 숙성을 '교양을 함양하는 양육 과정'이라고 묘사했을 때는 정말 놀랐다. 그는 통 숙성이 야생 상태인 백주가 더 섬세한 복잡성을 습득해가면서 성숙한 성인이 되도록 가르치는 과정이라고 말했다. 하지만 이 교육이 늘 좋은 결과로 이어지는 것은 아니라고 했다. 나는 이런 식으로는 생각해본 적이 없었다. 나무통을 길들여지지 않은 야생의 증류주를 가르치고 길들이는 학교라고 볼 수 있을까?

가르가노는 가상의 증류주 장인, 증류주 분야의 진정한 대가를 예로 들어 설명을 이어갔다. 그러한 대가라면 사과든, 배든, 사탕수수든, 그 밖에 어떤 식물이든 간에 원재료의 본질, 혹은 영혼을 잘 포착할 것이다. 그것의 증류액을 맛보면 당신은 베이스 원료가 무엇인지 쉬이 맞출 수 있을 것이다. 하지만 이 증류액을 나무통에 넣고 상당 기간 숙성시키면 완전히 다른 것으로 변모하게 된다. 전과는 근본적으로 다른 무언가가 되는 것이다. 이제는 베이스 원료가 무엇인지 알기 어렵고 매우 오랫동안 숙성했을 경우에는 더욱 그렇다. 포도로 만든 코냑에서 출발한 것이었을까? 보리로 만든 위스키? 사탕수수로 만든 럼이었으려나? 아니면 전혀 다른 무언가였을까? 이제는 주된 맛이 통의 맛, 즉 나무의 맛이기 때문에 베이스 원료가 무엇이었는지를 판별해내기가 어려운 것이다. 가르가노는 나무통이 맛에 미치는 영향이 80퍼센트 이상이 될 수도 있다고 했다. 그렇다면 거의 나무 원액이라고도 말해도 무방할 정도다.

숙성한 것과 안 한 것 중 개인적으로 어느 쪽을 더 좋아하느냐고 물었더니 가르가노는 조금 생각을 하다가 야생의, 교육되지 않은, 숙성하지 않은 술을 더 좋아한다고 했다. 영혼을 더 많이 담고 있기 때문이라는 것이었다.

비로소 나는 클레랭에 대한 그의 엄청난 열정을 온전하게 이해할 수 있었다. 클레랭은 산업적으로 생산되는 사탕수수에서 나는 화학비료와 농약의 맛이 전혀 없는 야생 사탕수수로 소량씩 만드는 수제 럼이다. 클레랭은 만드는 과정 하나하나가 야생이다. 갑자기 나는 나무의 맛을 찾는 여정에 정치적인 의미가 있음을 깨달았다. 야생의 다양한 재료들을 예측 가능한 결과물을 내기 위해 인간의 문화가 만든 인공 환경에 가두어 길들이려는 충동은 보수주의적인 개념이다. 나무통은 증류주 분야의 보수주의, 혹은 전통을 상징한다. 그렇더라도, 나무 종류에 대해 업계의 전통이 왜 이렇게까지 보수적일까?

통을 만드는 데는 왜 이렇게 오크만 압도적으로 많이 쓰이냐고 물었더니 가르가노는 증류주를 주로 생산하는 지역들의 지리적 조건 때문일 것이라고 했다. 우연히 그 주변에 오크가 많았고 그것으로 만들어보니 통으로 쓰기에 적절해서 오크를 쓰는 게 관습이 되었으며 그 다음에는 전통이 되었으리라는 설명이었다.

그는 더 이해하기 쉽도록 카샤사의 고향인 브라질 이야기를 해주었다. 카샤사도 사탕수수로 만드는 증류주로, 브라질의 유명한 칵테일 카이피리냐의 베이스이다. 키 라임 반 개에 백설탕 2작은술을 넣어 짓이긴 뒤 얼음과 카샤사 약 50밀리리터를 섞으면 라임의 강한 향에 설탕과 과일의 향조가 살짝 느껴지는 상큼한 칵테일이 된다. 브라질에는 엄청난 다양성을 자랑하는 아마존 열대우림이 있으므로 통을 만들기에 적합한 매우 다양한 종의 나무가 거의 무한대로 공급되었다(안타깝게도 오늘날에는 그렇지 않다). 그래서 카샤사는 암부라나, 카브로바, 카나리우드, 땅콩나무, 제퀴티바, 서인도 새틴우드 등 굉장히 다양한 목재로 만든 통에서 숙성되었다. 이들은 저마다 이 강렬한 증류주에 독특한 맛과 교육을 제공했다.[10] 나는 언젠가 하나하나 다 맛을 보겠노라 결심했고 카이피리냐 칵테일 이외의 상태로도 시음해보리라 마음먹었다.

가르가노가 다음 약속이 있어서 자리를 뜨기까지 흥미로운 대화가 거의 두 시간이나 이어졌다. 그에게서 들은 정보와 실마리들을 머릿속에서 막 정리하기 시작하려는데, 마르코가 준비해놓은 깜짝 행사가 하나 더 있었다.

벨리에는 이국적인 럼을 포함해 이곳이 수입하는 양질의 증류주로도 유명하지만 오픈바 스타일의 커다란 시음실로도 유명하다. 이곳에서는 상상할 수 있는 모든 종류의 증류주를 맛볼 수 있다. 세계적인 증류주 컬렉션을 자랑하며 출입이 엄격히 통제되는 이 시음실의 마스터는 벨리어의 믹솔로지 전문가 안젤로 카네사다. 새로 수입된 술을 모두 실험해보는 것이 그의 일이다. 개별 특질을 빠짐없이 상세하게 테스트하고, 다른 것들과 어떻게 상호작용하는지 알아보고, 그 지식을 벨리어의 전문가 고객들에게 알린다. 마르코는 증류주 애호가들의 꿈의 시음실 한복판에서 내가 안젤로를 만날 수 있게 깜짝 약속을 잡아주었다!

마르코가 방대한 소장품 중에서 온갖 술을 부지런히 가져다가 바에 늘어놓는 동안 나는 안젤로에게 나무통 숙성에 대해 술 전반적으로, 그리고 특히 칵테일과 관련해서 어떻게 생각하느냐고 물어보았다. 가르가노와 라인하트처럼 안젤로도 조심스러운 태도를 취했다. 그는 증류주를 만드는 데는 지름길이 없다고 했다. 우선, 환상적인 원재료를 사용해야 하고, 둘째, 너무 강하지 않게 증류해야 한다. 그는 효율성이 너무 높지 않은 증류기를 사용하는 것을 좋아한다. 알코올뿐 아니라 많은 착향 성분(에탄올과 함께 증류주에서 발견되는, 맛을 내는 유기화합물)도 남아 있게 해주기 때문이다. 착향 성분들은 다양한 맛의 향연을 제공할 뿐 아니라 증류주 맛을 충분히 강하게 만들어서 통 자체의 향에 압도되지 않게 해준다. 그러면 나무통에서 나오는 맛은 증류주의 맛을 몰아내지 않고 보완하는 역할을 하게 된다. 또한 갓 증류한 백주는 나무통에 넣기 전에 큰 통에서 며칠 간 휴지시켜야 한다. 화학 반응을 일으키지 않는 유리로 된 통이면 가장 좋다. 그렇게 휴지기를 갖고 나면 증류주의 여러 성분(알코올, 착향 성분, 물)이 안정화되고 분자 수준에서 잘 섞인다. 증류 과정에서 원액이 상당히 스트레스를 받게 되므로 휴식을 취할 시간을 주는 것이다. 이를테면, 럼에는 착향 성분이 많은데 적절하게 휴지기를 주지 않으면 입 안에서 향이 분리되어 강한 기름 맛 같은 불쾌한 끝 맛이 남게 된다.

그는 칵테일의 경우 나무통 숙성에 반대한다며, 고전적인 칵테일 '맨해튼'을 예로 들어 이를 알기 쉽게 설명해주었다. 맨해튼 칵테일의 베이스인 호밀 위스키에는 착향 성분이 많다. 그리고 두 번째 재료인 달콤한 붉은 베르무트가 그 자체의 향을 추가한다. 여기에 앙고스투라 비터스의 맛이 더해진다. 이 세 가지의 강한 맛을 혼합하는 것만으로도 굉장히 어려운데, 이것을 새로 만든 나무통에서 숙성하면 네 번째 강한 맛이 더해져서 적절한 균형을 잡기가 기하급수적으로 어려워진다. 그래서 안젤로는 그가 만드는 칵테일을 유리 용기에서 숙성시킨다. 증류 이후에 휴지기를 꼭 두어야 하는 것처럼, 유리 용기에서 칵테일을 숙성시키면 칵테일에 든 여러 향이 잘 섞이면서도 용기로부터는 추가적인 영향을 받지 않게 할 수 있다. 나무 용기를 사용하는 경우에는 전에 여러 차례 사용되어서 향이 미미해진 용기를 사용한다.

나는 이것으로 나무통 숙성 칵테일에 대한 흥미로운 대화가 마무리되는 줄 알았는데, 순진한 생각이었다. 안젤로는 칵테일을 나무통에서 '숙성'하는 것과 '마무리'하는 것의 차이를 설명하기 시작했다. '숙성'은 6개월 이상 둔다는 의미였고 '마무리'는 며칠이나 몇 주 정도 둔다는 의미였다. 그는 몇몇 칵테일을 '마무리'하는 용도로는 나무통을 쓰는데, 심지어는 새 통도 사용한다. 물론 통의 품질이 대단히 좋을 경우에 말이다. 단기간 나무통에 담아 두면 추가적인 향이 약간의 흔적 정도로만 감돌게 할 수 있다. 요리에 소금 한 꼬집을 살짝 두른 것처럼 말이다.

그렇다면, 완벽한 맨해튼을 만들려면 무엇이 필요할까? 안젤로에 따르면, 우선 정확한 비율대로 섞어야 하고 유리 용기에서 몇 개월간 숙성해야 하며 마지막으로 며칠간 오크 통에 넣어 완벽한 마무리를 해야 한다. 그것을 맛볼 수 있다면 얼마나 좋을까!

하지만 마르코와 안젤로는 시음실에서 전혀 다른 무언가를 계획해놓고 있었다. 줄 지어 놓인 술병들을 보니 명확했

다. 나무의 영향을 받은 증류주 중 세상에서 가장 놀라운 맛을 가진 것들을 골라놨던 것이다.

두드러지게 밝은 초록빛의 허브 술인 프랑스산 샤르트뢰즈 VEP부터 시작했다. 오크 통에서 10년간 숙성한 이 술은 비할 데 없는 향을 선사했다. 냄새는 향긋하고 달콤하면서 스파이시해서 인도의 향신료 시장이나 이국적인 향불을 연상시켰고, 맛은 오래 감도는 풀 맛에 처음에는 혀가 조금 얼얼하면서 서까래 가득 허브를 널어 말리고 있는 방을 연상시켰다. 전에 맛본 어느 것과도 비교가 되지 않을 만큼 부드러웠는데, 나는 이것이 나무통의 효과라고 생각한다.

다음은 매우 드문 트리니다드산 55퍼센트 도수의 럼이었다. 카로니 증류소에서 제조했는데 불행히도 이곳은 2002년에 문을 닫았다. 내가 맛본 것은 1996년에 제조해 12년간 열대 지방에서 오크 통에 숙성한 뒤 벨리에에서 병입한 것이었다. 안젤로가 짙은 호박색 술을 잔에 따르자 잘 익은 열대 과일의 달큼한 향과 가죽 같기도 하고 담배 같기도 한 향이 강렬하게 훅 끼쳐왔다. 오크 통에서 나오는 바닐라 향도 감도는 것 같았다. 맛 또한 놀라울 정도로 오래 이어졌다. 첫 맛은 매우 스파이시했고 냄새와는 대조적으로 전혀 달지 않았다. 그러더니 강한 다크 초콜릿, 가죽과 담배, 오크의 바닐라 맛에 이어, 뜻밖에도 잘 익은 바나나 맛이 났다.

열대 지방 이야기가 나와서 말인데, 안젤로와 가르가노에 따르면 벨리에가 가지고 있는 인상적인 럼 셀렉션의 비밀이 열대 지방과 관련이 있다. 다른 수입업체와 달리 벨리에는 취급하는 모든 럼을 열대 지방에서 숙성시킨다. 이곳은 기온이 높아서 '천사의 몫'(Angel's Share. 나무통의 통기성 때문에 자연적으로 증발하는 양을 업계에서는 다소 시적으로 이렇게 부른다)이 연간 10퍼센트에 달하기도 한다. 이 말은 10년간 숙성하면 원래 양의 80퍼센트 이상이 없어진다는 말이다. 대부분의 수입업체는 유럽으로 들여온 뒤에 럼을 숙성하는데 이곳 기후에서는 천사의 몫이 연간 2퍼센트 정도다. 벨리어의 방식은 비할 바 없이 농축된 맛과 향을 내고, 그래서 비싸다. 그들의 말대로, 양보다는 질이다.

그동안 또 다른 술 두 종류가 내 앞에 나타났다. 내게 보이지 않게 구석에서 비밀스럽게 담아 내온 것이었다. 잔이 불투명했는데, 미식과학대학에서 감각 수업을 들을 때 블라인드 테이스팅에서 사용했던 시음용 잔이었다. 불투명한 잔을 쓰는 건 술의 색깔을 가리기 위해서다. 색이 맛을 지각하는 데 크게 영향을 미치기 때문이다. 일례로, 동일한 올리브유에 인공적으로 색을 달리해서 한쪽은 밝은 초록, 한쪽은 노란색을 띠게 한 뒤 그 사실을 모르는 사람에게 맛을 보게 하면 초록색 쪽이 더 신선하고 풀 향이 난다고 (그러니까, 더 맛이 좋다고) 느낀다.

호기심에 차서 오른쪽 잔을 먼저 마셔보았다. 잘 익은 열대 과일 같은 달콤한 향과 전에 마신 카로니보다는 덜 강렬하지만 바닐라 향도 나는 것으로 판단해보건대 럼인 것은 분명했다. 하지만 입 안에서는 매우 강렬하게 느껴졌고 혀가 약간 얼얼했다. 조금 더 나중에서야 강한 향신료 같은 맛과 매우 진한 다크 초콜릿, 그리고 아몬드 맛이 드러났다. 나무통에서 숙성할 때 일반적으로 달성되는 부드러움과는 정반대였다. 숙성하지 않은 럼인가? 나는 느껴지는 대로 맛과 향을 계속 이야기했다. 길들이지 않은 야생의 클레랭 같은데?

이제 왼쪽 잔 차례였다. 섬세한 버터 향이 토피넛을 연상시켰다. 맛은 부드럽고 향긋한 초콜릿과 바닐라 느낌, 그리고 어떤 과일 맛, 아마도 복숭아 같은 백색 과일의 맛을 추가로 드러냈다. 숙성한 럼인가? 앞서 마신 알 수 없는 술보다는 확실히 훨씬 더 부드러웠다. 약한 바닐라 향조가 나무통에서 숙성된 것임을 말해주고 있었다. 그런데 바닐라 향이 왜 이렇게 희미하지? 칵테일 숙성용으로 쓰기에 좋은 오래된 통을 써서 그런가?

나는 떠오르는 대로 이야기를 했고 내 말을 듣던 안젤로의 미소가 점점 함박웃음이 되었다. 드디어 그는 두 술의 병을 보여주었다. 처음 마신 것은 럼이 맞긴 했는데 내 예상은 딱 거기까지만 맞았다. 가이아나에 있는 엘도라도 증류소에서 생산한 '베르사유 2002'로 버번 통에서 12년이나 숙성한 것이었다. 길들이지 않은, 야생의, 숙성하지 않은 클레랭과는 정반대였다. 두 번째 것은 엄청 희귀한 '포트 모란드 화이트'로, 가이아나의 숙성하지 않은 싱글 럼을 2015년에 벨리에가 병입한 것이었다. 이번에도 오래된 나무통에서 숙성했을 것이라는 내 추측과는 거리가 멀었다. 의외로 숙성하지 않은 럼이 숙성한 것보다 더 균형 잡히고 부드러운 맛이 났다. 안젤로는 그와 가르가노가 말하고자 하는 바를 매우 우아한 방식으로 내게 보여준 셈이었다. 모든 것은 증류액 자체의 질에, 즉 세심한 증류 과정에서 맛을 어떻게 최적으로 집중시키느냐에 좌우되며, 숙성한 것이 숙성하지 않은 것보다 꼭 좋은 것은 아니라는 사실 말이다.

이 '작은 농담'(안젤로의 표현이다)의 인상이 가시지 않은 채로, 다음 병으로 넘어갔다. 처음부터 눈여겨본 병이었다. 브라질 카에타노에서 생산된 카샤사로, 암부라나 나무통에서 숙성한 것이었다. 드디어 오크가 아닌 나무로 만든 통에서 숙성한 술을 맛보게 되었다!

노란색만으로도 매우 독특했는데 맛이 독특한 것에는 비할 바가 아니었다. 우선 향은, 처음에는 달콤한 향이 났지만 곧 생프로폴리스(벌이 밀랍과 식물 수액 등을 모아 만든 구조물로, 약간 쓴맛이 난다), 그리고 약간의 사워 비어(신 맥주) 향이 감돌았다. 맛은, 처음에는 시고, 이어서 마누카 꿀, 다시 프로폴리스 맛이 났고 벌이 모은 꽃가루 같은 것이 씹히는 듯했다. 그리고 아주 나중에야 확실한 단맛이 나타났다. "세상에, 이것은 아주 다르네요!" 더운 여름 날 이 술에 얼음을 넣어 즐기는 장면이 쉽게 그려졌다. 과일이나 허브로 만든, 마시는 식초처럼 말이다.[11]

마지막으로 또 하나의 이국적인 증류주가 바에 놓여 있었다. 인도 암룻에서 제조된 싱글몰트위스키로, 버번을 담았던 통, 새 오크 통, 그리고 다시 버번을 담았던 통에서 차례로 숙성시킨 것이었다. 열대 사바나 기후에서 숙성되었다는 점(이 증류소는 인도 남부 지방인 방갈로르에 있다)과 굉장히 여러 개의 통을 섞어서 사용했다는 점에서, 흥미로운 결과가 빚어졌을 것 같았다. 나는 정말로 독특한 무언가를 기대했다. 첫맛은 셰리주 통에서 숙성한 위스키의 전형적인 맛인 붉은 과일, 셰리주, 그리고 바닐라 향뿐이었다. 하지만 곧 이국적인 향신료 같은 맛이 등장했다. 달고 건조한 맛은 곧 강렬한 강황의 향조를 드러냈고 여기에 바닐라 향과 약간의 향불 느낌이 어우러졌다. 신기하게도, 이 시음실에서 술의 세계 여행을 시작했을 때 맨 처음 마셨던 샤르트뢰즈와 비슷한 면도 약간 있는 것 같았다.

나무가 촉진해주는 새로운 맛, 그리고 나무 맛을 술에 더하는 것이 갖는 장단점에 대해 여러 견해가 잔뜩 적힌 노트를 손에 들고 마르코, 안젤로, 파올라에게 작별 인사(와 수차례의 감사 인사)를 한 뒤, 벨리에 본사에서 내려와 제노바의 브리뇰레 기차역으로 갔다. 피렌체로 돌아가는 기차는 제시간에 왔다.

평생에 한 번 있을까 말까 한 이 여행에서 알게 된 나무와 증류주에 대한 정보들을 종합해보노라니, 안젤로가 해준 이야기 하나가 떠올랐다. "나무통 숙성은 가치를 '부가'해주는 것이어야지 주된 것이 되어서는 안 됩니다."

이 한 문장으로 그는 내가 벨리에 사람들 덕분에 깨닫게 된 모든 것을 표현하고 있었다. 최고로 매력적인 증류주를 만들려면 모든 증류주 제조자는 스스로에게 이렇게 물어보아야 한다. 내가 나무통 숙성으로 이 술을 정말로 더 향상시키고 있는가? 답이 '그렇다'라면, 이제 완전히 새로운 질문에 봉착하게 된다. 완벽한 나무통을 찾아야 하는 것이다.

나무에서 영혼♣으로

나무가 위스키, 셰리, 럼부터 복잡한 칵테일까지 온갖 술을 변모시키고 길들이는 데 얼마나 중요한 역할을 하는지 깨닫고 나니, 나무의 일생이 훗날 자신이 통이 되어 담게 될 술에 어떻게 스며드는지가 너무나 궁금해졌다.

이 말은, 숲에서 시작해야 한다는 뜻이었다. 마침 하이더가 거래하는 통 제조장의 다른 고객 중에 내가 일주일에도 몇 번씩 산책하는 우리 집 근처 오크 숲에서 생산되는 나무를 쓰는 곳들이 있었다. 빈의 국립공원인 비너발트의 경사면에서 남쪽을 바라보고 자라는 오크나무들은 놀랍

♣ spirit에는 '영혼'이라는 뜻 외에 '증류주'라는 뜻도 있다 — 옮긴이.

도록 쾌적하고 아름다운 환경을 선사한다. 나무들 사이의 간격이 어느 정도 떨어져 있어서 숲 바닥까지 햇빛이 잘 닿는 덕분에 풀과 그 밖의 바닥 식물이 무성해 소풍을 즐기기에 안성맞춤이다.

하지만 겨울이면 목가적인 풍경은 전쟁터를 방불케 하는 풍경으로 바뀐다. 벌목공들이 조심스럽지만 가차 없이 80~100년 된 나무들을 베고, 넘어진 나무들을 윈치로 들어 올려 높은 지대로 옮긴 뒤, 굵기에 따라 분류하고 쌓는다. 바람이 세게 부는 날 갓 베어진 오크 나무들이 쌓여 있는 곳 옆을 지나가면 압도적으로 강한 바닐라 향이 밀려온다. 며칠 뒤에 목재 트럭이 와서 그것들을 실어간다. 곧고 옹이가 적은 나무만 통을 만드는 데 쓰일 수 있어서 그런 것들만 통 제조장으로 운반된다.

과거에 나무통은 가장 중요한 운송용 컨테이너였다. 여기에 비견될 만한 것이라면 글로벌화된 소비 사회를 지탱해 주는 오늘날의 철제 컨테이너 정도일 것이다. 현대의 선박 컨테이너처럼 나무통은 사과, 화약, 절인 고기, 시멘트, 동전, 밀가루, 생선, 당밀, 피클부터 담배, 직물, 타르, 씨앗, 식초, 감자, 굴까지, 그리고 오늘날에도 나무통에 운송되는 맥주, 와인, 위스키까지, 온갖 상품을 운송하는 데 쓰였다. 나무통의 모양은 혼자서도 쉽게 굴려서 다룰 수 있게끔 되어 있다. 또한 나무통은 단단하면서도 비교적 가볍고 내구성도 매우 좋아서, 양쪽에 손잡이가 달린 커다란 항아리 '암포라'보다 기능 면에서 훨씬 뛰어났다(나무통의 사용이 처음 기록된 기원전 350년까지만 해도 암포라가 지중해 지역에서 가장 중요한 운송용 용기였다).

나무통의 기원은 북유럽 켈트족이 살던 방대한 혼합림으로 거슬러 올라간다. 이미 뛰어난 목공인들이었던 켈트족은 연철 분야에서도 뛰어난 장인이어서 철을 가공해 철제 도구들을 만드는 데도 솜씨가 좋았다. 철제 도구들은 단단한 나무를 다루는 데 꼭 필요하다. 확실한 증거는 없지만 대부분의 역사학자들은 나무통이 입구가 열린 나무 들통에서 진화했으리라고 본다. 두 개의 나무 들통 입구를 이어 붙여 만들었으리라는 것이다.

켈트족이 일군 이 혁신은 오늘날의 표현으로 말하자면 '파괴적 혁신'이라고 불릴 법하다. 한두 세기 사이에 암포라를 완전히 몰아냈기 때문이다. 흥미롭게도, (둘 사이에

인과관계는 없지만) 암포라가 쇠퇴한 시기는 로마 제국이 멸망한 시기와 일치한다. 유럽의 교역이 증가하면서 나무통은 '발견의 시대에 진가를 발휘했다. 크리스토퍼 콜럼버스의 미 대륙 발견, 바스코 다 가마의 성공적인 인도 탐사, 페르디난드 마젤란의 세계 일주 모두 음식과 물, 기타 필수적인 물품을 안전하게 보관할 수 있는 단단하고 내구성 있는 저장 용기가 없었더라면 극히 어려운 일이었을 것이다. 이후 몇 세기 동안 나무통 생산은 계속해서 활황을 구가했다. 그러다가 석유 산업이 떠오르면서 나무통은 대량 생산 제품으로서 정점을 맞이한다. 원유를 세는 단위인 '배럴'의 기원이 바로 나무통인데, 이는 석유 산업 초창기에 석유 수송용으로 사용되었던 나무통의 마지막 전성기를 상징적으로 보여준다. 하지만 나무통은 곧 거대한 철제 석유 탱크에 밀려났고, 다른 산업들도 빠르게 뒤를 따랐다. 이제는 와인, 맥주, 증류주 업계에서마저 저장 용기가 바뀌었다. 하지만 주류 업계가 나무통을 완전히 버린 것은 아니었다. 주류 업계에서는 나무통이 단순한 보관 용기에만 그치는 것이 아니었기 때문이다. 나무통은 그들의 제품에서 뗄 수 없는 일부가 되어 있었다.[1] 그리고 나는 어느 정도나 그런지 알아볼 작정이었다.

니더외스터라이히주에 있는 바이트호펜안데어입스의 중심부를 가로질러 달리노라니 시간 여행을 하는 듯했다. 근사하게 복원해놓은 중세의 건물이 고딕 양식의 정원 및 아케이드와 나란히 있었고 그 다음에는 비더마이어, 네오르네상스, 네오바로크 시대 양식들의 집이 이어졌다. 수많은 아름다운 건물에 감탄을 연발하다가, GPS의 안내대로 점점 더 좁고 가팔라지는 길에 들어섰다. GPS에 따르면 그 길의 끝에 슈네켄라이트너 통 제조장이 있어야 했다. 바로 오른쪽에 강이 흐르고 길은 계속 더 좁아져서 점점 불안해졌다. 여기가 맞는지 긴가민가하고 있는데, 갑자기 중세 시대 연극에서 튀어나온 것 같은 광경이 눈앞에 나타났다. 부분적으로 높은 돌다리의 아치 아래 위치한 이곳은 통 제조장이 맞았다. 늘어선 나무통, 쌓여 있는 판자와 통널, 그리고 반쯤 만들어진 통 주위로 철제 링을 박아 넣는 사람들이 보였다. 나무통의 인생 스토리를 알아볼 수 있는 곳에 제대로 찾아온 것이다.

그 광경에 넋이 빠져 좁은 진입로의 중앙에 차를 세웠다. 우편 배달부의 경적을 듣고서야 길을 완전히 가로막고서 있다는 걸 깨달았다. 주차를 제대로 다시 하고서, 이제 나는 통 제조장의 젊은 운영자 파울 슈네켄라이트너 주니어를 찾아볼 준비가 되었다. 전날 전화로 약속을 잡아놓은 터였다.

그사이 우편 배달부가 수많은 문 중 하나로 사라졌다. 그가 여기 와본 적이 있는 게 틀림없었다. 나는 그를 따라갔다. 과연, 우편 배달부가 다시 길에 나왔을 때 슈네켄라이트너가 뒤따라 나왔다(웹사이트에서 사진을 봤기 때문에 알아볼 수 있었다). 그는 배달 서류에 서명을 할 동안 잠시만 기다려 달라는 손짓을 했다. 덕분에 통 제조장 주위를 제대로 눈에 담아볼 시간을 가질 수 있었다.

구불구불한 입스강의 지류들이 있는 지대와 이 도시 평균 해발 고도의 중간 지점쯤에 세워진 이 통 제조장은 거칠게 바른 회벽에 폭이 좁은 문과 창문이 달린 석조 건물 몇 채로 이루어져 있었다. 건물들은 나무 지지대 위에 걸쳐진 돌출 지붕으로 모두 연결되어 있었고 지붕 아래 공간 전체에 초벌 톱질을 한 판자가 가득 쌓여 있었다. 통에 쓰일 목재들이었다. 모든 건물로 연결되는 중앙 통로에는 오크 통들이 깔끔하게 줄지어 있었고 햇빛이 비치는 곳에 위치한 통에서 금속 고리가 반짝였다. 고객에게 배달되기를 기다리고 있는 것들인 모양이었다. 수도원의 와인 양조장에서 나무통을 가지러 마차가 자갈길을 덜그럭덜그럭 달려오는 소리가 당장에라도 들려올 것만 같았다. 지금이 현대임을 알게 해주는 것이라곤 고무 타이어가 달린 금속제의 파란 외바퀴 손수레와 뒤쪽에서 들려오는 기계 소리뿐이었다.

누군가가 다가오는 발자국 소리에 현재로 돌아왔다. 우편배달부와 볼일을 마친 슈네켄라이트너가 그의 집안이 운영하는 통 제조장을 찾아온 나를 반가이 맞아주었다. 그는 1880년부터 그의 집안이 여기에서 통을 만들었다고 자랑스럽게 말했다. 그가 5대째였다. 아버지와 삼촌이 운영하던 이 제조장을 그가 물려받은 것은 사실 매우 최근이다. 경영은 그가 물려받았지만 아버지와 삼촌 모두 계속 여기에서 일한다. 그들의 오랜 경험은 여전히 이곳에 꼭 필요하다.

놀랍게도 이 제조장 자체는 유럽을 쑥대밭으로 만든 30년전쟁이 한창이던 1628년부터 존재했다. 오늘날에는 작업장이 두 군데로 나뉘어 있다. 공간을 더 많이 써야 하는 통널 제조장은 15분쯤 떨어진 외곽에 있다. 이곳은 매우 중요하다. 나무를 가르고 잘라 통널을 만드는 것, 공기 중에서 적절하게 말리는 것, 모양을 잡고 통으로 조립하는 것까지 생산의 모든 단계를 직접 다 담당하기 때문이다. 그렇게 해서 달성 가능한 최고 수준의 품질을 보장한다. 또 이곳은 그의 말로 '나의' 숲에서 오는 오크 목재가 도착하는 곳이기도 하다.

하지만 목재의 도착이 통 제조장 일의 시작점일 것이라는 나의 예상과 달리, 통을 만드는 과정은 더 먼저 숲에서 시작된다고 했다. 숙련된 통 제조공이 자신이 만들 통에 적합한 나무를 숲에서 골라야 하는 것이다. 슈네켄라이트너는 이 섬세한 일은 여전히 아버지와 삼촌에게 의지한다. 그들은 오스트리아, 독일, 심지어는 프랑스까지 가서 직접 숲을 돌아다니면서 적합한 나무들을 고른다.

또한 슈네켄라이트너는 나무를 베는 것은 추운 겨울에 해야 한다고 말했다. 수액이 뿌리 속으로 다시 들어가고 숨구멍들이 닫혀 있는 시기이기 때문이다. 목재가 제재소에 도착하면 작은 통이 될 나무들은 수압 절단기로 자르고 (나무의 자연적인 결 구조를 손상하지 않기 위해서), 큰 통이 될 나무들은 톱으로 길이를 4등분 한 뒤 세로로 잘라 통널을 만든다. 자른 통널은 곧바로 밖에 쌓아 말린다. 건조에 몇 년씩 걸리기도 한다. 대략 두께 1센티미터당 1년을 말려야 하는데, 60갤런(약 227리터)들이 표준 크기의 통('바리크'[barrique]라고 부른다)에 쓰일 통널의 경우 건조 기간이 3년에 달하기도 한다.

지리적으로 고유한 요소들이 양질의 통을 만드는 데 막대하게 중요한 역할을 한다는 이야기에 나는 곧바로 관심이 쏠렸다. 비, 바람, 얼음, 눈, 타는 듯한 열기, 짙은 안개가 나무에서 쓴맛을 내는 타닌을 없애주고 맛과 향의 특징을 변모시켜 준다는 것이었다. 이에 더해, 해당 지역에 서식하는 박테리아와 버섯균이 나무의 화합물을 분해해 알코올에 잘 녹게 해준다고 했다.[2] 이 말은, 나무통이 갖게 되는 향이 나무가 어디에서 어떻게 자라는지, 1년 중 언제 베어졌는지, 목재가 어떻게 건조되었는지뿐 아니라 그 지역 특유의 날씨 패턴, 박테리아, 버섯균에도 영향을 받는다는 뜻이었다. 즉 나무통이 '테루아'를 가진다는 의미였다. 테루아는 주로 와인 업계에서 쓰이는 용어인데, 지역 특정적인 환경 조건(토양, 지질, 기후 등)이 각 와인의 고유한 맛을 형성하는 것을 지칭한다.

이야기를 나누면서 우리는 기계 소음이 많이 나던 제조장 뒤쪽으로 들어섰다. 이때쯤에는 리드미컬한 망치 소리가 되어 있었다. 깔끔하게 쌓여 있는 통널들을 가까이에서 보니 다들 뚜렷하게 날씨의 흔적을 가지고 있었다. 가장 눈에 띄는 것은 태양 때문에 자연적으로 그을린 회색의 표면이었다. 짙은 검은색이 된 부분도 있었다. 물 흐른 자국도 선명했고 균 때문에 생긴 작은 점도 보였다.

슈네켄라이트너는 여기에 쌓여 있는 거친 상태의 통널을 플레이너로 둥글려 수평 곡면을 만들고, 둥근 날 회전 톱으로 세로로 자른 후, 마지막으로 셰이퍼가 수직 곡면과 점점 좁아지는 대칭을 형성해 모양을 잡는 과정을 설명했다. 아쉽게도 내가 간 날에는 조립 작업이 없었다. 슈네켄라이트너도 너무 아쉬워했다. 초벌 조립된 통들을 불과 물의 도움으로 구부려가며 최종 형태로 모양을 잡아가는 광경은 정말로 장관이었을 텐데 말이다.

이곳의 모든 통은 주문 제작된다. 이 말은, 고객이 여러 가지의 기준 사이즈 중에서 선택할 수 있고, 더 중요하게는 통 안에 얼마나 그을음 층이 있게 할 것인지 선택할 수 있다는 뜻이다. 통 내부에 그을음 층을 만들기 위해 한동안 불 위에 놓고 쪼이는 '토스팅'을 하는데, 그렇게 하면 통이 독특하고 강한 향을 갖게 된다. 물론 가장 명백한 것은 훈연 향이다. 통의 위아래를 막는 것까지 마무리되면, 물을 채워 새는 곳이 없는지 검사한다. 새는 통이나 그 밖의 하자 있는 통이 고객에게 나간다는 것은 있을 수 없는 일이다. 그의 사업은 좋은 평판을 구축하고 그것이 입에서 입으로 퍼져나가게 하는 데 의존하고 있기 때문이다. 이 방면에서 그는 매우 성공적인 것 같았다. 오스트리아의 여러 와인 및 증류주 제조자뿐 아니라 최근에는 남아프리카와 호주에도 통을 공급하기 시작한 걸 보면 말이다.

전체 공정을 보았으니, 처음부터 뇌리를 떠나지 않던 궁금증에 대해 물어보고 싶었다. 왜 통의 세계는, 특히 와인과 증류주 통의 세계는 이렇게 오크 통 일색인가? 오크가 아름답고 단단한 목질을 가진 것은 분명하지만 세상에는 8만~10만 종의 나무가 있고[3] 그중에는 통을 만들기에 적절한 것도 틀림없이 있을 것 아닌가?

슈네켄라이트너는 수요 쪽 요인 때문이라고 답했다. 오크가 아닌 나무로 통을 만들어 달라는 고객은 거의 없다는 것이다(몇몇 와인 양조장에서 매우 가벼운 과일 향을 내는 아카시아 나무통을 주문하는 경우가 간혹 있긴 하다고 한다). 물론 아무 나무나 사용되지는 못할 것이다. 숨구멍이 조밀해야 하고, 너무 무르거나 푸석푸석하지 않아야 하며, 제조 공정을 견딜 수 있을 만큼 내구성이 있어야 한다. 하지만 그는 아버지가 낙엽송으로 통을 만들었던 적이 있다고 했다. 낙엽송은 비교적 내구성이 높지만 오크보다 부드럽다.

오크 이외의 나무로도 통을 만들 수 있다는 사실을 알게 된 데 고무되어서 나는 통 업계를 완전히 장악한 오크 대신 쓰일 수 있는 수종을 찾아보고 싶어졌다. 평범한 소비자와 생산자는 오크 통이 주는 맛의 프로필에 만족할지 모르지만 나는 아니었다.

하지만 다른 수종들을 물색하기에 앞서, 우선 (특유의 바닐라 향 외에) 오크 통이 주는 맛의 프로필이 정확히 무엇인지부터 알아야 했다.

곧 나는 통이 주는 고유한 맛의 프로필에는 수많은 요소가 영향을 미치며 증류주에 대해서는 더욱 그렇다는 것을 알게 되었다. 위스키를 예로 들어보자. 몇몇 연구에 따르면, 오크 통 숙성 위스키에서 휘발성 없는 화합물이 무려 4000가지나 발견되었다.[4] 나무의 화학 성분은 각각 나름의 중요한 역할을 한다. 현미경으로 보면 스펀지처럼 생긴 나무 조직에는 셀룰로스(복잡한 다당류 분자가 사슬처럼 이어진 것으로, 종이를 만드는 주요 성분이기도 하다) 가닥들과 그것을 둘러싸고 있는 그물 같은 헤미셀룰로스(다양한 방식으로 엮인 복잡한 다당류 분자)가 있고 이것이 다시 리그닌(매우 복잡한 중합체로, 세포들을 하나로 묶어주는 기능을 하며 채소의 사각거리는 질감을 만든다[5]) 가닥들로 엮여 있다. 그리고 극히 강하지만 유연한 이 조직 구조 사이에 이런저런 양의 단백질과 그 밖의 추출 가능한 물질들이 들어 있다.[6]

헤미셀룰로스에서 만들어지는 목당(木糖)은 위스키의 바디에 중요하다. 토스팅을 할 때 목당이 캐러멜화가 되면서 위스키 특유의 호박색이 나온다.[7] 리그닌은 에탄올에 의해 분해되어 바닐린 같은 중요한 향 성분이 되며(바닐린은 위스키가 두드러지는 바닐라 향을 갖게 하는데, 이것은 오크나무의 특징적인 향이다[8]), 색에도 영향을 미친다. 또 타닌이나 지질 추출물은 약간의 떫은 느낌을 가미하고 갓 증류한 증류액에서 나곤 하는 고무 냄새 등 불쾌하게 튀는 잡내를 잡아준다. 이에 더해 미국의 화이트 오크 나무통은 상당량의 락톤을 가지고 있다. 락톤은 나무의 지질에서 추출되는데, 위스키에 오래된 책꽂이 같은 나무 향조를 더해주고 코코넛 향도 감돌게 한다.

전체적으로 통에 그을음 층을 내는 것이 매우 중요한 역할을 한다. 헤미셀룰로스(다당류탄수화물), 리그닌, 지질 구조물을 분해해 나중에 에탄올과 더 즉각적으로 반응하게 할 뿐 아니라 활성 탄소(필터에 많이 쓰인다) 층을 만들어 잡내를 없애주기 때문이다. 또 그을음 층 자체가 약간 물에 녹기 때문에 위스키에 훈연 향도 더해준다.[9]

나무의 화학 성분들이 술에 미치는 영향을 생각하면서, 나는 맛을 알아보고 싶은 나무 종류를 찾기 시작했다. 처음 떠오른 것은 슈네켄라이트너가 말한 오스트리아 원산의 낙엽송이었다. 그 다음은 견습 목수 시절부터 나와 오랜 애증 관계인 마호가니나무였다. 당시에 TV 거치용 대형 캐비닛(커다란 브라운관 모니터가 달린 TV를 보던 시절이었다) 제작 실습을 하던 중, 이유는 기억나지 않지만 미 대륙의 플랜테이션에서 생산되는 마호가니를 선택했다. 잘 부서지는 나무라는 것을 미처 생각하지 못하고 말이다. 곧은 부분은 문제가 되지 않았지만 캐비닛 가장자리에 띠를 두르는 것이 문제였다. 나무를 구부려서 둥근 상판에 둘러 가며 접착제로 붙여야 했는데, 당연하게도 쉬이 부서진다는 특성과 구부린다는 것은 어울리지 않는다. 꼬박 이틀을 낑낑대고 셀 수 없이 많은 마호가니 띠를 부수고서, 구부려도 부러지지 않는 것을 겨우 하나 건졌다. 그리고 평생 어떤 일에도 마호가니는 쓰지 않으리라 다짐했다. 하지만 모든 상처는 시간이 가면 아무는 법이고, 그래서 마호가니가 내 두 번째 샘플로 낙찰되었다. 외국산과 현지산 나무를 고루 포함하기 위해 인근 지역에서 자라는 검은오리나무와 호주에서 수입되는 유칼립투스나무도 추가했다.

이론적으로 나무 네 종을 고르는 것과 실제로 나무 샘플을 구하는 것은 전혀 다른 문제다. 낙엽송, 검은오리나무, 마호가니나무를 구하는 것은 꽤 쉬웠지만(마호가니의 경우, 부서진 가장자리 띠 조각이 아직도 조금 남아 있었다), 유칼립투스 조각을 구하는 데는 이틀이 걸렸다. 구할 수 없어서가 아니라 너무 많이 구입해야 해서 문제였다. 연락을 취해본 전문 목재상 모두 유칼립투스가 있냐고 묻자 당연히 있다며 몇 미터짜리 판이 필요하냐고 물었다. 내가 몇 센티미터 정도(정확히는 25센티미터 정도)면 충분하다고 했더니 곧바로 그들의 목소리가 약간 타이르는 말투로 바뀌면서 9미터 이하로는 팔 수 없다고 했다. 우리 집 부엌 바닥을 유칼립투스나무로 다시 깔 필요는 없었으므로 나는 그들의 제안을 (싸게 주겠다고 했는데도) 거절했다. 그리고 동네 목공소에 연락했다. 진작 그럴 것을. 예전에 거래하며 안면이 있는 사이였기 때문에 주인장은 내가 이상한 걸 물어봐도 놀라지 않았고 한 시간도 안 되어서 전에 쓰고 남은 유칼립투스 조각들을 찾아냈다. 다음 날 가지러 갔더니 돈도 받지 않고 공짜로 주었다.

나무 네 종의 샘플을 다 구했으므로 그것들이 나무통으로 쓰일 경우 어떤 맛을 보태게 될지 알아보는 실험을 할 차례였다. 나는 우리 집 부엌에서 내가 개발한 나무 향 추출법으로 실험에 착수했다. 이 실험을 할 때면 연기, 탄 나뭇재, 증기, 그리고 내가 쉴 새 없이 내뱉는 네 글자로 된 욕설이 난무하는 바람에 사람과 동물 모두 내 부엌에서 멀어지곤 한다.

사람과 동물이 부엌에 들어오는 것이 다시 안전해졌을 무렵에는 나무 향의 놀라운 다양성을 발견한 상태였다. 호주 유칼립투스는 극도로 감미로운 캐러멜 향과 단 토피넛 향을 가지고 있었고 아주 오래 여운이 남았다. 마호가니는 훈연한 녹차를 연상시키는 향이 났다. 소나무를 태워 훈연한 랍상소우총 차를 홍차가 아니라 녹차로 만든 것 같았다. 하지만 입 안에서 시간이 더 지나자 점점 떫은맛이 강해졌다. 이 문제는 독한 타닌이 씻겨 나가도록 목재를 바깥 기후에 충분히 노출시키면 해결될 것 같았다. 낙엽송은 강하고 여운이 긴 마시멜로의 놀라운 맛을 냈다. 검은오리나무는 갓 우린 다르질링 차 같은 첫맛이 나다가 곧바로 완벽한 라즈베리 향이 났다.

나는 할 말을 잃었다. 대충 고른 나무 네 종류가 달콤한 토피넛부터 훈연한 녹차까지, 라즈베리부터 마시멜로까지, 완전히 다른 맛을 가지고 있었다. 전 세계에 8만~10만 종이나 되는 나무들은 우리가 아직 모르는, 얼마나 광대한 맛의 우주를 펼치게 될까?

이 온갖 나무가 증류주의 맛에 영향을 줄 수 있는 가능성을 상상하기란 그리 어려운 일이 아니다. 정확한 지식에 기반해 통의 테루아와 잘 결합하면, 전통적인 오크의 바닐라와 코코넛 향 외에 더 다양한 맛의 증류주를 만들 수 있을 것이다. 하지만 증류주 업계 사람들에게 수십 년간 해온 방식을 버리고 다른 것을 시도해보라고 말할 수 있으려면 나무가 맛을 일으키는 복잡한 과정을 완전히 파악해야 하며, 여기에는 나무의 '냄새'도 포함된다.

베트남 숲의 향수

음식에 대한 감각은 '정확히 어떤 맛인지'에 더 집중하기 시작할 때 근본적으로 달라진다. 전에는 그저 '맛있거나' 아니면 '별로이거나' 하던 음식이, 갑자기 더 미세한 맛들이 나타나면서 훨씬 더 복잡하게 느껴지는 것이다. 나의 경우 그러한 전환은 요리를 처음 해보았을 때 시작되었는데, 어떤 요리는 약간의 소금이 딱 필요하고 어떤 요리는 다소 신맛이 나서 아주 약간의 단맛이 딱 필요하다는 것을 알게 되고서였다.

엄밀히 말하자면 '맛'은 미뢰를 통해 들어오는 신호만 지칭하며, 우리의 미뢰는 신맛, 쓴맛, 짠맛, 단맛, 감칠맛, 이렇게 다섯 가지 기본 맛만 구별할 수 있다(여섯 번째 맛인

'기름진 맛'을 감지하는 미뢰가 있음을 시사하는 증거도 나오고 있다[1]). 그렇다면, 우리가 느끼는 다른 맛들, 가령 버터 같다거나 꽃처럼 향긋하다거나 과일 향이 난다거나 하는 맛들은 어떻게 느껴지는 것일까?

다섯 가지 기본 맛 외에 우리가 통상 '맛'이라고 부르는 무수한 향은 코에 있는 후각수용체로 느끼는 것이며, 코는 비강을 통해 입과 연결된다. 또 연구들에 따르면, 우리가 느끼는 맛은 감자칩의 바삭거리는 소리나 식당의 배경음악 등 소리에도 영향을 받는다.

왜 기내식 맛이 밋밋하게 느껴지는지 생각해본 적이 있는가? 비행기 객실은 습도와 기압이 낮아서 미뢰와 후각수용체의 민감도가 떨어진다. 그치지 않고 들리는 비행기 엔진 소리도 영향을 미친다.[2] 시각도 맛의 감각에 속임수를 일으킨다. 앞에서도 언급했듯이, 올리브유의 색을 인위적으로 조절해 더 신선한 맛이 느껴지게 할 수 있다.

맛을 느끼는 데는 입, 코, 눈, 귀가 모두 관여하며, 코는 사실 냄새뿐 아니라 맛을 느끼는 데서도 기본적인 신체기관이다. 600만 개의 후각수용체가 공기 중에 있는 아주 작은 양의 물질까지도 감지할 수 있고, 이러한 후각적 감각은 감정 상태, 타인에 대한 인상, 집중력, 그리고 연애 상대를 고르는 데도 영향을 미친다. 후각수용체는 우리 뇌의 가장 깊은 곳인 대뇌변연계와 직접 연결된다. 냄새가 뇌의 피질에서 의식적으로 지각되기 전에 뇌 깊숙한 곳에서 감정적인 반응을 먼저 촉발할 수 있다는 말이다.[3] 감기 걸렸을 때 음식 맛이 안 느껴지는 것은 후각이 맛에 영향을 미친다는 것을 가장 잘 보여주는 사례일 것이다.[4]

이는 나무의 맛을 탐험하려면 나무의 향을 알아야 한다는 말이기도 하다. 나는 향수에 늘 관심이 많았고 특히 인공 합성이 아닌 천연 향수에 관심이 많았으므로, 향수가 좋은 출발점이 되리라고 생각했다.

나무 향수를 찾는 희한한 여정은 잠이 안 와서 몇 시간을 뒤척이고 난 1월의 어느 새벽에 예기치 않게 시작되었다. 몇 년 전에 나는 불면증에 다소 효과가 있는 치료법을 하나 발견했다. 재밌어 보이는 온라인 기사를 전부 읽는 것이다. 새로운 것을 알게 될 테니 적어도 시간 낭비를 하지 않았다는 위안을 얻을 수 있고, 글을 읽다 보면 피곤해져서 잠이 드는 데도 도움이 된다. 하지만 너무 재미있는 글을 만나면 무한히 인터넷을 뒤지느라 잠을 안 자게 된다는 부작용이 있는데, 1월의 그날이 꼭 그랬다. 바람이 세차게 창을 때리던 그날도 나는 잠을 청하기 위해 무언가를 읽기로 했다.

『프랑크푸르터 알게마이네 차이퉁』 사이트에서 스크롤을 내려보다가 “야생의 향”이라는 기사 제목이 확 눈에 들어왔다. 로랑 세베락이라는 사람에 대한 기사였다. 프랑스 보르도 출신이지만 베트남에 가보고 너무나 매료되어서 아예 베트남에 가 살면서 그곳의 정글에서 방대한 야생의 향을 찾는 일을 업으로 하고 있다고 쓰여 있었다. 숲을 돌아다니면서 관심이 가는 식물을 모두 채집해 증류로 향을 뽑아내는 것이다. 전에는 이렇게 추출한 야생 향수 에센스를 그라스 지역에 있는 프랑스 향수 업체들에 판매했지만, 최근 몇 년 동안에는 하노이에 있는 작은 실험실에서 향수를 직접 개발하는 데 집중하고 있다고 한다.[5]

기자가 세베락과 동행해 가본 곳들을 묘사한 글을 읽으면서 세베락과 연락할 방법을 알아봐야겠다는 생각이 들었다. 내가 천연 향수 제조에 관심이 많아서이기도 했지만 나무에서 추출한 향수와 그것의 특징에 대해 세베락의 견해를 듣고 싶어서이기도 했다. 세베락은 완벽한 정보원이 되어줄 것 같았다. 나는 그의 연락처를 수배하기 시작했다.

며칠 뒤 세베락의 연락처를 구했다. 친절하게도 그는

질문을 이메일로 보내면 답을 해주겠다고 했다. 나는 이를 통해 많은 것을 배우게 되리라고는 예상했지만 방대한 정보의 보물 창고가 도착할 줄은 정말 몰랐다.

며칠 뒤에 그의 이메일이 도착했고, 나는 나무에서 추출한 에센스가 향수 업계에 여러모로 매우 중요하다는 사실에 놀랐다. 우선, 나무 에센스는 시트러스, 과일, 꽃, 허브 등에서 추출한 휘발성 있는 향들을 고정하는 역할을 한다. 향수에 들어 있는 여러 요소를 붙잡아 하나로 묶어줌으로써, 말하자면 포장하지 않은 버터 한 덩어리가 냉장고에 들어 있을 때와 같은 역할을 한다. 주변의 모든 음식 냄새를 붙잡아 흡수하면서 동시에 자신의 섬세한 버터 향도 유지하는 것처럼 말이다.[6]

또한 나무 에센스는 향수에 강렬하고 지속력 있는 향조를 부가한다. 하지만 여기에서 '나무'는 목질만 의미하지 않는다. 유칼립투스, 차나무, 시나몬, 소나무 등의 잎은 가볍고 상쾌한 향조가 있어서 선호되는데, 이 나무들의 잎이 내는 향은 동일한 나무의 목질에서 나오는 향과 완벽하게 대조적이다.

잎과 목질 외에 향수에 쓰이는 나무 물질이 또 있는데, 바로 수지다. 개중엔 매우 흥미롭고 신비로운 이름을 가진 것들도 있다. 가령 페루 향유. 중남미가 원산지인 발삼나무과에 속하는 나무의 수지로, 발삼 향, 단 향, 스파이시한 향, 바닐라 향이 나고 희석되면 히아신스 향이 난다.[7] 더 잘 알려진 수지로는 유향을 꼽을 수 있는데, 유향은 종교 및 의료의 역사와 밀접하게 관련이 있다. 초록 레몬 및 풋사과와 강황이 어우러진 듯한 향기를 가진 유향은[8] 수천 년간 교회와 사찰에서 애용되었다. 교회와 사찰 특유의 냄새가 유향 냄새다. 최근에는 암세포의 확산을 막거나 암세포를 파괴할 수 있을지 모른다는 가능성이 제기되면서 의료 분야에서도 유향에 관심이 많다.[9]

역사적으로 유향은 인류에게 가장 귀한 물질 중 하나였다. 모르긴 해도 금이나 몰약 다음 순위에는 거뜬히 오를 것이다. 그러니 아기 예수에게 세 명의 동방박사가 이 세 가지를 선물하지 않았을까. 하지만 유향의 역사는 그보다 더 거슬러 올라간다. 현재의 오만 남부, 유네스코 세계문화유산으로 지정된 '와디 다우카'에서 기원전 7000년에 생산되었다는 기록이 남아 있다. 유향은 낙타로 사막을 횡단하는 대상인들을 통해 이집트로 전파되었고, 다시 바닷길을 타고 유럽으로도 퍼졌다. 페르시아, 인도, 중국 등에는 아라비아해의 복잡한 뱃길을 통해 유향이 들어왔다. 아우구스투스 황제 통치 시기에 로마는 수만의 군대를 보내 아라비아 반도 남부의 어딘가에 있다고 알려진 전설적인 유향 산지를 찾아내 생산을 장악하려 했다. 하지만 사막의 맹렬한 열기와 척박함을 이기지 못해 돌아왔고, 유향을 둘러싼 신비로움은, 그리고 막대한 지출의 부담도, 고스란히 남게 되었다.[10]

물론 오늘날에는 간단한 인터넷 검색만으로도 유향이 그리 인상적이지 않고 듬성듬성해 보이는 덤불에서 나는 수액이라는 사실을 알 수 있다. 보스웰리아 과에 속하는 덤불로, 척박한 기후에 완벽하게 적응한 식물이다. 수액을 채취하는 방식은 기본적으로 수천 년간 달라지지 않았다. 줄기를 칼로 그으면 방울방울 수액이 나오고 사막의 태양 아래서 빠르게 마른다. 처음 나온 수액은 불순물이 많고 아직 사람들이 좋아하는 유향의 향이 나지 않아서 향수에 쓰이지 않는다. 두 번째, 세 번째로 그어서 채취해야만 원하는 향이 나오고 세계 각지의 시장에 판매할 수 있다. 주 고객으로 아마도 가장 먼저 가톨릭교회가 떠오르겠지만, 가톨릭교회는 와디 다우카의 유향이 아니라 더 값이 싼 소말리아의 유향을 구매한다.[11]

이메일 대화에서 세베락은 수지 기반의 몇 가지 다른

향도 알려주었다. 잘 알려진 몰약도 있었고 내가 전혀 몰랐던 아시아 남동부 원산의 스티렉스 벤조인 수지도 있었다.[12] 향수 제조자로서 세베락은 수지의 가치도 높이 사지만(향수에 달콤하고 따뜻한 나무 향조를 더해준다) 지속 가능한 방식으로 채취하는 데도 신경을 쓴다. 제대로만 하면 나무에 영구적인 손상을 입히지 않고도 수액을 채취할 수 있다. 나무가 베어지지 않아도 숲이 충분히 공동체를 잘 지탱해준다는 것을 보여주는 사례다. 불행히도, 모든 향수에 대해 그렇게 말할 수 있는 것은 아니다. 오늘날 향수 제조업자들은 점성이 있고 향이 잘 감지되는 샌들우드와 로즈우드 수지를 주로 사용하는데 두 나무 모두 멸종 위기 일보직전이다. 샌들우드와 로즈우드는 향을 얻으려면 베는 수밖에 없다. 그 다음에 그것을 갈아서 발효한 뒤 증류한다. 이렇게 지속 가능하지 않은 방식이 수 세대 동안 베트남의 숲에서 벌어져왔다.

흥미롭게도, 세베락은 나무에서 추출되는 모든 향에 공통되는 하나의 향조는 없다고 생각한다. '나무의 향'이라고 부를 만한 무언가가 있다고는 생각하지만, 자연의 모든 것이 그렇듯이 나무의 향도 매우 다면적이라는 것이다. 심지어 어떤 허브 잎은 블렌딩을 하면 나무 향을 내기도 한다. 하지만 샌들우드, 로즈우드, 침향나무 등에서 추출되는 더 전형적인 나무 향에 비하면 강도가 훨씬 약하다.

세베락이 가장 좋아하는 것이 바로 침향나무 향이다. 이 향에는 흥미로운 역사가 있다. 침향은 남동아시아 고지대 숲이 원산지인 아퀼라리아 속의 나무에서 추출하는데, 이 나무는 (오크보다 훨씬 드물긴 하지만) 서양에서 오크가 필수적인 것만큼이나 동양에서 필수적이다. 목질에서 나오는 향도 향이지만 나무껍질이 종이나 끈을 만드는 데 쓰이기 때문이다.[13, 14] 그런데, 아퀼라리아 속의 모든 나무가 향이 있는 것은 아니다. 생채기가 난 나무만 방어 체계의 일종으로 상처 부위에서 독특한 수액을 분비한다. 원래 노란색인 나무의 색이 짙어지면서 조향사들 사이에서 가장 복잡한 향조라고 알려진 향이 뿜어져 나온다. 이 향기는 '동양의 나무 향에 매우 부드러운 과일-꽃 향이 혼합된 향기'라고 흔히 묘사되며, 특히 불교의 탄트라 수행 의식에서 향불로 많이 쓰인다. 또 고대 이집트에서는 침향 에센스가 미이라를 만드는 데 쓰였다고 한다.[15]

수천 년에 걸쳐 침향의 신비로운 기원과 생산을 둘러싸고 생겨난 신화와 전설이 아시아와 아라비아 전역에 널리 퍼지면서 수요도 증가했다.[16] 교역상과 탐험가 들은 침향을 찾아 사람의 발길이 닿지 않은 아시아의 드넓은 숲을 돌아다녔다. 침향나무 자체도 드문데, 특정한 방식으로 상처난 것을 찾기란 건초에서 바늘 찾기나 마찬가지였다. 침향 에센스는 '고대 향의 길'이라고 불리는 복잡한 경로와 유통망을 통해 무척 비싸게 팔렸다. 그 길은 지중해 세계를 동방과 남방의 향불, 향신료, 기타 진기한 물품들과 연결시켜주는 통로였다.[17] 그 결과 침향나무 에센스('우드'[oodh]라고도 불린다)는 아시아와 아라비아의 문화에 깊이 내포되었고 지금도 그렇다. 침향은 오늘날에도 매우 귀해서 나무 1킬로그램당 1000달러나 한다. 사람들은 일생을 바쳐 이 나무를 찾으러 다니고, 그 탓에 나무 개체 수가 계속 줄고 있다. 수요가 특별히 증가했을 땐 멸종 위기에까지 다다르기도 했다.[18] 하지만 역사의 희한한 반전으로, 베트남전쟁이 베트남의 침향 생산에는 긍정적인 영향을 미쳤다. 총알이나 폭탄 파편이 수많은 아퀼라리아 나무에 상처를 입혀서 향을 내는 나무가 많아진 것이다.[19]

1990년경, 동인도와 파푸아뉴기니[20]에서 아퀼라리아 플랜테이션을 조성해 이 나무를 재배하기 시작했고 나무에 상처를 내서 침향 생산을 촉진하는 기법에 대한 실험도 이루어졌다. 처음에는 단순히 상처를 내는 조잡한 방법이 쓰였지만 점차 기법이 개선되었고, 오늘날에는 중상 등급 정도의 우드를 이 방법으로 생산할 수 있다. 호찌민시에서 활동하는 비정부 기구 '열대 우림 프로젝트'가 거의 완벽한 성공률로 상당히 양질의 우드를 만들 수 있는 기법을 개발하기도 했다.[21] 최상급은 플랜테이션에서 재배된 나무에서 얻을 수 없지만, 기술 개발 노력은 계속되고 있다.[22] 세베락도 인근 라오스의 숲에 있는 5만 에이커(약 200제곱킬로미터)의 땅에서 오랜 친구와 아퀼라리아 플랜테이션에 깊이 관여하고 있다. 그들은 다양한 방법으로 나무에 상처를 내서 나무로부터 원하는 면역 반응을 유도하는 실험을 하고 있으며, 어느 정도 성공한 것들도 있다.[23]

우리의 이메일 대화는 후각에 대한, 그리고 맛의 감각에 후각이 갖는 중요성에 대한 이야기로 마무리되었다. 나와 이메일을 주고받기 몇 주 전에 그는 한 친구 집에 저녁

을 먹으러 갔다고 한다. 거기에 값비싼 '오브리옹 그랑크뤼 2001년산' 와인이 있었는데, 10분간 트러플, 숲의 토양, 미네랄 등 와인이 내뿜는 환상적인 향을 맡고 나서 마침내 한 모금 맛을 보았을 때, 정작 맛은 너무 밋밋해서 실망했다고 한다. 그에게 이 훌륭한 와인의 가치는 99퍼센트 냄새에 있는 것 같았다. 나는 혹시 나무의 맛도 마찬가지가 아닐까 궁금해졌다. 나무의 맛도 사실은 맛이 아니라 냄새가 아닐까?

이를 알아보기 위해 런던의 요리사인 프라탑 차할에게 연락을 취했다. 런던의 몇몇 미슐랭 등급 레스토랑에서 일하다가 지금은 자신의 브랜드로 요리를 개발해 향수를 이용한 '서퍼 클럽'(supper club. 신청 기반의 테마 디너 서비스) 서비스를 제공하고 있다. 이를테면, "향수: 먹을 수 있는 향기"라는 이름의 코스 메뉴에는 구운 샌들우드 아귀, 아틀라스 삼나무 소다 브레드, 유향 쇼트 브레드와 초콜릿-후추 무스, 솔잎 아이스크림 등이 나온다.[24]

차할은 미국 작가 맨디 아프텔이 쓴 『향: 향기의 비밀스러운 인생』이라는 책을 읽고 향수에 관심을 갖게 되었다. 과거에는 유향 같은 향수로 음식 맛을 내는 것이 실제로 상당히 일반적이었다는 내용을 보고, 차할은 몇 개월간의 시행착오를 거쳐 잊혀 있던 고대의 요리 기술을 되살렸다. 세베락처럼 차할도 나무의 향이 각기 매우 독특하며 따라서 각기 다른 음식에 적합할 것이라고 생각했다. 그가 가장 좋아하는 것은 유향과 우드다. 유향은 따뜻하고 풍성하며 발삼 향에 약간 달콤한 향이 돌아서 디저트에 최적이었고, 강렬하고 풍부한 훈연의 맛이 나면서 약한 단 향이 있는 우드는 메인 요리에 어울렸다.

차할은 나무의 향은 냄새보다 맛에서 훨씬 잘 느낄 수 있다고 확신한다. 사실 요리에는 나무 향유를 소량만 사용하기 때문에 향유 냄새는 해당 요리의 주재료(양고기이든 초콜릿이든) 냄새에 압도되기 쉽다. 먹어서 맛을 볼 때에야 나무 향유는 극적인 방식으로 자신을 드러낸다. 식사를 하는 사람들은 이 미지의 감각에 유쾌하게 놀라면서 어리둥절해진다. 향수에서 독특하고 이국적인 '냄새'를 느껴본 적은 많아도 그것을 '맛'으로 느껴본 적은 없기 때문이다. 참고할 만한 기준이 전혀 없는 상태에서, 우리 뇌는 어리둥절해지고 놀라움과 새로움의 감각에 사로잡힌다. 이것이야말로 모든 요리사가 달성하고자 하는 경지, 모든 요리사가 찾고자 하는 감각 경험의 성배가 아닐까?

프라탑 차할이 깨달은 것, 즉 나무 향유의 '냄새'와 '맛'이 별개라는 사실은 내게도 귀중한 통찰을 주었다. 그러니까, 나무의 맛이 냄새로 모두 환원되지는 않는다는 뜻이었다.

이 가설에 확실한 답을 찾기 위해 나는 나무 향의 세계를 직접 알아보는 일에 착수했다. 믿음직한 탁자용 증류기로 무장을 하고서 흥미로운 향이 있을 법한 나무들을 생각해 보았다. 티크나무가 곧바로 떠올랐다. 열대의 경목인 티크는 작업하기 좋고 안정적이며 아름다운 황금빛 갈색을 가지고 있고 매우 단단하면서 썩지 않기 때문에 목재 세계에서 인기가 가장 많은 나무다. 대체로 배, 정원용 건물, 테라스 등 기후에 노출되어야 하는 곳에 쓰인다.[25] 인도에서는 티크가 플랜테이션에서 재배되어 안정적으로 생산된다. 마침 부모님 댁에 오랫동안 충실하게 자신의 역할을 한 뒤 망가진, 가공 처리하지 않은 티크 목재로 만든 정원용 의자가 있었다. 덕분에, 엄마의 반대에 직면할 필요 없이 의자 다리를 작게 잘라 나무 칩으로 만들 수 있었다.

티크 에센스를 만들기 위해 나도 세베락처럼 증류 기법을 사용하기로 했다. 탁자용 증류기에 증류한 물을 약간 넣고 수위보다 조금 높은 곳에 있는 망사 위에 티크나무 칩을 올려놓고 가열했다. 한 시간을 가열하자 강한 향이 나면서 구리로 된 나선형의 냉각기에 맑은 물방울이 맺히기 시작했다.

나무의 '맛'이 냄새로 다 환원되지 않는다는 것을 확인할 수 있는 실험을 집에서 어떻게 할 수 있을까 고민하다가, 적어도 실마리를 얻을 수 있을 법한 간단한 방법 하나를 생각해냈다. 쌀떡(내가 생각할 수 있는 것 중 가장 밋밋한 맛이 나는 것)에 티크 에센스를 뿌려서 먹어보는 것이었다. 에센스 형태가 아닌 것으로도 실험해보기 위해 내 불운한 블렌더로 곱게 간 티크 가루를 물에 개어 페이스트 형태로도 준비했다. 이론상으로는 이렇게 하면 티크나무를 실제로 맛볼 수 있을 터였다.

그리하여, 나는 부엌 탁자에 그냥 쌀떡, 티크 에센스를 뿌린 쌀떡, 다소 우울한 색감의 티크 페이스트를 바른 쌀떡, 그리고 노트를 놓고 자리에 앉았다. 먼저 비교 기준을 잡기 위해 아무것도 뿌리지 않은 쌀떡의 냄새를 맡고 맛을 보았다. 매우 희미한 마분지 맛과 구운 밀, 그리고 약간의 단맛이 났다. 다음으로 티크 에센스를 뿌린 쌀떡의 냄새를 맡고 맛을 보았다. 이렇게 다를 수가! 마분지 냄새는 완전히 없어지고 꽤 강한 가죽 같은 향과 감미로운 향이 났다. 맛도 꽤 좋았다. 베르가못, 담배, 홍차, 가죽이 섞인 맛이었다. 아마도 베르가못 향조 때문인지 새로 윤을 낸 가죽 소파에 앉아서 얼그레이 차를 마시는 기분이었다.

다음은 티크 페이스트 차례였다. 향은 매우 강했고 가죽 냄새가 거의 대부분을 차지했다. 이어서 맛을 보았다. 가까스로 몇 번을 씹긴 했지만 강렬한 건조함과 압도적인 향 때문에 재채기가 연거푸 쏟아졌다. 눈물이 멈추고 놀랜 혀가 진정된 뒤에도 맛은 냄새에서와 비슷하게 대부분이, 화학적으로 강화된 듯한 강력한 가죽 맛이었다. 하지만 [냄새에는 없었던] 새로운 맛도 몇 가지 있었다. 두드러진 것 하나는 '카우추크'라고 부르는 천연고무 맛이었다. 또 티크 페이스트는 완전히 물에 갠 것인데도 텁텁하고 퍽퍽했다. 이 모든 특성들이 한데 모여 병원에서 쓰는 라텍스 장갑의 가루가 나를 가리키며 이렇게 말하는 모습을 떠올리게 했다. "기다려! 나무 맛은 냄새가 다가 아니라고!"

라텍스 장갑 말이 완전히 옳다. 티크 목재의 경우 에센스가 생나무 가루보다 냄새와 맛 모두에서 명백히 더 좋았지만, 어쨌든 맛이란 언제나 냄새로 환원되는 것보다 훨씬 더 풍성하다는 것을 둘 다 확실히 보여주었다. 이제 나는 나무의 맛이 단순히 응축된 후각적 감각이 아님을 분명히 알 수 있었다. 나무 맛은 냄새가 다가 아니다.

소나무를 요리하는 숲속 식당

이탈리아 최북단의 남티롤은 공식적으로는 이탈리아이지만 역사적으로는 오스트리아에 속했고 실질적으로는 둘의 혼합이다. 오래전부터 남티롤은 삶의 질이 높기로 유명하다. 일례로 최근에 발표된 이탈리아의 '행복한 도시' 순위에서 1, 2, 3등을 남티롤의 동네가 차지했다.[1] 위베레슈 스타일(알프스의 농가와 토스카나의 성이 합쳐진 것을 상상하면 된다)[2]의 집들이 들어선 매력적인 마을, 구불구불한 도로, 수정처럼 맑은 호수, 눈 덮인 높은 산맥 등 이곳의 아름다운 풍광을 경험해본 사람에게는 새삼 놀라운 결과도 아닐 것이다.

나는 인간의 손이 닿지 않은 듯 보이는 야생의 산과

고도로 경작된 저지대 사이의 대조적인 광경에 늘 놀라곤 한다. 산 정상은 기후가 혹독해서 나무가 자랄 수 없다. 반면, 저지대에는 포도밭, 사과 과수원 등이 빈틈없이 들어서 있다. 심지어 종려나무까지 있다! 매우 유리한 기후 조건 덕분에 이 모두가 불과 2~3킬로미터도 안 되는 거리 내에서 자란다.

이러한 대조는 강렬하고 아름다운 풍경뿐 아니라 흥미로운 사람들도 만들어내는 것 같다. 2015년 가을 어느 날, 나는 볼차노라는 도시 인근을 여행하다가 짬을 내서 그러한 사람 중 한 명을 만나러 남티롤에 가고 있었다. 그는 '산송 요리사'라고 불리는 게오르그 벤터다.

벤터에 대해, 아니 더 정확하게는 벤터가 만드는 제품 중 하나에 대해 처음 알게 된 것은 한두 달 전 볼차노에서 멀지 않은 와인 산지 마닌코르에 갔을 때였다. 그곳을 둘러보다가 마닌코르 와인 산지와 남티롤 화장품 회사 트레흐가 파트너십을 맺었다는 광고 전단을 보았다. 이 파트너십은 마닌코르의 포도밭에서 나오는 놀라운 부산물과 관련이 있었는데, 바로 포도나무 수액이었다. 늦가을에 가지치기를 하면서 줄기를 베면 봄철에 그 자리에서 무색의 수액이 나온다. 고대 로마의 작가 플리니우스 세쿤두스(23~79년)

는 이 무알콜 천연 수액을 '아쿠아 비티스'(Aqua vitis)라고 부르면서(백주 증류주를 말하는 '아쿠아 비타이'와 헛갈리지 않게) 여기에 건강에 좋은 몇 가지 효능이 있다고 언급했다.[3] 마닌코르와 트레흐는 아쿠아 비티스를 화장품 제품군에서 되살려냈다. 가령, 트레흐가 선보인 여러 제품 중 최신품인 '아쿠아 비니아 노빌리스'는 포도나무 수액을 기반으로 한 것이다. 또 가장 성공적인 '사르너 라셰' 제품 라인은 볼차노에서 30분 정도 떨어진 사른 밸리의 산송에서 추출되는 에센스를 바탕으로 한 제품이다. 나는 곧바로 관심이 쏠렸고, 사르너 라셰 제품군을 개발하는 데 결정적으로 기여한 인물이 산송을 요리에 사용하는 것으로 유명한 요리사 게오르그 벤터라는 것을 알고서는 더욱 궁금해졌다. 마닌코르에 다시 가게 되었을 때 마닌코르 소유자 고에스-엔젠베르크 백작은 친절하게도 나를 벤터에게 연결시켜주었고, 거의 곧바로 벤터와 약속을 잡을 수 있었다.

볼차노에서 사른 밸리로 들어가는 길은 그 자체가 시각적인 향연이었다. 양옆으로 무성한 숲이 점점 더 가파르게 펼

쳐지다가 갑자기 평평한 고원이 나타났다. 한쪽에는 포도나무 밭, 다른 쪽에는 중세 시대의 룬켈슈타인 성이 있었다.[4] 사른 밸리를 가로지르는 길이 중세에 독일을 당시 서구의 교역 중심지였던 베네치아와 연결해주는 북부 지방의 주요 교역로였기 때문에 이 성은 매우 중요했다.[5] 교역의 요충지에 위치한 덕분에 볼차노는 상당한 부를 축적할 수 있었고 매우 부유하고 영향력 있는 귀족 가문들이 생겨났다.[6] 그중 하나가 나중에 이 성을 사서 프레스코화로 뒤덮인 궁전으로 변모시켰다. 실제로 이곳은 비종교적인 주제의 프레스코화가 세계에서 가장 많은 곳이다.[7]

벤터를 만나려면 탈베라강 상류 쪽으로 더 올라가야 했다. 터널이 연달아 있어서 경치는 드문드문만 보였지만, 터널들 사이로 가을 색의 나무들이 중력을 거스르는 듯이 수직으로 서 있는 바위 절벽, 구름, 마지막 남은 아침 안개 한 자락, 저지대의 푸르른 초원 등이 어우러진 절경에 흠뻑 빠질 수 있었다. 이 모든 것의 한가운데에 벤터가 운영하는 "웰니스 호텔" 바드 쇠르가우가 있다. 알프스 고지대의 농장 스타일에 나무와 돌로 악센트를 준 건물이었다. 입구를 통해 내부가 들여다보였는데, 장작 난로만이 줄 수 있는 따스한 분위기의 안락한 실내가 보였다.

안타깝게도 벤터의 산송 요리 이야기는 슬프게 시작한다. 그의 가족은 이 호텔을 처음에는 임대해서, 그리고 몇 년 뒤에는 매입해서 경영했는데, 운영이 잘되어서 목조 건물을 지어 호텔을 확장하기로 했다. 그런데 확장 공사 도중에 아버지가 갑자기 돌아가셔서 호텔과 레스토랑 운영을 벤터가 맡게 되었다. 아버지 손에서 이루어지던 요리는 (아버지도 유명한 요리사였다) 이제 벤터의 몫이 되었다. 당시에 벤터는 이탈리아 텔레비전에 나오는 유명한 요리사였다.

벤터는 호텔 레스토랑에 새로운 콘셉트가 필요하다고 판단했고 두 누이와 어머니와 함께 고민하다가 산송을 시도해보기로 했다. 사른 밸리에 사는 사람으로서, 산송은 늘 의지할 수 있는 해결책이었다. 사른 밸리의 산송은 다른 곳에서와 다르게 자란다. 화산 지대라 약산성 토양에서(다른 산에서는 석회질이 있는 알칼리 토양에서) 남쪽을 바라보고 자란다. 이러한 토질과 자라는 방향의 차이 때문에 다른 곳에서보다 생장 속도가 두 배나 빠를 뿐 아니라 지중해산과 비견할 만한 최고급 리모넨 에센스와 시트로넬라 에센스(레몬 밤에서도 추출할 수 있다)를 생산할 수 있게 해준다. 리모넨과 시트로넬라는 여타의 산송 에센스에 비해 인체의 자기 조절 기능을 활성화하는 효능이 더 큰 것으로 보인다. 농도가 연할 때도 그렇다. 이 말인즉슨 벤터의 화장품과 요리 모두 산송 에센스를 통상적인 양보다 적게 사용할 수 있다는 뜻이다.

산송 요리에 쓰일 수 있는 부분은 에센스만이 아니다. 벤터와 수석 주방장 에곤 하이스는 연중 언제나, 그리고 목질까지 포함해서 나무의 모든 부분을 요리에 활용하기 위해 다양한 조리법을 개발해왔다. 신선한 새순은 올리브유에 담갔다가 얼려서 갈고 양념을 추가해 맛있는 페스토를 만든다. 얼리면 단단해져서 분쇄가 더 쉽기도 하지만, 얼리는 주된 이유는 분쇄 도중에 불가피하게 발생하는 열 때문에 솔잎의 소중한 착향 화합물이 없어지고 쓴맛이 나는 것을 막기 위해서다. 얼려서 갈면 온도가 25도 이상으로는 올라가지 않으므로 착향 화합물 대부분을, 즉 페스토의 좋은 맛 대부분을 보존할 수 있다.

또한 솔잎 페스토를 만들 때는 위생 수준을 통상적인 상업용 주방보다도 높게 유지해야 한다. 간 솔잎이 이스트균을 굉장히 잘 끌어들이는 것으로 보이기 때문이다. 벤터는 혹독한 경험으로 이 사실을 깨우쳤다. 그가 만든 첫 페스토 통이 이스트 발효에서 나오는 이산화탄소 기포 때문에 터져버린 것이다.

솔잎을 최적으로 가는 법과 페스토가 폭발하지 않게 하는 법을 알아낸 것은 벤터가 찾아내고 개발해야 했던 수많은 과정 중 일부일 뿐이다. 이렇게 새로이 방법을 찾고 다듬어 오늘날처럼 완벽한 요리를 만들게 되기까지는 수 년이 걸렸다. 바드 쇠르가우는 연중 영업을 하며 메뉴에는 늘 산송 요리가 있다. 산송은 이곳의 대표 식재료다. 하지만 나무 자체는 계절의 영향을 많이 받는다. 봄에는 잎이 가늘고 섬세한 맛이 나지만, 여름, 가을, 겨울에는 매우 거칠고 타닌이 가득하다. 솔방울도 연하고 은은하다가 바위처럼 단단하고 쏘는 맛으로 바뀐다. 그 때문에 벤터와 요리사들은 조리법을 하나만 개발해서는 안 되고 재료가 계속 변화한다는 속성을 염두에 두고 다양한 조리법을 개발해야 한다. 어리고 향긋한 솔방울은 질 좋은 고기와 잘 어울리고, 나이 들고 단단한 솔방울은 곱게 갈아 크림류의 소스에 소량씩 넣으면 좋다. 부엌 밖에서도 쓸모가 있다. 솔방울 가루는 얼굴용 각질 제거 제품에 사용된다. 연중 크게 달라지지 않는 유일한 부분은 목질이다. 바드 쇠르가우의 주방에서 목질은 대부분 나무 칩으로 만들어 생선을 훈연할 때

쓴다.

온갖 혁신적인 요리에 대해 벤터의 설명을 듣고서 나는 너무 맛있을 것 같다고 말했다. 그는 잠시 말이 없다가 동의한다고 했다. 하지만 이런 말에 조심스럽게 동의하게 되기까지 10년이 넘게 걸렸다고 덧붙였다. 그가 개발한 요리가 항상 맛있지는 않았던 것이다. 되돌아보면, 실험 초기에 산송 요리의 맛은 형편없는 것 이상이었다. 그 자신의 표현으로, 끔찍하고 사람이 먹을 수 없는 맛이었다. 하지만 미디어는 산송 테마의 주방이라는 아이디어를 좋아했고 초기 몇 년 동안 우호적인 보도와 프로그램으로 계속해서 지원해주었다. 이러한 신뢰는 곧 보상을 받았다. 이 이색적인 재료로 실험을 거듭할수록 벤터가 개발한 요리는 먹을 만해진 수준을 넘어 너무나 맛있어졌다. 요즘은 초록 솔방울로 요리한 송어 필레, 솔잎 연기를 쐰 유리잔에 담은 진토닉, 그리고 유명한 산송 리소토 등을 만들어낸다. 모두 산송에 대해 오랜 시간에 걸쳐 연마한 지식과 감각에 토대를 둔 작품이다. 벤터는 그러한 직관에 의존해 이 독특한 식재료가 음식 맛에 어떤 영향을 미칠지 감을 잡는다.

그의 아이디어는 호텔 영업에만 긍정적인 영향을 미친 게 아니라 이곳 일대의 경제적 부흥에 일조했다. 사른 밸리의 산송은 이제 보호종이고 피누스 사렌텐시스(Pinus sarentensis)라는 별도의 학명도 가지고 있다. '지속 가능한 삼림' 인증을 받은 이곳의 산송에서 추출한 에센스는 세계적으로 유명하며, 이 지역에 소나무 에센스 증류 산업이 번창하게 하는 데 기여했다. 또한 벤터는 '향기'만을 테마로 하는 사른 밸리 투어를 홍보하는 데도 열심이다. "[사른] 계곡의 향수"라고 불리는 이 관광 코스는 프랑스 브르타뉴 지방 이외에 해당 장소의 '향'에만 집중하는 유일한 관광 코스다. 그는 화장품 제품 라인의 논리적인 다음 단계는 향수라고 말했다.

하지만 그는 포도나무 수액과 산송으로 혁신적인 생산품을 만드는 것 외에 호텔 전체를 경영하는 일도 해야 한다. 나와 이야기를 마치자마자 그는 손님들에게 주변을 안내하기 위해 부리나케 자리를 떠야 했다.

인터뷰를 마친 뒤 친절한 안내 데스크 직원의 안내를 받으며 여러 스파 시설들과 화려하게 장식된 방들을 구경했다. 모두 안락한 나무를 주제로 했다는 공통점이 있었다. 하지만 아쉽게도 벤터가 설명해준 음식은 먹어볼 수 없었다. 점심 오픈까지는 몇 시간을 더 기다려야 했는데 그럴 여유가 없었기 때문이다.

그래도 야생의 사른 밸리를 가로질러 집으로 돌아가는 길의 풍광으로 조금은 보상을 받은 기분이었다. 요동치는 구름 사이로 태양이 여기저기에 빛줄기를 내리 쪼이고 있었다. 잠깐 동안 골짜기 바닥 쪽에 홀로 서 있는 커다란 단풍나무 하나가 햇빛에 환하게 드러났다. 그 앞에는 어두운 가문비나무 숲이 노란 가을 색으로 완전히 뒤덮여 있었고 바닥에는 먼저 떨어진 금색의 낙엽 카펫이 바람에 흩날렸으며 바로 그 위로 가는 안개 한 줄기가 지나갔다. 내가 경험한 '나무의 순간' 중 가장 아름다운 순간이었다.

나무로 요리를 한다는 독창적이고 다양한 아이디어에 영감을 받아서 나는 밀라노에 돌아가면(그때 나는 밀라노에 살고 있었다) 해볼 실험을 벌써 몇 가지 생각해놓고 있었다. 제일 궁금했던 것은 산송의 새순으로 만든 페스토였다. 파스타 면에 간단히 페스토를 얹어 먹는 것이 내가 가장 좋아하는 메뉴이기 때문이다. 하지만 벤터에 따르면 맛있는 페스토를 만들려면 정말 어린 새순을 사용해야 했는데(안 그러면 먹을 만한 맛이 나오지 않는다) 그것은 봄에만 채취할 수 있었다. 그때는 가을이었고 어린 새순을 채집하겠다고 남반구로 갈 수는 없는 노릇이었다.

겨울 내내 이제나저제나 봄을 기다리는 수밖에 없었다. 땅에서 따뜻한 기운이 올라오고 봄 꽃나무들이 다시 살아나 꽃을 피우고 새순이 돋을 때까지 말이다. 그 무렵에는 오스트리아에 돌아와 주말을 북부 지역에 있는 부모님 댁에서 보내고 있었다. 토요일 아침에 개를 데리고 산책을 하면서 아직 낮게 깔려 있는 해를 등지고 선 커다란 낙엽송 옆을 지나쳤다. 낙엽송 새순이 대단히 맛있다는 벤터의 말이 문득 생각났다. 자세히 보니 가지마다 밝은 초록색의 솔잎 새순이 촘촘히 나 있었다. 면도 브러시의 미세한 털 같았다. 흥미롭게도, 미니 면도 브러시 같은 새 솔잎 사이사이에 밝은 분홍색의 훨씬 큰 봉오리가 있었다. 병을 닦는 브러시처럼 생겼는데, 나중에 알아보니 암술이 있는 꽃봉오리였다.[8]

나무가 중대한 손상을 입지 않도록 한 그루당 한두 개의 작은 가지만 조심스럽게 잘라냈다. 그것을 지퍼백에 넣어서(무엇을 발견하게 될지 몰라 산책할 때 늘 지퍼백을 챙긴다) 곧바로 집에 돌아와 넉넉한 양의 올리브유에 재웠다. 산화가 일어나 새싹에 함유된 향 화합물이 사라지는 것을 막기 위해서였다. 양이 적어서 뜨거워질 틈 없이 몇 초만에 분쇄할 수 있을 터였으므로 얼리지는 않았다.

올리브유에 어린 솔잎을 몇 시간 담가 두었다가 푸실리 파스타 면을 알덴테로 삶고 갓 갈아 만든 페스토를 뿌렸다. 어린 새순뿐 아니라 껍질이 있는 둥근 봉오리도 약간 섞여서 새순의 밝은 녹색에 군데군데 갈색점이 보였다. 맛은 뜻밖에도 너무나 섬세했고 시트러스 과일과 상당히 비슷한 풀 향과 수액 향이 났다. 식감은 놀랄 만큼 부드러웠고 땅콩버터를 연상시켰다. 나무 재료로 만들었다는 것을 명백히 알려주는 유일한 징후는 얼마간의 떫은맛이었는데, 전혀 불쾌하지 않았다. 첫 시도에 고무되어서 월넛 한 줌과 파르메산 치즈를 넉넉하게 갈아 넣고 올리브유도 더 넣어서 본격적인 페스토를 만들었다. 아름다운 베이지색 크림 같은 페스토가 탄생했다. 아주 맛있었고 통곡물 파스타와 함께 먹으니 최고였다. 이 조합은 매우 맛있고 신선한 타히니[참깨 페이스트]를 연상시켰다.

벤터 덕분에 알게 된 나무 별미를 위해 겨우내 기다린 것은 정말로 그럴 만한 가치가 있었다. 나무가 다양하고 예기치 못한 맛을 선사한다는 것을 말해주는 또 하나의 사례였다. 나는 더 많은 맛을 발견할 생각에 한껏 들떴다.

푸른 요구르트

2015년 9월의 어느 날 새벽, 알람 소리에 잠에서 깼다. 일어나자마자 그날의 일정 생각에 신이 났다. 창밖의 하늘은 맑은 날씨를 예보해주고 있었다. 빠르게 샤워를 하면서 아직 잠들어 있는 뇌를 깨운 뒤 후다닥 옷을 입고 자동차 열쇠를 집어 들고 잰 걸음으로 주차장으로 가 차에 시동을 걸고 브라(Bra)를 향해 달렸다. 브라에서는 매우 특별한 치즈 축제가 열리고 있었고 나는 이 축제를 3년이나 기다려 온 터였다.

피에몬테의 작은 마을 브라에서 열리는 슬로 치즈(Slow Cheese) 축제는 고급 치즈 생산자들이 모이는 이탈리아 최대 규모 행사로 알려져 있다. 이 행사를 주관하는 곳은 맛있고 청정하고 공정한 식품을 촉진하는 단체 '슬로푸드 인터내셔널'로, 스패니시 스텝스가 로마에 맥도날드 패스트푸드 매장을 들여오려 했을 때 반대 운동을 한 것을 계기로 설립되었다. 슬로푸드는 2년에 한 번씩 브라 중심가를 거대한 치즈 축제 장소로 변모시킨다. 세계 각지의 생산자들이 쇼케이스를 열고 종종 굉장히 강한 냄새가 나는 군침 도는 제품을 선보인다. 모두 우유를 오래 보존하기 위해 사용되었던 고대의 방식(박테리아가 액체를 굳혀 고체로 만든다)으로 만들어진 것들이다. 9월의 사흘간 주요 거리와 광장마다 세워진 치즈 스탠드 때문에 도시 전체가 치즈 냄새에 휩싸인다.

나는 몇 년 동안이나 이 축제에 가보려고 계획을 세웠지만 매번 일이 생겨서 마지막 순간에 일정을 취소해야 했다. 그러다가 드디어 2015년에 축제 기간 중에 하루 짬을 낼 수 있었고 브라까지 차로 두 시간 반이면 갈 수 있는 밀라노에 살고 있었던 덕분에 그날 일어나자마자 차를 몰고 브라로 향한 것이었다. 나는 미식과학대학에서 대학원 과정을 밟는 동안 브라에 살았기 때문에 이곳을 속속들이 알았다(불행히도 하필 내가 그곳에서 공부하던 시기는 치즈 축제가 없는 기간이었다). 브라는 토리노에서 남쪽으로

40분 정도 떨어져 있으며, 피에몬테산들의 한복판, 장대한 포강의 지류인 토라노강 계곡의 비옥한 저지대가 굽어보이는 언덕에 위치해 있다. 주로 농사를 짓는 저지대에서 고지대인 브라까지는 언덕 양쪽에 구불구불 나 있는 꽤 가파른 두 개의 도로를 통해 들어갈 수 있다. 브라 시내는 피에몬테 바로크 스타일 건축물을 대표적으로 보여준다.[1] 복잡하게 장식되었지만 과장되게 뽐내지는 않는 수많은 팔라초[palazzo. 중세 이탈리아 도시 국가들의 관청이나 저택 건물]와 교회 건물 들이 광장 주변에, 또 구불구불한 자갈길과 골목길 주위에 들어서 있다. 이례적으로 아름답기도 하지만 살기에도 매우 좋은 곳이다. 근처의 다른 마을들은 농촌 인구가 줄어서 여행 비수기에는 굉장히 적막한 데 비해 브라는 가게, 카페, 바, 식당, 그리고 격주로 서는 두 개의 시장 등으로 1년 내내 북적인다. 다 걸어서 갈 수 있는 거리 안에 있다(브라의 도심은 직경이 약 1.5킬로미터도 안 된다).

나는 특히 브라 중심가에 있는 카페 콘베르소와 작은 골목에 숨어 있는 졸리토 치즈 가게를 굉장히 좋아했다. 카페 콘베르소에서는 내가 마셔본 중 가장 맛있는 핫초콜릿을 팔았는데, 지극히 진하고 약간 쓴맛이 도는 핫초콜릿에 진한 수제 휘핑크림을 얹어 준다. 졸리토 치즈 가게에서는 믿을 수 없이 다종 다양한 치즈를 팔았다. 직접 개발한 '마니코미오'는 강한 고르곤졸라를 부드러운 카스카포네와 섞은 것인데, 문자 그대로는 '정신병원'이라는 뜻이다. 제정신이 아닐 정도로 맛있다는 의미다. 또 굉장히 풍미 있는 경성 치즈 '오셀리 알 말토 도르조 에 위스키'는 아주 오래 숙성한 뒤 맥아와 위스키로 마무리를 한 치즈다.

버스로 겨우 15분 거리여서 미식과학대학 학생들은 거의 다 브라에 산다. 덕분에 이 작은 도시가 매우 국제적인 면모를 갖게 되었다. 어디를 가더라도 동료이든 교수이든 아는 학교 사람을 만날 수 있고 다들 음식에 대해 해박할 뿐 아니라 열렬히 더 알고 싶어 하기 때문에 늘 무언가 이야기할 거리가 있다. 이곳에 살면서 미식과학대학에서 공부하던 시절은 내게 너무나 좋은 추억이다. 그래서 브라에 다시 가보기를 고대하고 있었는데 더구나 치즈 축제가 열리는 기간에 오게 되다니 금상첨화였다.

꽤 이른 아침에 도착했는데도 브라는 이미 평소보다 훨씬

북적거렸다. 곳곳에 사람들이 원뿔 모양의 흰 천막을 세우고 차와 트럭에 싣고 온 세계 각지의 치즈를 수레로 나르고 있었다. 차를 몰면서 어찌어찌 행렬을 뚫고 도시의 반대편까지 갔다. 주차할 자리를 겨우 찾아 차를 세우고 한참을 걸어서 다시 돌아오니 형언할 수 없는 냄새가 점점 더 강렬해졌고 아침 식사를 걸렀다는 것이 퍼뜩 떠올랐다. 도로가 막힐까 봐 서둘러 나오느라고 아침을 안 먹었던 것이다. 마침 친한 친구이자 학교 동료였으며 하우스메이트이기도 했던 줄리아가 졸업 후에도 계속 브라에 살면서 슬로푸드의 가장 최근 프로젝트인 '로칼'을 운영하고 있었다. 가게와 바를 결합한 콘셉트의 식품 상점으로, 지역에서 난 최고급 먹을거리만 판매하는 곳이다. 줄리아는 이 지역산의 생버팔로젖으로 만든 카푸치노가 얼마나 맛있는지를 누차 말한 바 있었다. 자, 드디어 그것을 마셔볼 때가 왔다. 나는 자타공인 차 애호가이지만 (대개는 연구 목적에서) 가끔은 좋은 커피도 즐긴다. 그런데 가게 앞에 이미 구불구불 줄이 길게 서 있어서 매대에 있는 줄리아에게까지 가서 카푸치노를 주문하는 데 20분이나 걸렸다(다행히 줄 서 있는 사람 중에 익숙한 얼굴들이 있어서 기다리는 게 나쁘지는 않았다). 커피 매대가 너무 시끄러워서 대화를 나누기가 어려웠고 줄리아는 일을 해야 했기 때문에 우리는 오후에 다시 만나기로 했다. 카페인(카푸치노의 맛은 듣던 대로 훌륭했다)과 코르네토 빵 덕분에, 오랫동안 고대해온 치즈 탐험을 하기에 충분할 만큼 혈당이 회복되었다.

매대는 국가별로, 그리고 이탈리아의 각 지역별로 꾸려져 있었다. 시칠리아에서 스위스까지, 라치오에서 아이슬란드까지, 에밀리아 로마냐에서 스페인까지, 피에몬테에서 케냐까지, 모두 여기에 있었다. 매대마다 믿기 어려울 정도로 다양한 치즈가 있었고 그에 따르는 냄새의 오케스트라가 펼쳐졌다. 그중에 소젖으로 만들어 월넛 잎으로 감싸 숙성한 롬바르디아산 경성 치즈 '바고스'와 소젖으로 만들어 단 향의 밤나무 잎으로 감싸 숙성한 피에몬테산 경성 치즈 '테스툰'이 눈에 띄었다. 나뭇잎으로 감싸는 오랜 전통은 치즈를 보호하기 위해서이기도 하지만 나뭇잎이 독특한 향을 더해주기 때문이기도 하다. 월넛 잎은 바고스 치즈의 바깥 층에 스며들어 약간의 쓴기가 완벽하게 어우러진 허브 향을 더해준다. 또 테스툰은 캐러멜 같이 단맛이 나고 밤나무 잎 때문에 마지팬을 연상시키는 향이 감돈다. 물론 나뭇잎으로 싼 치즈는 모양도 멋들어진다.

길 아래쪽으로 한두 개의 매대를 지나니 아이슬란드

의 스키르 치즈가 있었다. 나는 스키르 치즈가 요구르트가 아니라 치즈로 분류된다는 것을 여기에서 처음 알았다. 이어서 코너를 도니 독특한 노르웨이산 갈색 치즈가 있었다. 유당이 오랜 조리 과정에서 캐러멜화되어 달콤하고 약간 바스러지는 질감의 맛있는 치즈가 되었다. 웃음보가 터진 하이라이트는 엄청나게 퀴퀴한 냄새가 나는 프랑스 치즈였다. 마음의 준비 없이 가까이 갔다가는 기겁해서 뒷걸음질 치게 만드는 냄새였다. 그 치즈를 축제 장소의 중앙에 배치한 것은 전략적인 선택 같았다. 파리를 이쪽으로 다 끌어와 준 덕분에 주변의 다른 매대에는 파리가 없는 것이다. 천재적이야!

엄청나게 다양한 치즈 사이를 누비고 다니면서 맛을 보다가 케냐 매대를 지나가게 되었다. 사람들이 바글바글해서 처음에는 뭐가 있는지 보이지도 않았다. 흥미로운 것이거나 공짜인 것이 있다는 의미였다. 군중 틈에서 이리저리 떠밀려 앞으로 가보니 회푸른 색의 액체를 컵에 조금씩 따라주고 있는 게 보였다. 흥미로우면서 공짜이기도 한 게 있었으니 사람들이 몰린 게 당연했다. 천막 뒤의 간판을 보니 이것은 나뭇재로 만든 케냐의 독특한 요구르트였다. 호기심이 생겨서 케냐 사람들과 함께 일하고 있는 이탈리아어 통역자 한 명에게 무슨 종류의 재냐고 물어보았다. 나는 일반적인 숯일 것이라고 짐작했다. 숯은 표면을 보호하는 용도로 치즈 제조에서 꽤 일반적으로 쓰인다.[2] 하지만 그는 케냐의 웨스트 포콧 지역에서만 나는 매우 특이한 나무의 재라고 했다. 귀가 번쩍 뜨였다. 나무가 맛에 영향을 미치는 음식을 지금 내가 또 하나 발견한 것일까?

조금 더 군중을 뚫고서야 스탠드의 반대쪽에 도착할 수 있었다. 거기에 케냐 출신 동창인 샘슨이 있었다. 곧바로 샘슨은 푸른 요구르트를 맛보게 해주었고 이것의 산지인 케냐 웨스트 포콧의 역사에 대해 알려주었다.

우간다와 국경을 맞대고 있는 케냐 최서단의 웨스트 포콧은 다소 비옥한 고지대와 매우 건조하고 사바나 같은 저지대로 나뉘는데, 둘 다 계절적으로 엄청나게 극단적인 날씨의 영향을 받는다. 저지대가 특히 더 심해서, 모든 생명체의 인내심을 시험하는 건기가 이어지다가 갑자기 극단적인 우기로 바뀐다. 토양은 건기 동안 가차 없는 해에 그을러 단단해져서(땅이 부서져 있는 곳이라곤 돌, 흰개미 굴, 드문드문 있는 아까시나무 주위뿐이다) 빗물을 잘 머금지 못한다. 따라서 우기에 세찬 비가 내리면 맹렬한 흙탕물이 풍경을 뭉개고 지나가면서 빨리 도망가지 못하는 모든 사람과 모든 것을 휩쓸어간다. 포콧 사람들은 이 무시무시하고 끔찍한 광경을 가장 용감한 사람을 말할 때 비유적으로 사용한다. "홍수처럼 용감한"이라고 말이다. 하지만 우기에 범람이 있고 나면 단단해져 있던 토양 속 깊이 스며들어 간 물이 뜻밖에도 땅을 뒤덮는 노란 꽃의 바다가 되어 다시 나타난다. 여기에 왕관을 씌운 듯 드문드문 아까시나무에서 꽃이 피고 곧이어 초록의 풀이 무성하게 자란다.[3]

이것이 포콧 사람들, 그리고 그들이 키우는 제부(Zebu) 소[등에 혹이 있는 소]와 염소 들이 건기 내내 오매불망 기다렸던 상태다. 암컷 소와 염소 들이 무성한 풀을 먹으면서 빠르게 살이 오르고 곧 첫 새끼들이 태어난다. 그리고 영양분이 풍부한 우유도 나온다. 자유롭게 돌아다니는 소들은 남성과 아이 들이 돌보고, 우유는 여성들이 짜서 칼라바시 통에 모은다. 마치 이 용도를 위해 진화한 듯한 칼리바시는 오이, 호박, 주키니와 같은 과에 속하는 덩굴 식물로, 목이 긴 조롱박이 열린다. 칼라바시 박은 모든 종류의 액체를 안전하게 담아 두기에 유용하며, 포콧 사람들은 오늘날에도 우유를 담는 데 이것을 사용한다.[4] 하지만 새끼들이 젖을 떼고 풀이 마르는 건기가 다시 시작되면 어떻게 하는가? 양분을 아끼고 아껴 소비하는 제부 소도 건기의 혹독한 환경에서는 포콧 사람들 모두가 마시는 생명의 음료인 우유를 생산하지 못한다.

바로 이 대목에서, 지금 내가 손에 들고 있는 블루 요구르트가 중요한 역할을 한다. 치즈 만드는 전통은 없지만 포콧 사람들은 그들 나름의 창조성을 발휘해 오랜 건기에 우유를 보존하는 법을 개발했다. 크롬워나무(나중에 알아보니 '커런트 송진 나무'라고 알려진 오조로아 인시그니스[Ozoroa insignis]의 일종이었다)의 재로 만든다. 그렇게 하면 우유를 무려 6개월이나 보존할 수 있다.

포콧 지역과 요구르트에 대해 이토록 상세한 설명을 듣고 나니 맛이 너무나 기대되었다. 냄새는 그리스 요구르트와 비슷했고 일반적인 요구르트에서 흔히 나는 시큼한 냄새는 전혀 없었다. 맛 자체도 그리스 요구르트와 흡사했는데, 더 액체 느낌이고 미네랄 같은 훈연 향이 약간 있었다. 맛도 좋고 단백질이 많을뿐더러 칼슘, 칼륨, 마그네슘 등 필수 미네랄도 풍부해서 중요한 영양 보충원이 되리라는 것을 대번에 알 수 있었다.

샘슨은 이 신기한 요구르트에 대해 강연을 하러 자리를 떠야 했고 우리는 슬로 치즈 축제 기간에 다시 만나지 못했다. 하지만 스카이프를 통해 이후에도 연락을 주고받았는데, 샘슨이 재로 만든 블루 요구르트 생산자 중 한 명과 슬로푸드의 또 다른 행사인 '살로네 델 구스토'에 참석하기 위해 이탈리아에 다시 올 계획이라고 해서 너무 기뻤다. 살로네 델 구스토는 유럽에서 가장 큰 수제 식품 축제로, 토리노에서 2년에 한 번씩 열린다.

정확히 1년 뒤에 우리는 포강에 면해 있는 토리노의 거대한 발렌티노 공원의 아름답고 풍미 넘치는 혼란의 한복판에서 다시 만났다(처음으로 옥외에서 열린 살로네 행사였다). 샘슨은 포콧의 고지대 농민 딕슨을 소개해주었다. 딕슨은 포콧 전통 방식으로 블루 요구르트를 만드는 마지막 남은 생산자 중 한 명이다. 블루 요구르트는 유목을 하던 그의 조상에게 건기 동안 매우 귀중한 에너지원이었다. 딕슨과 아내 마마 샤론(Mama Sharon. '샤론네 엄마'라는 뜻으로, 포콧에서는 아이들을 너무 귀히 여겨 엄마를 큰아이의 이름으로 부른다)의 다섯 자녀들은 블루 요구르트를 많이 먹으면서 자랐다고 한다. 생산 과정은 비교적 간단하다. 먼저 생우유(소젖이나 염소젖 모두 되지만 둘을 섞어서 사용하지는 않는다)를 두 번 끓인다. 중간에는 완전하게 식혀야 한다. 그러는 동안 껍질을 완전히 벗기고 햇빛에서 적어도 3주간 말린 크롬워 나뭇가지를 불에 그을려 재를 만든다. 재를 긁어서 떼어낸 뒤 맷돌로 곱게 가루를 내 칼라바시에 넣는다. 마지막으로, 포크로 덩어리를 걸러가며 식힌 우유를 칼라바시 용기에 넣고 뚜껑을 닫는다. 3일이 지나면 우유가 요구르트로 변한다. 이제 먹으면 된다.[5] 더 가벼운 소젖 요구르트는 남자들이 먹고, 더 진하고(영양분과 지방질이 많다) 맛있는 염소젖 요구르트는 여자들과 아이들이 먹는다.

얼마 후 나는 웨스트 포콧에서 태어난 마라톤 선수로 2016년 올림픽에서 이스라엘 대표로 뛰었던 로나 쳅타이와 연락이 닿을 수 있었다. 그는 본인도 어렸을 때 블루 요구르트를 먹고 자랐을 뿐 아니라, 자기가 아는 많은 케냐 육상 선수들이 훈련 후에 먹는 블루 요구르트가 도움이 된다고 생각한다고 했다. 프로바이오틱 드링크는 잊어라. 차세대 대박 상품은 재로 만든 블루 요구르트다!

샘슨은 요구르트 제조 과정을 시연하려고 케냐에서 크롬워 나뭇가지를 가져왔다. 나는 조금 뜸을 들이다가 결국 참지 못하고 크롬워나무를 조금 잘라 한 조각 가져가도 되겠냐고 물어보았다. 내 실험에 쓸 수 있을 것 같았기 때문이다. 뜻밖에도 그는 한 조각뿐 아니라 시연을 다 하고 나면 나뭇가지를 통째로 주겠다고 약속했다. 세상에! 나는 그들이 기꺼이 내어준 시간과 지식에 거듭 감사를 표했다. 그리고 (적어도 나에게는) 지극히 소중한 나뭇가지를 기내용 가방에 넣고 빈으로 돌아왔다. 공항 보안 검색대에서 엑스레이 기계가 가방을 스캔하는 동안 의심의 눈초리를 여러 차례 받았다.

집에 돌아오니 요구르트를 만드는 데는 오로지 크롬워나무만 쓰일 수 있는 것인지가 궁금해졌다. 샘슨은 케냐의 다른 지역에서 다른 나무가 쓰이는 것을 보았다고 했고 내가 찾아본 문헌들도 매우 신중하게 그 가능성을 시사하고 있었다.

직접 알아보기 위해 실험 하나를 고안했다. 생우유를 (빈의 유기농 슈퍼에서 쉽게 구할 수 있다) 딕슨의 방법대로 끓이고서 병 두 개를 준비했다. 첫 번째 병에는 곱게 가루를 낸 너도밤나무 재를 넣었고(우리 집의 장작 오븐에서 구했다), 두 번째 병에는 재가 아닌 크롬워 생나무를 곱게 가루를 내 넣었다. 후자는 나무 자체가 요구르트를 만드는 마법을 일으킬 수 있는지, 아니면 꼭 태워서 재로 만들어야 하는지 알아보려는 것이었고, 전자는 생나무가 아니라 나뭇재여야 한다면 그것이 꼭 크롬워 나뭇재여야 하는지 아니면 너도밤나무를 태운 것도 되는지(혹은 다른 종류의 나뭇재도 되는지) 알아보려는 것이었다.

결과는 놀라웠다. 크롬워 생나무 가루가 들어간 병에서는 두 번 끓인 우유가 며칠이 지나도 전혀 달라지지 않았다. 응고된 기름이 둥둥 뜬 것을 제외하면 나흘 전에 부었을 때와 똑같았다. 그런데 너도밤나무 재를 넣은 병은 완전히 달랐다. 우유 대부분이 응고되었고 액체는 거의 없었다. 뚜껑을 여니 파르메산 치즈 같은 숙성된 치즈 냄새가 훅 끼쳐왔다. 안쪽까지 단단하게 굳어 있는 것이, 인도 마니르 치즈(가공하지 않고 라임즙으로 응고만 시킨 생치즈) 같은 생치즈와 비슷했다. 표면은 매끈매끈 윤이 났고 중간 크기 정도의 기포 구멍이 숭숭 나 있었다. 통상적인 요구르트의 부드럽고 크림 같은 질감은 아니었다. 요구르트에는 눈으로 볼 수 있는 기포 자국이 남지 않는다. 먹어보니 꽤 맛있고 상큼하기는 했지만 포콧의 오리지널 재 요구르트보다 신맛이 강했다.

실험의 결과물에 나는 매우 어리둥절해졌다. 내가 만든 것이 무엇인지 알 수 없었다. 치즈인가, 요구르트인가? 분명한 점 하나는 크롬워 생나무 가루로는 우유에서 어떤 화학 작용도 일으키지 못한다는 것이었다. 요구르트를 만들려면 나뭇재가 필요한 것 같았고, 너도밤나무 재가 꽤 강한 화학 반응을 유도한 걸 보건대 어떤 종류의 나뭇재라도 무방할 것 같았다. 그렇다면 왜 크롬워나무만 주로 사용될까?

딱 한 번의 실험 결과를 가지고 이러니저러니 추측을 보태기 전에 치즈와 요구르트를 잘 아는 사람에게 물어보는 게 나을 터였다. 나는 흰색의 윤기 있는 물질, 그러나 냄새 나고 끈끈한 물질이 무엇인지 알아내야 했다. 다행히 이것을 물어보기에 적격인 사람을 알고 있었다. 오스트리아 치즈계의 전설적인 인물로, 버팔로를 직접 키우고 있기도 한 로베르트 파제트였다. 그는 특히 버팔로젖 모차렐라 치즈로 명성을 떨치고 있었다. 음성 메시지를 몇 번 남겼는데 답이 없어서 궁금한 점을 정리해 이메일을 보냈다. 고맙게도 몇 시간 뒤에 답신이 왔다. 지금은 인도에서 일하고 있는데 오스트리아에 돌아오면 만나자는 내용이었다. 몇 주 뒤,

우리는 그가 최근에 진행한 컨설팅 프로젝트 장소 중 하나인 빈 최초의 치즈 농장에서 만났다.

희한한 실험 결과를 그에게 설명하면서, 내심 나는 그가 "유레카! 당신은 지금 나뭇재만으로 치즈를 만드는 천재적인 방법을 알아낸 거예요!"라고 말해주지 않을까 기대했다. 하지만 그는 부드럽지만 단호하게 나를 미몽에서 깨워주었다. 너도밤나무 재를 넣은 병이 무언가로 오염되어서 나쁜 연성 치즈가 되었을 가능성이 크다고 했다. 또한 포콧에서 크롬워 나뭇재로 요구르트를 만드는 게 가능한 것은 칼라바시 용기 안에 천연 요구르트 박테리아가 살고 있기 때문일 거라고 했다. 포콧의 블루 요구르트가 재 '때문'이 아니라 재'에도 불구하고' 발효되었으리라는 설명이었다. 어쨌든 그는 내 실험에 흥미를 느껴서 그가 가진 전문 장비와 나쁜 박테리아가 없는 좋은 우유로 실험을 다시 해보자고 제안했다. 그도 크롬워 나뭇재에 관심이 많아 보였다.

일주일 뒤에 우리는 빈에서 다시 만났다. 나는 병 두 개를 들고 갔다. 하나에는 크롬워 나뭇재 가루(블로토치로 몇 분 만에 만들 수 있었다) 한 큰 술, 다른 하나에는 너도밤나무 나뭇재 가루 한 큰 술이 들어 있었다. 그 다음에 그가 생우유를 정확히 두 번 끓이고 식힌 후 표준적인 요구르트 배양균과 함께 병에 부었다. 나는 그것을 집에 가져와 냉장고에 한 달간 두었다.

드디어 시식의 시간이 왔다. 나는 정말로 들떠 있었다. 무엇보다, 두 병의 맛에 차이가 있는지가 너무 궁금했다. 또한 내용물이 얼마나 오래가는지도 굉장히 궁금했다. 상하지는 않았을까? 나무마다 보존 효과가 다를까?

유리병을 겉에서 봐서는 둘의 차이를 포착하기 어려웠다. 둘 다 비슷한 모양으로 층이 형성되어 있었다. 비교적 큰 잿가루는 가라앉아 있었고 크림 같은 하얀 요구르트가 그 위에 떠 있었다. 하지만 병을 흔들어 보았더니 고체이기보다는 액체에 더 가까워서 놀랐다. 뚜껑을 열었을 때 둘 다 약한 기포가 나왔다. 걱정스러운 냄새는 나지 않았다. 크롬워 재를 넣은 병에서는 그리스 요구르트 같은 먹음직한 냄새가 났고 너도밤나무 재를 넣은 병에서는 사워 밀크 같은 더 시큼한 냄새가 났다. 맛도 냄새와 일치했다. 크롬워 요구르트는 신선한 액체 그리스 요구르트 같았고 약간의 훈연 향도 있었지만, 너도밤나무 요구르트는 레몬즙처럼 매우 시큼했고 훈연의 맛은 전혀 나지 않았다.

이 실험으로 나는 두 개의 잠정 결론을 도출했다. 첫째, 나뭇재는 일반적으로 우유에서 박테리아의 활동을 늦춰 미생물들이 고형의 요구르트를 형성하기 어렵게 만든다. 둘째, 이것이 더 흥미로운 결과인데, 크롬워 나뭇재는 재의 기본적인 역할을 넘어 우유를 더 오랫동안 신맛이 나지 않게 보존해주는 효과도 내는 것으로 보인다. 내 실험의 경우에는 적어도 한 달은 보존되었다. 이것이 아마도 첫 실험에서 태우지 않은 크롬워나무 가루를 넣은 것은 아무 반응도 없었던 반면, 너도밤나무 재를 넣은 것에서는 나쁜 연성 치즈를 만드는 박테리아가 형성된 이유이기도 할 것이다.

나는 실험 결과에 굉장히 만족했다. 어떤 종류의 나무(크롬워)는 매우 효과적인 우유 보존제 역할을 하고 그와 동시에 기분 좋은 미네랄과 훈연의 맛을 더해줄 수 있다는 사실을 알게 되었기 때문이다. 나무가 음식에 영향을 미친다는 또 하나의 사례였고, 나무의 맛을 찾아나서는 프로젝트를 시작했을 때는 상상도 해보지 못했던 사례였다.

아삭한 피클의 비밀

어느 가을 아침에 안개 낀 독일의 슈프레발트에서 복잡하게 나 있는 운하와 수로와 강줄기를 따라 노를 젓다 보니, 1년도 더 전에 캐나다 동부 연안에서 카누 여행을 했던 것이 떠올랐다. 분위기가 그때와 정말 흡사했다. 이른 햇빛은 아직 짙은 안개를 뚫고 내리쬘 만큼 강하지 않았고, 유리처럼 부드러운 수면에 때때로 화사한 색의 나뭇잎이 사뿐히 내려앉았다. 쌀쌀한 가을 날씨와 내가 노를 젓고 있는 배마저 그때와 비슷했다. 하지만 카누를 타고 노를 젓게 된 상황은 아주 달랐다. 캐나다에서는 머리를 식히러 갔다가 정말 예기치 않게 나무의 맛을 알아볼 수 있는 첫 번째 실마리를 얻었더랬는데, 독일 슈프레발트에서는 나무와 음식의 관계에 대해 책을 쓴다는 계획과 관련해 구체적인 목적지가 있어서 노를 젓는 중이었다. 전에 나는 스위스 신문 『노이에 취르허 차이퉁』을 읽다가 슈프레강 근처의 충적토 숲에서 뜻밖의 생산물이 나온다는 것을 알게 되었다. 바로 슈프레발트의 미니 오이였다. 예전에는 커다란 나무통에서 유산균을 발효해 오이 피클을 만들었으며, 구동독 지역에서 특히 유명하지만 점점 독일 전역에서, 그리고 해외에서도 인기를 얻고 있다고 쓰여 있었다.[1] 슈프레발트는 나무와 음식의 관계에 대해 책을 쓰기로 마음먹고서 가장 먼저 꼽아 두었던 곳들 중 하나였다.

여러 자료에 따르면, 슈프레발트 미니 오이의 기원은 고대 말기에 있었던 '이주의 시기'(3~8세기)로 거슬러 올라가는데, 서슬라브족 사람들이 현재의 폴란드와 체코 일대에서 이곳으로 넘어오면서 오이씨를 함께 가져온 것으로 보인다. 이 중 고유한 언어와 문화를 가지고 있었던 소수 민족인 소르브족이 처음에는 슈프레발트에서 풍부한 어류와 동물을 사냥하며 살다가 이내 숲을 개간해 채소를 재배하고 가축을 기르기 시작했다.[2]

하지만 오이 생산이 본격화된 것은 한참 더 뒤에 당시 통치자이던 슈프레발트 백작 요아힘 폰 데어 슐렌부르크

2세(1522~1594년)[3]의 명으로 또 다른 사람들이 이곳에 들어왔을 때였다. 요아힘은 네덜란드에 가보고 린넨 직물 산업에 크게 인상을 받아서 그것을 슈프레발트에 도입하려고 네덜란드 직조공들을 데려와 이 지역에 정착하게 했다. 이들은 직물 원료인 아마씨뿐 아니라 네덜란드 품종의 오이씨도 가지고 왔는데, 비옥하고 습한 슈프레발트의 토양에서 아마보다 오이가 더 잘 자랐다. 오늘날 오이 산업은 이 지역 경제의 핵심이다. 하지만 이제는 대부분 숲이 아니라 인근의 넓고 접근하기 쉬운 밭에서 생산된다. 슈프레발트가 유네스코의 생물종 보호 대상 지역으로 지정되어서 숲에서는 대규모 농업이 불가능하기 때문이다.[4]

슈프레발트의 미니 오이에 대한 『노이에 취르허 차이퉁』의 기사를 읽다가 커다란 나무통에서 발효를 한다는 대목에 눈길이 꽂혔다. 그때까지 나는 나무통을 음식 보관에 쓰는 경우는 술 종류뿐일 거라고 생각했다. 그런데 내가 좋아해 마지않는 음식(나는 미니 오이 피클광이다)이 원래 나무통에서 숙성되었다니, 게다가 어쩌면 아직도 그럴지 모른다니 놀랍고 신기했다.

가을에 일 때문에 베를린에 가는 김에, 베를린에서 남쪽으로 한 시간 정도 떨어진 슈프레발트에 들를 수 있게 돌아오는 비행기를 며칠 늦추고 렌터카를 예약해두었다.

베를린 중심가에 있는 호텔에서 아침 일찍 버스를 타고 공항에 가서 예약한 렌터카를 몰고 아우토반에 올랐다. 메르세데스, 포르셰, BMW, 아우디가 기량을 뽐내는 속에서 그보다 힘이 떨어지는 다치아를 몰고 아우토반을 달리는 게 좀 무섭긴 했지만 다행히 거리가 길지 않았다.

충적토 지대인 슈프레발트에 가까워지면서 풍력 발전소들이 눈에 띄었고 안개가 짙어졌다. 풍차의 아래쪽이 안개 때문에 전혀 보이지 않았기 때문에, 서서히 돌아가는 풍차 날개가 마치 안개와 구름 사이를 유유히 날아가는 거대 비행선처럼 보였다.

아우토반을 빠져나온 뒤에는 외관에 나무 틀이 드러나도록 지은 목조 주택(독일의 이 일대에서 일반적인 건축 형태다)들이 있는 아름다운 마을들 사이를 지났다(안개에 가려 거의 보이지 않았다). 숲의 오른쪽 가장자리에 있는 레데 마을이 목적지였고 그곳에서 하루를 묵을 생각이었다.

호텔에 도착했을 때는 오전 9시였다. 투어 시즌이 끝나 손님이 거의 없어서 빠르게 체크인을 할 수 있었다. 안내 데스크에서 카누를 빌릴 수 있냐고 물어보았더니 마침 카누 대여소가 호텔 바로 옆에 있다고 했다. 문 여는 시간이 10시라기에 시간을 때우기 위해 근처를 돌아다니기 시작했다. 장식용으로 늘어놓은 커다란 나무통이 호텔 주변에 많이 보였다. 분명 피클 만드는 데 쓰였던 통들일 것이다. 뭐니 뭐니 해도 이곳은 피클용 미니 오이 역사의 중심지가 아닌가? 1989년에 베를린 장벽이 무너진 뒤 카를 하인즈 스타릭이 세운 이 호텔은 독일 유일의 피클 박물관을 자랑하는 곳이다. 이 박물관은 매년 피클 축제도 연다. 축제의 절정은 '오이 퀸' 선발 대회다. 미니 오이에 대해 박식하고 직접 담근 피클의 맛도 좋아야 퀸으로 선발된다.

문 열 시간이 아직 안 되었지만 카누 대여점 안을 들여다보니 사람들이 보였다. 나는 차에서 사진 장비를 챙겨와서 작고 민첩한 카누를 한 대 빌렸고 대여점이 문을 여는 10시가 되기 전에 이미 강 위에 있을 수 있었다. 지도와 물길 표지판(재밌는 이름들도 있었는데, 가령 '수에즈 운하'도 있었다)을 보면서 노를 저어가다 보니, 레데 마을이 왜 소르브의 베네치아라고 불리는지 곧바로 알 수 있었다. 육로 없이 마을 전체가 수로에 의존하고 있었다. 수로는 마을을 수많은 작은 섬으로 나누고 있었고 각각에는 소르브 전통 방식으로 지은 나무 블록 집들이 있었다. 베네치아처럼 집들은 보행로로도 연결되어 있는데, 중간중간의 물길들은 아치형의 아름다운 나무다리로 건널 수 있게 되어 있었다.

물가에까지 이어지는 너른 텃밭과 풀밭(어떤 것은 순전히 관상용이고 어떤 것은 야채를 키우는 텃밭이었다)에 둘러싸인 집들에는 매력적인 가을빛 담쟁이덩굴이 지붕까지 자라 있었다. 놀랍게도 모든 집이 진입로, 아니 '도크'를 가지고 있었고 그 안에 집주인의 배가 묶여 있었다. 어떤 배에는 갓 베어낸 오리나무들이 가득 실려 있었다. 전날 이 숲의 교림 지대에서 벤 것일 터였다. 꽤 이른 시간이었는데다 관광 시즌도 끝나서 집 주위에도 물가에도 사람이 없었다. 야생 오리 몇 마리만 개인용 도크 주변에서 아침거리를 찾고 있었는데, 내 존재를 전혀 개의치 않는 듯했다. 옆에서 노를 젓는 사람에게 오리들이 아무 관심도 보이지 않는 걸 보니 관광 시즌에 사람을 많이 본 모양이었다.

'수에즈 운하'를 따라 노를 저으면서 배를 다루는 데 익숙해졌을 무렵 T자형 길이 나타났다. 왼쪽은 숲으로 더 깊이 들어가는 길이고 오른쪽은 먼 개벌지로 가는 길인 것 같았다. 아침 안개는 점점 강해지는 햇빛에 밀려 물길 아래로, 축축한 숲 바닥으로, 젖은 초원으로 내려앉았다. 오른쪽에 희미하게 보이던 개벌지가 햇빛을 받아 빛의 섬처럼 보였다. 나는 그쪽으로 카누를 몰았다. 더 가까이 가서 보니 개벌된 곳의 입구에 키 큰 느릅나무 몇 그루가 보초처럼 서 있었다. 물가에 바로 면해서 자라고 있었는데 다들 직경이 1.5미터는 족히 되어 보였다. 햇빛에 부신 눈이 아직 적응하지 못한 채로 방향을 돌리자 개벌지의 아름다움이 눈에 들어왔다. 양 측면이 물길로 막힌 삼각형 모양의 개벌지와 그 가운데의 초록빛 풀밭이 아침 안개에 싸여 허공에 떠 있는 것처럼 보였다. 개벌지의 좁은 끝부분에는 솜사탕을 거꾸로 세워놓은 양 전통 소브르 식으로 건초를 막대 주위에 쌓아놓은 것이 보였다.

솜사탕 모양의 건초 더미를 지나 다음 수로에서 좌회전을 해서 다시 밝은 숲으로 돌아왔다. 나무들 사이사이에 작은 밭과 초원이 있었고 어떤 밭에는 늦은 수확을 할 작물이 아직 자라고 있었다. 나는 숲의 놀라운 생산력에 경탄했다. 비옥하고 습한 충적토에서 실로 풍부한 채소가 생산되고 있었고 드문드문 심어놓은 과일 나무도 가을마다 엄청난 수확량을 선물했다. 여기에 가축(물길이 막아주기 때문에 울타리도 필요 없다), 사냥감, 물고기, 기타 숲의 자원을 다 합하면, 필요할 법한 모든 것을, 아니 그 이상을 생산할 수 있을 터였다. 나중에 알게 되었는데, 한 세기 전만 해도 상대적으로 그리 넓지 않은 슈프레발트 일대가 확산 일로의 대도시 베를린이 필요로 하는 채소를 거의 다 공급했다고 한다.

이렇게 풍성한 농산물 생태계가 어떻게 가능할까 생각하며 노를 저어 가는 동안 자유롭게 돌아다니는 동물들과 자주 마주쳤다. 야생 새, 사향, 아마 수달도 있는 것 같았고, 염소나 작은 돼지 같은 가축들도 역시 자유롭게 돌아다녔다. 물가에는 (그리고 안쪽으로 한참 더 깊이까지도) 완연한 가을 색의 나무들이 줄지어 있었다. 저마다의 색감으로 노랗고 빨갛고 푸르고 갈색인 잎들이 숨이 멎을 만큼 아름다운 모자이크를 이루었다. 태양, 구름, 바람과 상호작용하면서 계속해서 달라지는 색과 모양이 고요한 수면에 아름답게 비쳤다.

그런데 물길 쪽으로 반쯤 기울어진 커다란 오크나무 아래를 지나갈 때 갑자기 바람이 강하게 불어와 평화롭던 나의 공상이 깨졌다. 잘 익은 도토리가 나무에 아슬아슬

매달려 있다가 바람이 불자 한꺼번에 후두둑 떨어졌다. 카누 여기저기에 떨어졌고, 내 머리에도 몇 개 맞았다. 다행히 커다란 밤나무 아래는 지나고 나서였는데, 뒤에서 밤송이들이 첨벙이며 물에 떨어지는 소리가 들렸다. 하지만 도토리에 맞은 것은 여러 시간의 카누 여행 중 유일한, 그리고 사소한 소동에 불과했다.

해질 무렵이 되자 낮 동안 사라졌던 안개가 다시 피어오르기 시작했다. 물길을 따라 호텔로 돌아오는 동안 겨울을 보낼 남쪽 지역으로 가기 위해 준비하는 두루미들의 노랫소리가 들리는 것 같았다. 그리고 호텔 레스토랑에서 맛있는 피클 모둠 전채요리와 메인으로 나온 갓 잡은 메기 요리를 먹으며 하루를 마무리하노라니 다음 날 약속된 카를하인츠 스타릭과의 인터뷰가 점점 더 고대되었다. 이 호텔 소유주인 그는 독일 유일의 피클 박물관을 설립한 사람이자 슈프레발트 피클 축제를 만든 사람이기도 하다. 스타릭보다 피클용 미니 오이에 대해 잘 아는 사람은 없을 것이다. 나는 이 완벽하게 새콤한 먹거리를 만드는 데 나무가 미치는 영향에 대해 빨리 물어보고 싶어서 몸이 달았다.

다음 날, 인터뷰를 마치면 곧장 공항에 가야 했으므로 짐을 먼저 차에 실었다. 하루 더 카누 여행을 하고 싶었지만(못 가본 수로가 많았다) 일정이 허락하지 않았다. 다행히 스타릭이 약속 시간보다 일찍 와주어서, 이야기가 길어져도 비행기를 놓칠 염려는 없었다. 우리는 호텔 로비에서 만나 피클 박물관을 둘러보는 것부터 시작했다. 박물관은 호텔 바로 앞 오른쪽에 있었는데, 벽이 옛 피클 통으로 마감되어 있었다. 햇빛으로 기온이 올라가자 약간 신 냄새가 났다. 박물관을 구경시켜주면서 스타릭은 자신이 어떻게 해서 피클 전문가가 되었는지 말해주었다. 농민의 아들로 태어나 레데에서 자란 그가 슈프레발트의 미니 오이와 밀접한 관련을 맺게 된 것은 거의 유전이나 마찬가지일 것이다. 그는 지역 시장이 서는 도시 뤼베나우에 갓 수확한 오이를 가득 실은 나무 배가 도착하던 광경을 생생히 기억했다. 그렇게 장이 서면 피클 제조자들이 오이를 사 갔다. 하지만 구체적으로 피클에 대한 열정이 생긴 것은 독일민주공화국 시절이던 1968년에 주방장 교육을 받으면서 피클 조리법들을 수집하면서였다.

스타릭은 "예전에는" 오이 피클을 3.5톤들이 오크나무 통이나 너도밤나무 통에 담갔는데 그 통에는 옆에 아주 작은 구멍이 딱 하나 나 있었다고 말했다("예전에는"이라는 말에 나는 긴장했다. 지금은 생산 방법이 달라졌다는 의미일 것 같았기 때문이다). 그는 왜 구멍이 작아야 하는지 아느냐고 내게 물었다. 내가 몇 차례 틀린 답을 말하자, 그는 통을 깨끗하게 세척하고 살균하기 위해서라고 알려주었다. 통에 물을 조금 붓고, 뜨겁게 달군 철제 구슬들을 작은 구멍으로 넣은 뒤 구멍을 막아 통 안의 물이 끓게 만든다. 그리고 평평한 땅에서 통을 굴려 안에서 끓고 있는 물로 내부를 소독시킨다. 그러니까 구멍은 반드시 작아야 한다. 구멍이 크면 이러한 학대를 견디지 못할 것이다. 어쨌든, 새 피클 시즌을 준비하며 통이 증기 롤러처럼 마당을 가로지르며 굴러다니는 장면은 참으로 장관이었을 것이다.

내 불길한 예상대로, 이제는 피클을 나무통에 담그지 않는다고 했다. 그가 주방장 교육을 받던 시절만 해도 나무통이 쓰였지만 곧 콘크리트, 플라스틱, 혹은 스테인리스 스틸 통으로 바뀌었다는 것이다. 아마 개인적으로 집에서 담그는 사람들 중에 작은 나무통을 고집하는 사람이 있겠지만 자신이 아는 한에서는 없다고 했다. 실망스러운 소식이었다. 와인이나 증류주 업계에서처럼, 적어도 소규모로 최고 품질의 제품을 생산하는 몇몇 사람은 여전히 나무통을 사용함으로써 자신의 제품을 대량 생산 제품과 차별화하고 있지 않을까 기대했기 때문이다.

그래도 내가 엄청나게 좋아하는, 그리고 해외에 머물 때면 가장 그리웠던 먹거리의 제조 공정을 배울 기회가 드디어 생긴 만큼, 스타릭이 알려주는 전통식 피클 제조법을 열심히 들었다. 제조 과정은 지금도 크게 달라지지 않았다.

미니 오이 피클 이야기는 습한 토탄 지대인 슈프레발트에서 시작된다. 그곳에서는 채소, 특히 오이가 아주 잘 자란다. 전에는 피클용 오이를 손바닥 만한 길이가 되면 수확했다(요즘에는 엄지손가락 두께 정도가 되면 수확하는 것이 일반적이다). 수확한 오이는 해를 가려 응달을 만든 나무 배에 싣고 격주로 장이 열리는 뢰베나우로 최대한 빨리 운반한다. 피클 제조자들이 목을 빼고 기다리다가 생산자와 거래가 이루어지면 오이를 자신의 피클 제조장으로 가져와 찬물에 씻고 미리 소독해둔 나무통에 넣는다. 여기에 딜(dill)을 넣고 소위 '달걀 소금물'이라고 불리는 것을 붓는다. 이 독창적인 이름은 물과 소금의 정확한 비율이 날계

란을 넣으면 동동 뜰 정도여야 한다는 데서 나왔다. 스타릭은 오이를 소금물에 완전히 담그면 독일어로 '크나키히카이트'(knackigkeit)한 식감을 유지할 수 있다고 했다. 영어로는 꼭 맞는 단어를 찾기가 어려운데, '단단한 씹는 맛이 있으면서(firm to bite) 깨물 때 딱 부서지는 느낌이 나는(snappy)' 것을 의미한다[이 식감을 저자는 영어로 'snappiness'라고 표현하는데, 아래에서 한국어로는 '아삭함'으로 옮겼다].

하지만 초창기 피클 제조업자들에게는 '아삭함'을 달성하는 것이 주된 관심사가 아니었다. 그때는 피클 제조법의 원리가 아직 다 파악되지 못했기 때문에, 알 수 없는 일들이 벌어져 피클 제조를 망치곤 했다. 따라서 피클 제조업은 재정적으로 위험 부담이 크고 스트레스가 많은 사업이었다. 예를 들어, 소금물에 잠겨서 어느 정도 시간이 지나면 오이가 갑자기 터져버려 판매할 수 없는 상태가 되곤 했다. 나중에야 슈프레발트 출신의 뤼베나우 상인 슐츠가 자연발생적인 오이 폭발의 원인을 알아냈다. 유산균 발효 과정 중에 오이가 안에서 썩기 시작해서 가스가 차는 것이 원인이었다. 슐츠가 고안한 해법은 오이에 구멍을 내(독일어로는 바늘구멍을 낸다는 뜻의 '슈티체'[sticheln]라고 불린다) 오이 안에 있는 유산균이 빠져나가고 소금물이 안으로 들어갈 수 있게 하는 것이었다. 1856년에 이 방식은 피클 산업에 일대 혁명을 가져왔다. 오이가 폭발할 위험이 없어졌으므로 이제 피클 제조자들은 다른 점들, 가령 피클의 '아삭함'을 높이는 데 집중할 수 있게 되었다.

새콤달콤한 맛, 매운 맛, 고추 맛, 머스터드 맛, 백리향 맛 등 다양한 슈프레발트 오이 피클을 아우르는 특징이 바로 이 '아삭함'이다. 오이에 향을 부가하는 주된 재료의 이름을 단 피클들이 많은데, 스타릭은 조리법이 121가지나 된다고 했다. '121'이라고 너무 정확한 숫자를 말하기에 어떻게 확실히 아느냐고 물었더니, 스타릭은 웃으면서 슈트레발트에 있던 가족 농장이 121개이고 각자 자신의 조리법을 사용하기 때문에 틀림없다고 했다. 어떤 집은 겨자냉이를, 어떤 집은 월계수를, 어떤 집은 회향, 정향, 또는 겨자무를 넣는다.

체리 잎을 활용하는 조리법에 가장 관심이 갔다. 그는 체리 잎이 오이에 '섬세한' 향을 더해주어 여러 조리법에 사용된다고 했다. 스타릭이 말해준 조리법 중 나뭇잎이 들어가는 것이 또 있었는데, 월넛 나뭇잎을 사용하는 것이었다. 여기에는 굉장히 흥미로운 이야기가 있었다. 수확기가 거의 끝나갈 무렵에는 오이가 자라기에 최적의 환경이 아니고 얼음이 서리는 경우도 있기 때문에 오이에서 쓴맛이 나곤 한다. 이 쓴맛의 원인은 쿠쿠르비타신이라고 불리는 물질인데, 인체에 해롭다고 알려져 있다.[5] 그래도 슈프레발트의 창조적인 피클 장인들을 주춤하게 하지는 못했다. 스타릭에 따르면, 이들은 발효 중인 오이에 월넛 잎을 넣어두면 쓴맛을 모조리 흡수해서 여느 피클 못지않게 맛있는 피클이 된다는 사실을 발견했다. 나뭇잎이 맛을 더하기만 하는 게 아니라 좋지 않은 맛을 제거하는 효과도 있다는 말이었다. 증류주에서 나무통의 그을음 층이 불쾌한 잡내를 잡아주었던 것처럼, 월넛 잎도 오이에서 쿠쿠르비타신이 내는 쓴맛을 흡수하거나 중화해준다는 이야기인 것 같았다.

박물관 안내를 이어가면서 스타릭은 매혹적인 슈프레발트로 채집 모험을 떠났던 것, 슈프레발트 토착 느릅나무와 오크나무를 다시 재배하려 노력했던 것(이 나무들은 150년 정도 전에 산업적 유용성이 더 큰 오리나무에 완전히 밀려난 바 있었다) 등 진기한 이야기들을 풀어냈다. 그러다가 우리는 동시에 퍼뜩 시계를 보았다(우리 둘의 '거울신경'이 최고조로 작동한 모양이었다). 예정보다 훨씬 길게 두 시간이나 이야기를 나눈 터였다. 둘 다 서둘러 작별 인사를 하고 다음 일정을 향해 총총 이동했다. 그는 사냥 모임과 약속이 있었고 나는 비행기를 타야 했다.

렌트한 타치아 자동차의 2마력 엔진을 전속력으로 돌려 공항으로 가면서 체리 잎의 '섬세한' 향이 어떤 것일지 상상해보았다. 쓴맛을 없애준다고 하는 월넛 잎 이야기도 나의 실험 정신을 자극했다. 월넛 잎 자체도 매우 쓰기 때문에 직관적으로는 잘 이해가 가지 않았다. 월넛 잎의 쓴맛이 쿠쿠르비타신과 만나면 모종의 화학 작용을 일으켜서 서로의 쓴맛을 중화하는 것일까?

이미 가을이어서 체리 잎과 월넛 잎의 색이 변했기 때문에 (따라서 맛을 볼 수 없을 테니) 봄이 오기를 기다려야 했다.

드디어 몇 달이 지나 두 나무 모두 새잎이 완전히 나왔다. 포근하고 비 오는 5월의 어느 날, 나는 마당에서 잎을 따서 그 자리에서 먹어보았다. 체리 잎은 아직 꽤 연했다. 예상 가능한 풀 맛이 났고 단맛도 약간 있었으며 쓴맛이나 그 밖의 다른 뒷맛은 없었다. 나는 이것의 '섬세한' 맛을 전에 먹어보았던 무언가와 연결시켜 보려고 애썼다. 한참 뒤에 그것이 데이지 꽃과 비슷하다는 것을 깨달았다(네, 저는 데이지 꽃을 먹어봤답니다. 샐러드에 넣기 좋아요).

바로 옆에 있는 월넛나무는 약 올리듯 가지가 너무 높아서 잎을 따기가 쉽지 않았다. 막대기로 휙 때려서 밝은 회색 나뭇가지에서 잎을 약간 떨어뜨릴 수 있었다. 붉은 기가 도는 초록색이었고 체리 잎보다 훨씬 강하고 더 향긋한 맛이 났다. 혀가 찌르르하도록 신 느낌도 있었다. 전체적으로, 레몬 밤, 잘 익은 적포도, 초록 망고, 그리고 메론 맛 풍선껌의 인공 메론 맛이 섞인 맛이었고 끝에 월넛 맛도 분명하게 느껴졌다. 아주 독한 증류주를 입에 머금고 있었을 때처럼 몇 분 뒤가 지나서까지도 혀가 얼얼했다.

자, 이제는 체리 잎이 오이 피클의 맛에 미치는 영향을 알아볼 수 있는 실험을 고안해야 했다. 물론 월넛 잎이 쓴 기를 빼준다는 스타릭의 주장도 실험으로 알아볼 참이었다. 실험 방법에 대해 고민을 좀 해보고서, 색다른 식재료들이 가득한 빈의 재래시장 나슈마르크트(주전부리 시장이라는 뜻이다)에 다녀왔다. 곧 내 부엌에는 엄지 두께의 일반 미니 오이와 조금 더 큰 두 개의 쓴 미니 오이, 그리고 한 무더기의 나뭇잎이 자리를 잡았다. 각각 나뭇잎을 넣은 것과 안 넣은 것, 이렇게 두 병의 피클을 담가서 비교해볼 계획이었고, 일반 오이는 체리 잎으로, 쓴 오이는 월넛 잎으로 실험할 참이었다. 쓴맛이 나는 큰 오이를 시장에서 찾을 수가 없어서 미니 오이 중 쓴 것을 쓰기로 했다. 야채 매대의 인도인 주인이 걱정스러운 얼굴로 쓴 미니 오이가 정말 쓰다고 말해서 조금 신경이 쓰였지만, 월넛 잎의 쓴맛 제거 효과를 실험하기에는 오히려 더 좋을 듯했다.

내친 김에 바로 네 병의 실험용 피클을 만들었다. 다른 맛이 추가되지 않도록 소금물과 흰 식초만으로 담근 뒤 비교적 시원하고 응달인 곳에 두었다. 나흘은 기다려야 맛을 볼 수 있을 터였다.

넷째 날 아침을 먹자마자 (피클을 싫어하는 여자친구를 다소 경악시키면서) 서늘하고 어두운 장소에 은밀하게 숨어 있던 피클 네 병을 식탁으로 가져왔다. 비교 기준을 잡기 위해, 쓰지 않은 오이에 잎을 넣지 않고 만든 것을 먼저 먹어보았다. 매우 물렀고 초록 오이 맛이 났으며 약간의 소금기가 있었고 식초를 많이 넣었는데도 신맛은 거의 없었다. 그 다음은 쓰지 않은 오이에 체리 잎을 넣고 만든 것 차례였다. 보기에도 좀 달라 보였고(덜 밝은, 갈색 기가 도는 초록색이었다) 송진 향이 감도는 훈연한 녹차 같은 좋은 향이 났다. 그리고 한 조각을 입에 넣자마자 처음의 피클과 매우 다른 식감을 느낄 수 있었다. 아삭거린다! 씹을 때 무르지 않고 매우 단단했다. 어떻게 이렇게 됐지?

맛은 소금물 맛(주로 짜고 신 맛)이 처음 것보다 더 두드러졌지만 냄새와 정확히 일치하는 신선한 오이 맛도 느껴졌다. 이것은 진실로 더 '섬세한', 잘 정제된 맛이었다.

다음은 쓴 오이 차례였다. 정말로 월넛 잎이 쓴 기를 빼주는 효과가 있을까? 잎을 넣지 않은 것을 기준으로 삼으면 너무 써서 다른 것을 맛보기 어려워질까 봐 이번에는 잎을 넣고 만든 것을 먼저 먹어보았다. 작게 잘라 조심스럽게 입에 넣었는데 쓴맛이 하나도 나지 않아서 놀랐다. 잠시 후에 약간 떫은맛이 났지만 그게 전부였다. 이제 잎을 넣지 않고 담근 쓴 오이 순서였다. 더 쓴맛이 날까?

미뢰가 놀랄까 봐 다소 걱정하면서 아까보다도 더 작게 잘라서 먹어보았다. 하지만 곧 안심했다. 약간 더 쓰긴 했지만 심하게 쓰지는 않았고, 한편 떫은맛은 완전히 사라지고 없었다. 나는 이 실험으로 월넛 잎의 쓴맛 제거 효과에 대해 확실한 결론을 얻을 수 있기를 기대했지만, 쓴맛의 차이가 그 정도로 두드러지지는 않았다. 쓴맛은 월넛 잎보다는 소금물이 빼준 것 같았고, 월넛 잎은 약간의 떫은맛을 추가하는 역할이 더 큰 것 같았다.

어쨌든 나는 전반적으로 실험 결과에 꽤 만족했다. 체리 잎의 '섬세한' 맛을 발견했을 뿐 아니라(송진 향이 감도는 훈연한 녹차의 맛) 잎을 추가하면 오이가 더 아삭해진다는 사실을 확인했기 때문이다. 나중에 어떤 자료에서 예전에는 포도나무 잎을 넣기도 했다는 내용을 보았는데, 포도나무 잎의 타닌이 효모가 펙틴을 분해하는 것을 막아줌으로써 오이의 단단함을 유지해준다고 쓰여 있었다.[6] 그러니까, 과학적으로 말하자면 피클 오이가 '아삭함'을 갖게 해주는 핵심 요소 중 하나는 타닌이었다. 나무에는 타닌이 가득하니, 과거에 나무통에서 숙성한 오이 피클은 얼마나 아삭했을까?

밀 맥주와 낙엽송

바이에른주의 도시 레겐스부르크는 도나우강의 한 굽이에 위치한 아름다운 중세 도시로, 교양 있고 활기찬 분위기를 풍긴다. (내 생각에는) 지나치게 인상적인, 도시 중앙에 우뚝 서 있는 거대한 성 페터 성당이 세계적으로 유명하다. 레겐스부르크는 건축적 대작인 석조 다리로 부를 일구었다고 해도 과언이 아니다. 중세에는 이 다리가 수백 킬로미터 길이나 되는 도나우강을 통틀어 강을 건널 수 있는 유일한 지점이었기 때문이다.

레겐스부르크는 그 전에도 도나우강에서 막대하게 중요한 항구였지만 이 석조 다리로 교역 도시로서의 입지를 확고히 다졌다. 역사 지구 주위에 아름다운 옛 창고 건물들이 다수 들어선 것이 이를 잘 보여준다.[1] 오늘날의 레겐스부르크는 학생의 도시다. 젊은 층 인구를 봐도 그렇지만, 프랑스 식, 이탈리아 식, 스타벅스 식 등등 온갖 커피숍과 바가 가득하다는 점에서도 그렇다. 거리마다 차 상점, 프랑스 식당, 향신료 가게 등 이국적인 상점들이 바이에른의 전통 식당, 맥주 펍, 치즈 상점 등과 나란히 들어서 있다. 로마네스크 양식의 인상적인 석조 교회와 화려하게 장식된 대상인의 저택이 번갈아 있는 중세의 좁은 골목길이 이어지다가 갑자기 넓은 광장과 쇼핑가가 나오고 무엇보다 중요한 도나우강이 나타난다. '바인란트'('와인 도착지'라는 뜻)라든가 '홀츠란트'('목재 도착지'라는 뜻)와 같은 지명은 이 장대한 강 최북단의 항구에서 과거에 어떤 물건들이 하역되었는지를 지금도 정확하게 말해주고 있다. 그리고 석조 다리에서 하류 쪽으로 몇 미터 내려가면 오늘날에도 매우 중요한 건물이 하나 나오는데, 바로 세계에서 가장 오래된 소시지 매대다. 원래는 다리를 건설할 때 현장 사무실 용도로 지어졌는데 조리 시설로 바뀌어 다리가 완공된 1146년 이후에는 배고픈 항만 노동자들과 건설 노동자들에게 음식을 제공하는 곳이 되었다.

크리스마스를 며칠 앞둔 12월의 어느 날, 몇 시간이나 돌아다니느라 배가 고파서 이 고대의 테이크아웃 매대에 저절로 발길이 이끌렸다. 관광객을 끌어들이는 자석과도 같은 이 매장에서 몇 개 안 되는 귀한 실내 자리를 운 좋게 잡았고, 곧 김이 모락모락 나는 수제 소시지와 사워크라우트, 그리고 루바브 레모네이드 한 잔이 나왔다. 100퍼센트 돼지 뒷다리로 만든 작은 소시지가 특히 맛있었다. 신선하기도 하거니와 숯불로 구워서 불맛이 일품이었다. 또한 사워크라우트는 큰 나무통에서 숙성한 것이라고 했다(안타깝게도 어떤 나무인지는 확인하지 못했다).[2]

하지만 내가 이 아름다운 독일 도시에 온 이유는 가장 오래된 소시지 매대가 아니었다(이것도 하이라이트 중 하나이긴 했지만). 나는 바이에른의 가장 오래된 밀 맥주 양조장 슈나이더 바이스의 양조 마스터를 만나러 가는 길이었다. 너무나 고대되는 이 인터뷰 약속을 잡을 수 있었던 것은 실로 여러 가지 우연과 행운이 겹친 덕분이었다. 시작은 빈에서 매년 열리는 수제 맥주 페스티벌이었다. 매년 참가자가 늘고 있는 이 축제에서 양조장들이 부스를 열고 저마다의 흥미진진한 발명품을 선보인다. 럼을 담았던 통에서 숙성한 맛있는 호박색 에일, 토탄으로 훈연한 맥아로 담근 뒤 셰리와 위스키를 담았던 통에서 숙성해 놀랍게 균형 잡힌 맛을 선사하는 위스키 맥주, 또 역사적으로 빈의 가장 성공적인 수출품이었던 비엔나 라거 등등 별별 맥주들을 구경하고 맛보며 돌아다니다가, 굉장히 흥미로운 제품을 굉장히 뜻밖의 부스에서 마주쳤다. 슈나이더 바이스 양조장의 부스였는데 와인 통에서 숙성한 바이에른 밀 맥주를 선보이고 있었다. 바이에른 바로 옆인 오스트리아 잘츠부르크에서 고등학교를 다닌 나는 국경 바로 건너편에 있는 양조장의 밀 맥주가 엄청나게 유명하다는 것을 알고 있었다. 유구하고 성공적인 역사를 가진데다 여기에서 만드는 오리지널 밀 맥주의 인기가 대단하기 때문에, 나는 슈나이더 바이스가 언제나 보수적으로 안전한 길을 가리라고 예상했다. 그런데 그들이 무언가 새로운 것을 실험했을 뿐 아니라, 그것도 밀 맥주를 와인 통에서 숙성시키는 매우 대담한 실험을 했다니(나는 밀 맥주를 와인 통에서 숙성한다는 이야기를 들어본 적이 없었다), 정말 의외였다.

오늘날 맥주는 기본적으로 네 가지 원료로 만들어진다. 발아 곡물(물에 불려 움을 틔워서 효모의 형성을 촉진한 것.

나중에 효모가 전분을 설탕으로 바꾼다), 물, 홉(맛을 내기 위한 것이기도 하고 천연 보존제이기도 하다), 이스트(발효를 통해 발아 곡물의 당을 알코올로 바꾼다). 하지만 이 간단한 구성 요소를 토대로 전 세계에서 어마어마하게 다양한 맥주가 개발되어왔다. 쌀, 밀, 귀리, 퀴노아, 호밀, 보리, 옥수수, 밀로 만든 맥주가 있고, 이들 각각을 다양한 방식으로 발아시킬 수 있다. 얼마나 오래 가열하느냐에 따라 매우 옅은 것부터 짙은 것까지, 또 거의 탄 듯한 것까지 여러 가지 상태의 발아 곡물이 나온다. 무엇을 어떻게 발아했는지는 맥주의 맛과 색에 크게 영향을 미친다. 더욱 복잡하게도, 어떤 맛의 홉인지, 어느 정도 쓴맛을 가진 홉인지, 어떤 이스트인지, 어떤 물인지(물에 함유된 천연 미네랄에 따라 물맛도 여러 가지일 수 있다)에 따라서도 맥주 맛이 달라진다. 이에 더해, 커피 향,[3] 초콜릿 향,[4] 자몽 향,[5] 딸기나 루바브 향,[6] 심지어 베이컨 향[7]이 추가되기도 한다.[8]

원료뿐 아니라 제조 과정도 기본적으로는 간단하지만 무수한 변이를 허용하고 각각에서 서로 다른 종류의 맥주가 탄생한다. 기본적인 맥주 양조 과정은, 먼저 발아 곡물을 빻고 더운 물을 넉넉하게 부어서 효모의 작용을 활성화한다. 효모가 곡물의 전분을 설탕으로 바꾸면 달콤한 곡물

차가 되는데, 건더기는 체로 걸러내고 액체만 끓인 후 홉을 첨가한다. 이것을 빠르게 식혀 다른 용기에 옮겨 붓고 이스트를 넣는다. 그러면 발효가 일어나서 설탕이 술이 되고 이산화탄소 기포가 나온다. 며칠 뒤면 마실 수 있다.

놀랄 일도 아니지만, 인류는 맥주 같은 발효 음료를 늘 굉장히 좋아했던 것으로 보인다. 그러한 음료가 역사에 확실하게 기록된 첫 사례는 기원전 7000년으로까지 거슬러 올라간다. 중국 허난성에서 발굴된 도기에 남아 있는 찌꺼기를 화학적으로 분석한 결과 쌀, 꿀, 과일로 만든 발효 음료 성분이 검출되었다. 곡물을 발효한 맥주를 처음으로 만든 곳은 아마도 메소포타미아와 이집트 지역일 것이다. 이곳은 곡물의 경작이 처음 시작된 북부 레반트 지역(오늘날 터키, 시리아, 이라크, 이란이 국경을 맞대고 있는 초승달 모양의 지역)에서 멀지 않다. 맥주가 언급된 최초의 기록은 기원전 3000년경에 나오며, 양조 과정에 대한 첫 묘사는 기원전 1800경의 구바빌로니아 문서에 등장한다.

신석기이던 기원전 4000년경에는 곡물 경작이 중부와 북부 유럽에도 널리 퍼졌다. 하지만 이 지역의 맥주 양조에 대한 명백한 기록은 기원전 700년경에 형성된 켈트족의 것으로 보인다. 그리고 이 무렵이면 맥주는 벌써 널리 애용되는 음료였다.

이상하게도, 고대 로마 사람들은 (그리고 그보다 더 전에 고대 그리스 사람들도) 곡물 기반의 술을 야만인의 술이라고 여겼다. 그들처럼 교양 있는 문명에서는 와인을 마셔야 한다고 생각했다. 그러다가 로마 제국이 포도 재배가 어려운 영국으로까지 확장되면서 로마인들도 맥주를 마시게 되었다. 이후 중세가 도래하면서 맥주는 유럽 전역에 퍼졌고 나중에는 전 세계적으로 없어서는 안 될 음료가 되었다.[9] 하지만 맥주가 와인보다 다소 덜 문명화된 음료라는 인상은 (점점 약해지고 있긴 해도) 여전히 남아 있는 것 같다.

다시 빈의 맥주 축제로 돌아와서, 나는 슈나이더 바이스 양조장 부스에서 와인 통 숙성 밀 맥주를 발견했다(고대 그리스와 로마 사람들이 봤더라면 기절초풍했을 것이다). 이 실험적인 맥주는 슈나이더 바이스 부스의 공식적인 메뉴에는 적혀 있지 않았다. 사실 나는 그곳 직원이 그 부스를 찾은 애호가들에게 특이한 신제품에 대해 이야기하는 것을

지나가다 우연히 엿들었다. 나는 가던 길을 멈추고 시음회로 바뀐 그 현장에 동참했다. 나도 좀 마셔볼 수 있겠냐고 부탁했더니 고맙게도 흔쾌히 응해주었고, 슈나이더 바이스 양조장의 오스트리아 담당자와 흥미로운 대화가 시작되었다. 곧 나는 슈나이더 바이스의 양조 마스터가 매우 모험심이 강하며 밀 맥주를 나무통에서 숙성하는 실험을 오랫동안 해왔다는 것을 알게 되었다. 내가 지금 맛보고 있는 가장 최근 발명품인 '아벤티누스 쿠베 바리크'는 진한 밀 맥주와 그것보다도 더 진한 아이스복 맥주를 섞어 만든 것이었다. 맛은 상당히 독특했다. 건포도, 다크 초콜릿, 바나나, 자두, 그리고 약간의 신맛이 있었고 탄산기는 없었다. 솔직히 내가 즐기는 맛은 아니었다. 그래도 흥미가 동해서, 나무와 나무의 맛에 대한 모든 것에 관심이 아주 많다고 말했다. 한동안 내 이야기를 듣던 담당자는 슈나이더 바이스의 양조 마스터 한스 페터 드렉슬러를 꼭 만나보는 게 좋겠다며 그의 연락처를 알려주었다.

축제장에서 빠져나오면서 드렉슬러에게 이메일을 보냈더니 즉각 답신이 왔다. 그는 바이에른주 켈하임에 있는 양조장으로 오라고 초대해주었고 나는 당연히 응했다. 그래서 12월의 그날, 맥주 세계에서의 통 숙성에 대해 그와 이야기를 나누기 위해 양조장으로 가는 길에 오전 동안 레겐스부르크를 구경하고 소시지 매대에서 맛있는 점심을 먹은 것이었다. 양조장까지는 30분 정도 남서쪽으로 더 가야 했다. 특수 맥주도 궁금했지만, 전반적으로 오늘날 맥주를 만드는 데 나무통이 수행하는 역할이 또 있는지도 알고 싶었다.

슈나이더 바이스 양조장은 원래 뮌헨에 있었는데 2차 대전 때 연합군의 폭격을 맞은 뒤 바이에른주의 작은 도시 켈하임으로 옮겨 왔다. 커다란 생산실, 사무실, 실험실 등이 있는, 눈에 띄는 건물 단지였다. 하지만 도시의 옛 중심가에서 멀어져 양조장에 가까이 갈수록 그 모습은 1607년에 처음 문을 열었을 때와 같아 보였다. 입구가 어디인지 몰라 배달용 문으로 잘못 들어갔지만 사무실은 금방 찾을 수 있었다. 친절한 비서가 드렉슬러에게 내가 왔다고 전했고 곧 우리는 그의 사무실에 앉아서 그가 시도한 실험적인 맥주들에 관한 대화를 나누었다.

알고 보니 10년 전에 그는 다른 종류의 나무통으로 밀맥주를 숙성하는 실험을 한 바 있었다. 그가 나무통 아이디어를 처음 얻은 것은 미국의 양조장을 방문했을 때였다. 그 양조장에서는 버번 증류소에서 썼던 오크 통에서 맥주를 숙성하는 실험을 하고 있었다. 몇몇 실험의 결과물이 마음에 들었던 드렉슬러는 슈나이더 바이스로 돌아와서 잭 다니엘, 스카치위스키, 칼바도스 숙성에 사용되었던 중고 통과 새 오크 통을 주문했다. 하지만 그가 만든 맥주를 그 통들에 담았다가 맛을 보았을 때는 그리 인상적인 맛이 아니었다. 잭 다니엘 통은 맥주 맛을 완전히 가려버렸고, 칼바도스 통은 단맛과 과일 맛을 너무 많이 보탰으며, 새 오크 통에 넣은 맥주에서는 타닌의 떫은맛이 지나치게 강했다. 첫 실험 결과에 다소 낙담한 그는 몇 년 동안 이 아이디어를 제쳐놓았다. 그러다 어느 날 스위스의 브라세리 데 프랑셰 몽타뉴의 양조 마스터이자 친한 친구인 제롬 드 레베테즈와 이야기하다가(그는 와인 양조장 집안에서 태어났을 뿐 아니라 본인이 양조학자이기도 하다) 이번에는 와인 통에서 맥주를 숙성시켜보자는 아이디어가 나왔고, 내친김에 실행에 옮긴 후 시장에 선보였다. 알고 보니 드렉슬러는 아이디어를 지체 없이 실행으로 옮기는 추진력이 남다른 사람이었다.

샤도네이와 다양한 레드 와인을 숙성하는 데 사용되었던 나무통으로 몇 달간 실험을 하고서, 드디어 그들은 나무통이 맥주에 어떤 역할을 해야 마땅한지에 대한 드렉슬러의 기준에 매우 근접한 쿠베(cuvée)를 만들어냈다. 그렇게 숙성을 했더니 통이 맥주 맛을 더 잘 지지해주고 강화해주는 것 같았다. 즉, 흥미로운 향조를 더해주긴 하지만 맥주 맛을 덮어버리지는 않았다. 특수 맥주를 취급하는 곳 중심으로 판로를 찾은 뒤, 쿠베의 맛을 더욱 개선하기 위한 연구에 착수했다. 내가 방문했을 때 그는 독일에서 오크 통 몇 개를 막 수입한 참이었다. 오크 통은 맥주 맛에 타닌의 깊이를 더하게 될 것이다. 실패한 실험조차 결국에는 다 쓸모가 있는 법이다.

특수 맥주는 그렇다 치고 일반적으로도 맥주에 나무통이 사용되고 있을까? 물론 과거에는 맥주 업계에서도 나무통이 매우 중요했다. 하지만 대륙 쪽 유럽에서 사용된 통 대부분은 흑갈색의 방수 도장재로 내벽을 칠해 맥주가 나무와 직접 닿는 것을 막고 탄산이 나무의 숨구멍을 통해 빠져나가지 않게 처리한 통이었다. 체코의 거대 양조 기업 필스너-우르켈은 오늘날에도 큰 오크 통 내벽에 도장재를 칠한다.[10] 드렉슬러에 따르면, 대륙 쪽 유럽과 달리 영국에서는 이 방식이 일반적이지 않았다. 영국의 몇몇 에일 맥주는 지금도 도장재를 칠하지 않은 나무통에서 숙성된다.[11]

내가 나무통에 정말로 관심이 많은 걸 보고서 드렉슬

러는 통들을 보여주겠다고 했다. 1~2분 뒤, 우리는 스포트라이트 조명이 쏟아지는, 돌 벽에 통들이 줄지어 있는 근사한 곳에 서 있었다. 맥주 양조장보다는 와인 양조장처럼 보였다. 그러나 냄새는 약간의 과일 향조가 감돌긴 했지만 명백히 맥주였다. 우리는 양조장의 냉장 저장고로 걸음을 옮겼다. 이곳에는 최근에 만들어진 맥주가 있었다. 그는 단일통 숙성 맥주(샤도네이 통에서만 숙성한 것)를 하나 골랐고, 바로 옆에 딸린 시음실로 이동해 그 맥주를 잔에 따르고 맛보기 좋은 온도인 12~15도가 될 때까지 잠시 기다렸다. 놀랍게도 거품(맥주의 세계에서는 '헤드'[head]라고 불린다)이 많이 일었다. 일반적으로 나무통에서 숙성하면 탄산이 발생하지 않는다고 알고 있었기 때문에 매우 의외였다. 통 안에서 무언가 두 번째 발효 작용이 벌어지는 것이 분명했다. 색은 약간 붉은 기가 도는 불투명한 갈색이었고, 냄새는 말린 과일과 포도 향이 감돌면서 약간 시큼했다. 맛은 맥주 축제에서 맛본 것과 마찬가지로 건포도, 짙은 붉은 과일, 바나나 맛이 났지만, 신맛이 살짝 덜했고 샤도네이의 과일 향조를 분명하게 느낄 수 있었다. 꽤 맛있었다.

우리는 그의 양조장에 대해, 나무통이 주는 가능성에 대해, 또 밀 맥주 양조 과정 일반에 대해 계속 이야기를 나누었다. 어느덧 일어나야 할 시간이 되었고, 우리는 앞으로 연락을 주고받으면서 나무통 숙성 맥주에 대해 아이디어를 교환하기로 했다.

바이에른주에서 돌아오는 내내 슈나이더 바이스의 진한 밀 맥주에 가장 어울리는 나무는 무엇일지 궁리해보았다. 집에 돌아와서 이제는 꽤 방대해진 나의 나무 샘플들을 뒤적여가며 각종 나무 에센스를 드렉슬러가 준 아벤티누스 맥주에 넣어 실험해보았다. 몇 차례의 실험 끝에 낙엽송과 전나무로 후보를 좁혔다. 꽤 강한 송진 향과 향신료 같은 향조가 있어서 아벤티누스의 건포도, 다크 초콜릿, 바나나 맛과 잘 어울릴 것 같았기 때문이다. 나중에 알아보니, 바이에른에 살았던 켈트족도 종종 전나무로 통을 만들었다고 한다. 물론 그 통들을 맥주 보관에도 사용했을 것이다.[12] 그러니까 나는 그들의 맥주가 어떤 맛이었을지를 얼떨결에 알게 된 셈이다.

아무튼, 그에게 말할 만한 무언가를 찾아냈다는 확신이 들어서 드렉슬러에게 전화를 했고, 휴일이 지난 뒤에 다시 만나서 내가 발견한 것을 함께 시음해보기로 했다.

청명한 어느 겨울 날, 눈으로 뒤덮인 풍경을 뚫고 다시 한번 차를 몰고 켈하임으로 향했다. 거품 모양의 '바이에른 뮌헨 알리안츠' 구장을 지나 우선 잉골슈타트로 향했고 다음에 최종 목적지를 향해 아우토반을 달렸다. 빠르게 지나가는 차창 밖으로 셀 수 없이 많은 홉 경작지가 보였다. 홉인 줄 알아볼 수 있었던 것은 전깃줄 같은 격자 구조물 때문이다. 봄이 되면 홉이 그것을 타고 오르면서 자랄 것이다. 이 일대는 세계에서 가장 넓게 이어지는 홉 경작 지대이다. 할러타우어 품종이 유명하며, 슈나이더 바이스도 이것을 사용한다.[13] 여름이면 초록의 홉으로 뒤덮일 경치를 상상하던 중 내 눈앞에 돌연 믿을 수 없이 아름다운 풍경이 펼쳐졌다. 영하로 기온이 떨어진 밤 동안 아우토반 길가의 나무들에 서리가 내려앉아 나무들이 마치 얼음 속에 잠겨 있는 것처럼 보였다. 해가 흰 얼음 나무들을 데우면서 반짝였고, 막 소금을 뿌린 검은 아스팔트 길과 대조돼 더욱 눈부셨다. 운전에 집중할 수가 없을 만큼 아름다웠다. 도로에 차가 별로 없어 다행이었다.

무사히 슈나이더 바이스에 도착해서 이번에는 제대로 입구를 찾아 들어가 곧바로 드렉슬러의 사무실로 갔다. 우리는 시음용 아벤티누스를 몇 병 들고 시음실로 자리를 옮겼다. 내가 추출한 낙엽송과 전나무 에센스를 아벤티누스에 섞고, 서로 익숙하지 않은 혼합물이 친해지도록 액체가 안정되기를 잠시 기다렸다. 드디어 마셔볼 시간이 되었다. 나는 드렉슬러의 표정을 읽으려고 애썼다. 그의 마음에 들었을까?

그는 얼굴에 전혀 실마리를 드러내지 않은 채 두 샘플 모두를 한 모금씩 천천히 음미했다. 그리고 드디어 판결을 내렸다. 드렉슬러는 송진 같기도 하고 향신료 같기도 한 향이 감도는 낙엽송 에센스가 그의 짙은 밀 맥주와 잘 어울린다며 아주 흡족해했다. 전나무도 마음에 들지만 짙은 밀 맥주보다는 일반 밀 맥주와 더 어울릴 것 같다고 했다. 무엇보다 그가 그의 귀한 맥주를 낙엽송 통에서 숙성해 시장에 내놓겠다고 말했을 때, 나는 더없이 신이 났다. 나무의 맛에 대한 나의 괴짜 컨설팅이 성사된 것이다!

드렉슬러의 승인에 흥분이 가시지 않은 채로, 나는 양조장을 떠나자마자 예전에 만났던 고급 통 제조자 파울 슈네켄라이트너에게 전화해 낙엽송으로 통을 만들어줄 수 있는지 물어보았다. 오크 이외의 나무로 통을 만들 수는 없을까 생각하면서 이것이 그렇게 얼토당토않은 아이디어는 아니라는 걸 확인하고 싶어서 이 이야기를 꺼내본 적은 있지만, 이제는 원론적인 차원에서가 아니라 정말로 확인을 해야 했다. 슈네켄라이트너는 알아보고 다시 전화를 주겠다고 했다. 얼마 후 그의 아버지가 몇 년 전에 낙엽송 통을 만든 적이 있다며 목질이 연해서 더 까다롭기는 하지만 만들 수 있을 것 같다는 연락이 왔다. 좋았어!

한 달도 되지 않아서 60갤런들이(약 227리터) 바리크 한 통과 29갤런(약 110리터)가 들어가는 지가릴로(zigarillo. 기다란 모양이 시가를 연상시켜서 붙은 이름이다) 한 통이 슈나이더 바이스로 배달되었고 거기에 아벤티누스의 진한 밀 맥주가 채워졌다. 지가릴로는 추가적인 실험이었는데, 표면적이 더 넓어서 더 강한 나무 향을 보태게 될 것이었다. 하지만 나는 맥주 맛을 압도하지는 않도록 조심스럽게 토스팅하고 완성된 후에는 뜨거운 증기로 통을 씻어서 강한 타닌과 수지를 제거해달라고 슈네켄라이트너에게 부탁했다.

이제 긴 기다림의 시간이 시작되었다. 거의 10개월이 지나 크리스마스를 앞둔 시점에 드디어 드렉슬러는 병입을 준비했다. 그는 내가 맛볼 수 있게 몇 병을 보내주겠다고 했을 뿐 아니라 미국의 어느 특수 맥주 판매업체가 이 아이디어를 무척 마음에 들어하며 전량 구매하기로 계약을 마쳤다고 알려주었다. 2015년 12월부터 이 맥주는 미국 시장에서 '탭×아벤티누스 바리크-그랑 크뤼 낙엽송 통 숙성'이라는 이름으로 판매되었다. 나는 시장의 반응이 너무 궁금했다. 나무 맛의 한 종류에 대해 현실 세계에서 품평을 받게 된 것이었으니 말이다. 레이트비어닷컴(ratebeer.com),[14] 비어애드보킷닷컴(beeradvocate.com),[15] 언탭드닷컴(untapped.com)[16] 등 주요 맥주 품평 사이트에서의 평점은 5점 만점에 평균 3.5점이었다. 나쁘지는 않지만 더 개선될 여지가 있다는 의미였다. 시음 평들을 보니 사람들이 느끼는 맛의 감각이 얼마나 다양한지 알 수 있었다. 시큼털털한 베리, 젖은 이끼 낀 나무, 흙 묻은 감초, 자두, 주니퍼 베리, 말린 자두, 삼나무, 새로 만든 나무 배를 핥을 때 같은 맛, 진한 레드 와인을 연상시키는 타닌, 버섯, 낙엽송 껍질, 송진, 맥아, 솔 향, 종이 맛, 가문비 나무 등등. 호오가 처음부터 분명한 사람들도 있었지만, 대부분은 마셔보면서 취향이 생겨나는 것 같았다.

드렉슬러 본인은 송진 향이 두드러지는 것이 그리스의 화이트 와인 레치나를 연상시킨다고 했다. 레치나는 갓 도장한 통에서 나오는 수액의 맛이 특징이다. 내게도 그 맛이 두드러졌지만, 붉은 과일과 삼나무(송진이 많고 클로브와 샌들우드 같은 향신료 맛도 약간 난다)의 강한 향조도 함께 느낄 수 있었다. '새로 만든 나무 배를 핥을 때' 같은 맛은 찾기가 좀 어려웠지만, 아마도 내가 나무 배를 핥아본 적이 없기 때문일 것이다. 이 맥주는 많은 비평가들이 지적했듯이 꽤 밋밋한 맛이었지만 그래도 나는 상당히 만족했다. 우리 집 부엌에서 나무 에센스를 밀 맥주에 섞어가며 처음으로 실험해보았을 때와 비슷한 점이 있었다. 어쩌면 너무 많이 비슷했는데, 이후에 판매용으로 또 만든다면 낙엽송 통에서 나오는 나무 맛의 강도를 낮춰야 할 것 같았다. 이것은 숙성 기간을 줄이거나 더 오래된 통을 쓰면 쉽게 해결될 것이다.

실제로 대중으로부터 평가를 받은 이 실험은 내게 너무나 흥분되는 일이었다. 사람들이 나무의 다양한 맛을 경험해보는 데 관심이 있다는 것을 확인할 수 있었기 때문이다. 혹시 아는가? 이것이 앞으로 환상적인 나무 맛이 더 많이 세상에 나오게 되는 출발점일지.

발사믹 식초에 붙은 번호

어린 시절의 기억이란 참으로 희한해서, 많은 일들이 아예 기억나지 않고 어떤 것들은 정확히는 모르겠지만 그런 일이 있었던 것도 같다는 식으로 희미하게만 기억날 뿐이지만, 어떤 것들은 바깥의 날씨가 어땠는지, 주변 벽이 무슨 색이었는지, 그곳의 냄새나 소리가 어땠는지, 그리고 그때 먹은 것이 어떤 맛이었는지 같은 세부사항까지 분명하게 기억이 난다. 내게도 그렇게 생생한 기억들이 있으며 예상하시다시피 상당 부분 먹을 것과 관련이 있다. 그중 하나. 여덟 살쯤이던 늦가을의 어느 날 나는 빈으로 가는 기차 안에 있었다. 주말판 신문을 보시던 엄마가 모데나의 아체토 발사미코에 대한 흥미로운 기사에 대해 이야기를 해주셨다. 기사엔 이 식초가 어떻게 만들어지는지에 대한 상세한 묘사와 함께, 다 만들어지기까지 얼마나 오래 걸리는지(당시 내게는 이해가 불가능한 양의 시간이었다), 그것으로 어떤 요리들을 만들 수 있는지 등이 실려 있었고, 끝부분에 최고급 발사믹 식초들과 빈에서 그것을 구입할 수 있는 곳이 소개돼 있었다. 그 기사가 왜 그토록 내게 큰 인상을 남겼는지는 지금도 모르겠다. 어쨌든 그때 나는 기사에 나온 빈의 식료품 가게에 가서 그 식초를 직접 보고 싶었다. 뮤지엄에 가는 기분일 것 같았다. 음식의 뮤지엄 말이다.

기사에 언급된 곳 중 하나가 우리가 가는 길에 있었으므로 엄마를 설득하는 것은 어렵지 않았다. 잠시 후, 나는 하늘처럼 높아 보이는 선반을 가득 채운 검은 병들을 보고 있었다. 직접 눈으로 보니 먹어보거나 사지 않았는데도 난데없이 불타올랐던 호기심이 어느 정도 충족되는 기분이었다. 그러고서 우리는 원래대로 평범한 일정을 이어갈 수 있었다. 그러니까, 진짜 뮤지엄에 갈 수 있었다.

당연하게도 그날 이후 아체토 발사미코 디 모데나는 내게 특별한 것으로 자리 잡았다. 하지만 그럭저럭 양질의 발사미코를 집에 구비해놓는 정도 외에는 제대로 알아보거나 먹어볼 기회가 없었다. 물론 그날의 사건 하나가 먼 훗

날 내가 음식을 공부하게 된 결정적인 계기라고는 말할 수 없을 것이다. 하지만 계기 중 하나인 것은 맞다. 그렇지 않다면 그 기억이 왜 이토록 생생하겠는가?

그러니 미식과학대학 석사 과정에 들어가고 얼마 안 되어서 최고의 아체토 발사미코를 먹어볼 기회가 생겼을 때 내가 얼마나 신이 났을지 상상이 갈 것이다. 4년이나 지났는데도 이날 또한 어제처럼 생생하다. 그날 피에몬테 출신 학생들이 저녁 모임을 주선했다. 그들은 가장 전형적인 피에몬테 음식 '바그나 카우다'를 준비했다. 안초비, 마늘, 오일, 버터로 만든 뜨거운 소스인데 여기에 생야채를 찍어 먹는다. 그리고 과 친구들 24명 모두가 각자 무언가를 들고 와서 이 향연에 기여했다. 샐러드, 와인, 맥주, 빵, 치즈, 소스에 찍어 먹을 야채, 기타 등등 진실로 향연이었다. 모데나 출신인 케이트는 갈색 빛깔의 액체가 담긴 아주 조그만 병을 가지고 왔다. 할머니가 개인적인 '바테리아'(이때 나는 바테리아가 무엇인지 전혀 알지 못했다)로 만든 발사믹 식초인데 식구들끼리만 먹는 것이라고 했다. 모두의 관심이 즉각 쏠렸다. 하지만 케이트가 손등에 한 방울씩 떨어뜨려서 모두에게 맛을 보게 해주기까지는 시간이 좀 걸렸다. 드디어 내 차례가 되고, 그것의 어마어마하게 복합적인 맛을 음미하는 동안 나도 모르게 매우 조용해졌고 이후에도 한동안 그런 상태로 있었다. 이 신성한 액체를 정확하게 묘사할 말을 찾을 수가 없었기 때문이다. 모데나산이든 아니든 정말이지 이렇게 훌륭한 발사믹 식초는 먹어본 적이 없었다.

황홀한 첫 경험 이후, 나는 늘 아체토 발사미코가 실제로 만들어지는 과정이 너무 보고 싶었다. 글로만 대강 알고 있었기 때문이다. 발사믹 식초 만드는 것을 구경하러 가겠다고 케이트와 이야기는 여러 번 했지만 미식과학대학에 다니는 동안 우리는 계속해서 시간을 맞추지 못했다. 그러다가 나무의 맛을 찾는 프로젝트를 시작하면서 케이트네 수제 식초 생각이 났고 꼭 가봐야겠다고 생각했다. 어떤 종류의 통에서 숙성되는지가 발사믹 식초 맛에 영향을 준다는 이야기를 어디선가 들었기 때문이다. 그런데 어떤 식으로, 얼마나 영향을 미치는지에 대해서는 아는 바가 전혀 없었다.

케이트도 나도 졸업 이후 여기저기 돌아다니면서 일을 했기 때문에 모데나에서 만날 수 있게 되기까지 2년이 더 걸렸다. 이마저 아슬아슬했다. 모데나 외곽에 거의 도착했을 때 예기치 못한 난관에 부닥쳤기 때문이다. 밀라노에서 고속도로를 타고 왔는데 모데나로 빠지는 톨게이트 기계가 내 돈 받기를 거부한 것이다. 어떤 조합으로 동전을 넣어봐도 기계는 곧바로 토해냈다. 한참 뒤에야 기계가 내 돈을 억지로 삼키기 시작했지만 한 번에 10센트씩만 받아주었다. 내 뒤로 차들이 짜증스러워하며 길게 늘어서는 가운데 동전을 기계에 다 넣기까지 15분이나 분통 터지는 시간이 지속되고 나서야 겨우 그곳을 빠져나올 수 있었다. 그리고 케이트가 보내준 주소지로 서둘러 차를 달렸다.

케이트를 만나서 보게 될 것이 정확히 무엇인지는 여전히 모르고 있었다. 케이트가 말해준 것은 친구가 운영하는 전문 아체타이아(식초 제조장)를 구경시켜주겠다는 것뿐이었다. 그리고 케이트가 말하지 않은 것은 그곳이 모데나 최고의 아체타이아 중 하나라는 것이었다. 그곳의 발사믹 식초는 2011년에 모데나 DOP 최고 전통 발사믹 식초상을 받았고, 전 세계에 애호가가 있으며, 오바마 대통령 재임 시절의 백악관 등 주요 기관에 납품되었다.[1]

여행 전에 모데나 발사믹 식초에 대해 조사하면서 슈퍼마켓에서 쉽게 구할 수 있는 염가의 '모데나 IGP 발사믹 식초'와 더 귀하고 비싼 '모데나 DOP 전통 발사믹 식초' 사이에 매우 큰 차이가 있다는 것을 알게 되었다. 전자는 산업적 공정으로 대량 생산을 하지만 후자는 소량씩만 생산되며 산업적 생산 방식과는 전혀 다른, 긴 공정을 밟는다.[2] 하지만 이 둘이 실제로 얼마나 다른지는 케이트의 친구네가 운영하는 식초 제조장을 가보고서야 완전히 이해할 수 있었다.

그 제조장의 이름은 '아체타이아 디 조르조'이고 모데나 시 중심지에서 몇 킬로미터 떨어진 아름다운 저택에 있었다. 1870년에 현 소유주인 인 조르조 바르비에리의 조상이 이 저택을 샀을 당시 모데나는 아직 시골이었고 저택 주변에는 과수나무들이 있었다. 오늘날 모데나는 훨씬 커졌고 저택 주위에는 이제 그리 인상적이지 않은 공장, 도로, 철길이 들어서 있다. 이처럼 산업적으로 보이는 풍경 속에 미식의 보물이 있으리라고는 생각하기 어려울 것이다. 하지만 그곳에, 등나무가 타고 오른 높은 벽돌 벽 뒤에, 그 보물이 숨어 있었다. 입구 옆에 붙은 작은 모자이크 간판이 그 안에 숨겨진 보물이 무엇인지 힌트를 주고 있었다.

케이트는 친구 카를로타와 함께 건물 앞에서 나를 기다리고 있었다. 친절하고 박식한 카를로타는 이곳 소유주의 딸이다. 안에 들어서자마자 고이 보존된 모자이크 마루, 페인트 칠한 벽과 천장이 눈에 들어왔고, 약간 시큼하지만 달고 상큼한 식초 냄새도 곧바로 느껴졌다. 카를로타는 계단을 올라야 하는 위층 다락으로 우리를 안내했다. 그곳에서 전통 모데나 발사믹 식초가 숙성되고 있었다. 맥주, 와인, 치즈, 소시지 등처럼 안정적인 온도와 습도를 필요로 하는 여타의 숙성 음식과 달리 발사믹 식초는 이 다락처럼 변동이 큰 기후 조건에서 잘 만들어진다. 아주 뜨거운 여름과 차가운 겨울(얼지는 않을 정도여야 한다)을 겪어야 식초가 맛있는 갈색으로 숙성된다. 그런데, 여기에 나무의 영향도 필요할까?

모든 것은 이 집안이 소유한 포도밭에서 시작된다. 흰 포도인 트레비아노 품종과 붉은 포도인 람부르스코 품종(유명한 람부르스코 스파클링 와인의 원료다) 모두 9월에 수확한다. 그리고 줄기가 섞여 들어가 쓴맛이 나지 않도록 조심스럽게 압착해 즙을 낸다. 이 포도즙을 '머스트'(must)라고 부른다. 머스트를 커다란 통에 넣어 뚜껑을 덮지 않고 끓는점보다 약간 낮은 온도에서 9~10시간 끓여 양이 절반 정도가 되도록 졸인다. 이렇게 졸인 포도즙 '사바'(saba)는 이 동네의 여러 전통 음식에서 감칠맛과 단맛을 내는 조미료로 쓰인다. 가령, 말린 과일과 견과류를 넉넉히 넣어 만드는 크리스마스 빵 '파네 디 나탈레'에도 사바가 들어간다. 사바는 로마 시대부터 애용되던 식재료였다. 매우 짙은 색이 나게 푹 졸인 포도즙을 이제 '어머니 통'이라고 부르는 나무통에 붓는다. 이 통은 '바테리아'로 들어가기 전의 마지막 기착지다. 용적 53갤런(약 200리터)인 '어머니 통'에는 포도즙을 알코올로, 그리고 이어서 식초로 변모시키는 데 꼭 필요한 천연 이스트와 박테리아가 모두 담겨 있다. 카를로타는 이 과정을 관찰하노라면 오싹한 기분이 든다고 말했다. 통 안에 거품을 계속해서 부글거리는 괴물이 사는 것처럼 보인다는 것이다. 이 괴물에게는 먹을 것이 지속적으로 공급되어야 한다. 먹이가 말라버리면 식초가 되는 과정에 필요한 귀중한 미생물이 죽어버릴 수 있기 때문이다. 이 발효 과정에 2~3년이 걸린다. 아직 시작 단계인데, 여기서부터도 전통적인 모데나 발사믹 식초는 매우 큰 인내심을 요구한다.

발효가 끝나면 드디어 일련의 바테리아 통 중 가장 큰 첫 번째 통으로 옮겨 식초를 숙성한다. 바테리아는 여덟 개 정도(딱 정해진 숫자는 없다)의 통을 차례로 거치는 과정 자체를 뜻하며, 뒤로 갈수록 통의 크기가 점점 작아진다.

설명을 들으면서, 나는 먼 과거의 언젠가 방치된 통 안에 들어 있던 사바에서 발효가 일어나 우연히 첫 발사믹 식초가 만들어지는 상상을 해볼 수 있었다. 최초의 위스키도, 그리고 최초의 아체토 발사미코도, 행복한 우연이 인류에게 가져다준 최고의 선물 같았다.

그렇든 아니든, 통 숙성이 식초 제조에서 가장 중요하고도 복잡한 부분이라는 설명에 내 귀가 번쩍 뜨였다. 어떤 나무로 만든 통을 쓸 것인지와 관련된 기술과 과학, 그리고 그것이 실제로 어떻게 식초에 영향을 미치는지가 특히 흥미로웠다. 과거에는 오크, 체리나무, 물푸레나무, 멀베리나무, 주니퍼나무, 아까시나무, 밤나무 등이 사용되었다. 다들 모데나 인근에서 잘 자라는 수종이다. 더 이상 찾아보기 힘든 멀베리만 빼고 지금도 모두 사용된다(주니퍼나무도 통 제조가 가능한 것을 찾기가 점점 드물어져서 사용이 줄고 있다). 나무마다 조직의 밀도가 달라서 식초에 각각 고유한 맛을 낸다. 전통적으로 두 종류의 바테리아가 있다. 여러 나무통을 혼합해 사용하는 것과 '어머니 통'까지 모두 하나의 나무로 만든 통만 사용하는 것이다. 하나의 나무로만 만든 것은 상대적으로 드물어서 '리제르바'(riserva)라고 불린다. 여러 나무로 만든 통을 거치는 바테리아가 이

보다 더 흔한데, 어떤 순서로 나무들을 배치할지는 각 식초 장인의 판단에 따라 달라진다. 그래도 대략의 규칙은 있다. 바테리아의 초기 단계에서는 비교적 큰(50~57리터) 통에 담아 액체를 증발시켜 양을 줄이는 데 더 초점을 맞춘다. 여기에는 연하고 숨구멍이 많아 통기성이 좋은 체리나무나 멀베리나무가 적당하다. 바테리아의 뒷 단계로 갈수록 양을 줄이는 것보다는 맛을 정제하는 쪽으로 초점이 이동한다. 여기에는 더 단단하고 숨구멍이 작은 오크, 밤나무, 물푸레나무, 아까시나무 등이 적합하다.[4]

이 대략의 규칙에 더해, 어느 나무가 어느 순서에 배치되었느냐에 따라 나무가 맛에 미치는 영향이 달라진다는 점이 추가로 고려되어야 한다. 아체타이아 디 조르조에서는 오크에서 시작하고 중간에 체리나무를 두는 혼합형 바테리아들을 사용한다. 순서를 달리 하면 맛이 달라진다. 가령, 체리나무나 밤나무처럼 단 나무가 뒤로 가면 최종 제품이 더 달아진다. 멀베리나 주니퍼가 뒤를 맡으면 맛이 더 강렬하고 베리 맛과 훈연 향이 난다. 오크로 마무리를 하면 바닐라 향이 짙어진다. 각각의 통을 전부 다른 나무로 만든다면, 수학적으로 4만 320가지의 맛을 만들 수 있다.

무엇보다 나를 매료시킨 이야기는 바테리아 통이 오

래된 것일수록 맛이 강해진다는 것이었다. 어떻게 그럴 수가 있지? 제일 나이 든 통은 100년도 더 되었을 텐데(그런 통이 많았다) 나무 향이 여전히 강하게 남아 있다고? 증류주 업자들은 술을 채울 때마다 나무의 향이 빠져나가서 약해진다고 했는데? 생각해볼 수 있는 첫 번째 가설은 바테리아 통들은 유용한 미생물을 죽일까 봐 마르게 두는 법이 없어서 향을 잡아두는 게 아닐까 하는 것이었다. 증류주 숙성에 사용되는 통과 달리, 완전히 비워지지 않고 나무 추출물이 가득한 고농축액이 통 안에 늘 있는 것이 그 이유가 아닐까? 하지만, 그렇더라도 매번 꺼내고 다시 채울 때마다 희석이 될 수밖에 없고 그렇다면 나무 맛은 거의 0으로 수렴해야 한다. 그러므로 무언가 다른 일이 벌어지는 것이 틀림없다. 혹시 각각의 통 안에 서식하는 미생물 군집이 특별한 역할을 하는 걸까? 나는 나무의 종류에 따라 조금씩 다른 미생물 군집이 형성되어서 그것과 상호작용하는 식초의 맛이 달라지는 게 아닐까 생각했다. 이 가설이 맞다면 전통식 아체토 발사미코 디 모데나의 고유한 나무 맛은 통 자체뿐 아니라 그 안의 미생물 군집에서도 나온다고 보아야 한다. 이 가설을 입증하는 것은 놀라운 실험이 되겠지만 한 세기는 족히 걸릴 것이다.

카를로타에 따르면, 과거에는 아홉 개의 통을 거치는 바테리아를 했고, 그렇게 하면 어떤 나무 향도 혼자 두드러지지 않고 더 '보편적인' 맛이 났다. 하지만 요즘의 트렌드는 통의 개수를 줄이고(그래도 다섯 개는 되어야 한다) 나무 종류를 더 적게 써서 최종 제품에서 더 강하고 두드러진 맛이 나게 하는 것이다. 카를로타는 이곳에서 생산하는 일곱 가지 제품을 맛보게 해주었다. 사용된 나무가 무엇인지와 몇 년간 숙성했는지에 따라 종류가 달랐다. 공식적인 '전통식 아체토 모데나 DOP 발사믹 식초' 생산자는 연식을 12년 이상과 25년 이상, 이렇게 두 가지로만 구분한다. 이는 '모데나 IGP 발사믹 식초'와 대조적인데, 이것은 적어도 6일만 숙성하면 된다고 규정되어 있으며(대체로 거대한 나무통에서 숙성한다) 3년간 숙성된 제품에는 '인베키아토'(invecchiato. '숙성된'이라는 뜻이다)라는 표시를 붙일 수 있다.[4]

우리가 시음해본 일곱 종류는 12년에서 많게는 무려 100년 넘게 숙성된 것이었다. 특히 두 개가 확연히 맛있었다. 하나는 오크와 밤나무에서 100년 넘게 숙성한 것으로, 놀랍도록 진한 질감과 매우 짙은 색, 그리고 강렬한 단맛을 가지고 있었다. 오크의 바닐라 향이 강하게 났고 아마도 밤나무에서 온 것인 듯한 마지팬 맛도 감돌았으며 산도는 무척 약했다. 코코넛 과자, 아니면 더 흥미롭게는 구운 달팽이에 곁들이면 맛있겠다는 생각이 들었다. 두 번째 것은 드문 주니퍼 나무통에서 숙성한 12년산 리제르바였는데, 내게는 이것이 단연 최고였다. 색은 검초록의 흑요석처럼 은은하게 초록빛이 감돌았고 앞의 것보다 냄새에서 산도가 약간 더 많이 느껴졌다. 맛은 클래식 진과 비슷한 면이 있었고 주니퍼 베리(와 몇 가지 식물) 향이 감돌았으며 여기에 완벽하게 균형 잡힌 단맛과 나무통 숙성이 주는 둥글둥글한 맛이 어우러졌다. 우유 기반의 디저트, 가령 바닐라 아이스크림과 먹으면 무조건 좋을 것 같았고 구운 양고기와도 아주 잘 어울릴 것 같았다.

이어서 카를로타는 자신의 탄생 바테리아를 자랑스럽게 보여주었다. 이것은 모데나 전통으로, 아이가 태어나면 아버지가 바테리아를 시작한다. 카를로타의 바테리아에는 29년 된 발사믹 식초가 담겨 있다. 이 바테리아는 오크, 밤나무, 물푸레나무, 체리나무 등 단 나무로 만든 통으로만 이루어졌다. 작은 방에 숨겨진 통들의 마개 부분이(와인 통과 달리 일반적으로 네모난 모양이다) 카를로타 고조할아버지의 침대 시트로 만든, 크로셰 뜨기가 된 아름다운 리넨 천으로 덮여 있었다. 매우 귀한 바테리아지만 우리는 몇 방울을 맛볼 수 있었다. 정말로 달았고 신기하게도 셰리주의 향이 났다. 약하긴 하지만 상쾌한 신맛도 있었다.

전체적으로, 나는 세계적으로 유명한 이 제품에서 나무가 갖는 중요성에 깊은 인상을 받았다. 나무에 필적할 만한 중요성이라면 날씨 정도일 것이다. 모데나 날씨는 발사믹 식초 생산에 최적이다. 길고 건조한 여름은 증발을 촉진하기에 제격이고, 겨울에는 비가 많이 오지만 영하로 내려가지는 않아서 필수적인 미생물의 활동이 그치지 않고 지속될 수 있다. 하지만 아체타이아 디 조르조에 기후변화의 영향이 이미 드러나고 있다. 여름이 점점 더워져 식초의 점성이 높아지고 있는 것이다. 기후변화의 영향이 완화되기를 간절히 바란다. 모데나의 '검은 금'이 없는 세상은 너무나 삭막할 테니까.

지극히 만족한 채로, 하지만 지극히 배가 고픈 채로, 우리는 카를로타에게 거듭 감사의 인사를 한 뒤 차에 올라 도시 중심가에 도착했다. 점심을 먹기에 완벽한 장소를 케이

트가 알고 있었다. 케이트를 따라서 수많은 작은 골목과 현지인만 알 것 같은 작은 광장들을 지나 어느 밋밋해 보이는 계단길에 당도했다. 계단 꼭대기에 나무로 된 문이 있는 건물이 있었고 문 옆에는 '트라토리아'라고 쓰인 심플한 간판이 걸려 있었다. 트라토리아는 이탈리아어로 여관이라는 뜻이다. 그리고 그날의 요리가 적혀 있었다. '스페셜' 요리는 별로 없었는데 이것은 늘 좋은 징조다. 들어가자마자 가장 전통적인 트라토리아임을 대번에 알 수 있었다. 대리석 바닥, 고전적인 나무 의자, 소박하게 흰 식탁보를 덮은 테이블. 안에는 현지인들이 가득했고 모두 흥미로운 대화를 나누고 있었다. 웃음소리가 사방에서 들려왔다. 누군가와 더불어 식사하기에 최고의 장소임을 바로 알 수 있었다.

운 좋게도 케이트가 그곳 주인을 알고 있어서 우리는 곧 테이블을 잡았다. 우리 바로 뒤에 들어온 불운한 관광객들은 그대로 돌아서야 했다(현지인들은, 적어도 '현지' 트라토리아에서만큼은 자기들끼리만 있기를 원한다). 메뉴는 라비올리, 속을 채운 주키니와 으깬 감자, 단호박 크림 브륄레였다. 비교적 간단한 음식들이었지만 맛은 굉장했다. 특히 신선한 리코타 치즈와 톡 쏘는 쐐기풀로 속을 채운 라비올리(물론 수제 라비올리다) 맛이 앞으로도 평생

잊지 못할 만큼 인상적이었다. 우리 독일 사람들은 정말 맛있을 때 '시와 같다'고 표현하는데, 이 음식은 정말로 시와 같았다.

식사 후 케이트는 할머니의 아체타이아를 정말로 보고 싶냐고 내게 다시 물었다. 전문 제조장인 아체타이아 디 조르조를 보고 왔으니 할머니 댁의 낡은 다락에 있는 것을 보면 실망스러울지 모른다는 것이었다. 하지만 나는 케이트 집안의 보물 발사미코를 처음 맛보았던 기억이 너무나 생생했기 때문에 케이트만 괜찮다면 꼭 보고 싶다고 했다. 그래서 아름다운 모데나 성당을 재빨리 구경하고서 우리는 케이트의 할머니 댁으로 가서 엘리베이터를 타고 꼭대기 층으로 향했다. 낡은 엘리베이터가 고통스러울 만큼 느리게 올라가는 동안 나의 흥분은 매분마다 증가했다. 꼭대기 층에 도착해서 우리는 그리 두드러져 보이지 않는 나무문 앞에서 기다렸다. 케이트가 중세 스타일의 (하지만 이탈리아에서는 표준인) 커다란 열쇠꾸러미를 가지고 와서 이것저것으로 몇 차례 시도를 해보고서 맞는 열쇠를 찾아 문을 열었다. 완전히 평범하고 약간 먼지가 앉은 다락이 있었다. 꽤 큰 방이 두 개 있었는데 더 큰 쪽에 세 개의 바테리아가 있었다. 벽 앞에 통들이 가장 큰 것부터 작은 것까지 가지런히 줄지어 있었고 세 개의 바테리아 중 어느 것인지 알 수 있도록 번호가 붙어 있었다. 통들은 특수 제작한 거치대 위에 놓여 있었는데, 통들 모두 마개 구멍(마개를 끼웠다 뺐다 할 수 있는 사각형의 구멍. 이 구멍으로 액체를 채우고 따른다)이 같은 높이에 있게끔 되어 있었다. 카를로타의 탄생 바테리아처럼 이 통들도 마개 구멍이 리넨 천으로 덮여 있었다(크로셰 뜨기를 한 것은 아니었지만). 뒤쪽 벽 선반에는 식초 제조에 필요한 도구, 용기, 병 등이 있었다. 전체 공간을 밝혀주는 것이라곤 천장에서 늘어뜨려진 노란색 전선에 달랑 매달린 전구 하나뿐이었다. 실리콘 밸리 스타트업의 모데나 버전 같았다. 차이라면, 이 '스타트업'은 100년도 더 되었고, 차고가 아니라 다락이라는 점일 것이다. 그리고 주식 시장에 상장하는 데는 아무 관심이 없다는 것도.

아까 케이트가 열쇠를 가지러 간 김에 챙겨 온 숟가락으로 통에서 발사미코를 바로 덜어서 맛볼 수 있었다. 이번에는 끓인 머스트가 거쳐 가는 강렬한 변모의 과정을 차례로 경험할 수 있었다. 가장 큰 통부터 천천히 맛을 보면서 더 작은 통으로 이동했다. 시간, 박테리아, 나무의 영향이 생생하게 느껴졌다. 산도가 점점 줄고 당도가 점점 증가하는 것이 흥미로웠다. 포도 향도 처음에는 뚜렷했는데 마지막에는 점차 사라졌고 여러 가지 다른 맛이 그 자리를 채웠다. 대부분 각각의 나무가 미친 영향이었다. 옛날 식 바테리아여서 체리, 린덴, 물푸레, 오크, 멀베리, 월넛, 밤나무 등 여러 종류의 나무가 사용되었는데, 케이트는 정확한 순서는 잘 모르겠다고 했다. 오래되어서 통 겉면이 모두 검게 변했기 때문에 눈으로 봐서는 알 수 없었다. 하지만 맛을 보니 적어도 오크(독특한 바닐라 맛 때문에), 밤나무(마지팬 맛 때문에), 체리나무(단맛 때문에)는 구별할 수 있을 것 같았다. 다른 것들은 확실하지 않았지만, 뜻밖에 약간의 양배추, 감초, 밀랍, 후추 등의 맛을 감지할 수 있었다.

나는 맛을 부드럽게 다듬어주는 나무의 역할에 늘 감탄하곤 한다. 목수의 일에 비유하면 이것을 잘 설명할 수 있다. 가구의 모양이 얼추 완성되면 그때부터 지루하지만 꼭 필요한 사포질과 표면 마무리 작업이 시작된다. 처음에는 굵은 사포로 시작한다. 그것으로 몇 차례 밀고 나서(불행히도 며칠이나 걸린다) 일련의 더 고운 사포를 차례로 사용한다. 이렇게 표면을 부드럽게 하는 과정을 거치면 남아 있는 도구 자국이 없어지고 날카로운 모서리가 부드러워지며 매끈하게 윤기가 난다. 그러면 가시에 찔릴 걱정 없이 나무를 만질 수 있다.

바로 이 과정이 발사믹 식초를 만들 때 나무통 안에서 벌어지는 것 같았다. 신맛, 포도 맛, 단맛의 날카로운 모서리가 둥글둥글해지고, 액체가 증발하면서 생기는 설탕 알갱이 같은 '도구 자국'을 없애준다. 그 결과, 부드러운 표면을 가진 매우 곱고 정제된 결과물이 기저의 디자인, 장인의 솜씨와 정신, 재료의 질을 가장 돋보이게 드러내준다.

케이트 할머니의 발사미코도 가장 오래된 바테리아의 가장 작은 통에 도달했을 때 가장 돋보이게 자신의 모습을 드러냈다. 전에 먹어본 거의 모든 발사믹 식초를 능가하는 맛이었다(완벽한 걸작인 주니퍼 리제르바 아체타이아 디 조르조만 빼고). 내 생각에 이것은 그 자체로 별도의 범주를 차지해야 마땅하다. 단맛, 바닐라 맛, 감초 맛, 마지팬 맛, 후추 맛 등이 어떤 발사믹 식초도 흉내낼 수 없는 복잡한 맛을 내었고 약간 높은 산미가 비할 데 없는 상큼함을 더하고 있었다. 순간 그것을 처음 맛보았던 미식과학대학 동료들과의 포트럭 파티로 돌아간 듯했다.

슈거 문이 차오르다

화려한 설탕단풍나무의 서식 범위는 동부 캐나다의 케이프 브레턴섬에서 서쪽으로 미주리와 캔자스까지 뻗어 있으며 크리스마스트리가 길 쪽으로 넘어진 모양을 하고 있다. 테네시주의 옛 밀주 융성지였던 스모키 마운틴 지역이 남방 한계선이고 캐나다의 뉴브런즈윅주와 남부 퀘벡주가 북방 한계선이다.[1] 하지만 급속도로 변화하는 기후 때문에 서식지가 계속 밀려 올라가고 있으며 서식 범위의 모양도 아직은 알 수 없는 형태로 달라지고 있다.[2]

일반적으로 설탕단풍나무는 붉은 단풍나무, 노란 자작나무, 물푸레나무, 너도밤나무 등 여타의 활엽수와 함께 자라지만,[3] 붉은 가문비나무나 솔송나무 같은 상록수와 함께 자라기도 한다. 어느 경우든, 단풍나무 숲은 조밀하지 않아 상쾌하게 바람이 잘 통한다. 발삼전나무나 가문비나무의 어둡고 조밀하고 향이 강한 숲을 가로질러 몇 시간을 등산하고 난 후에 만나는 단풍나무 숲은 더욱 그렇다(발삼전나무와 가문비나무는 개벌되었다가 대규모로 다시 돌아오고 있는 첫 번째 나무들인데, 그래서 오늘날 캐나다 동부에서 많이 볼 수 있다).

쌀쌀하고 맑은 가을 날이면 설탕단풍나무는 또 다른 놀라움을 선사한다. 하루하루 날이 쌀쌀해지고 겨울이 다가오면서 드디어 나무들이 겨울을 나기 위해 모든 에너지를 뿌리에 다시 집어넣고 온갖 색조의 노랗고 빨간 잎들만 화려하게 남겨놓은 장관을 볼 수 있는 것이다. 잔잔하게 흐르는 물가에서는 모든 것이 물에 비쳐 효과가 두 배 이상이 되면서 어찌할 바를 모르겠는 아름다움을 선사한다. 여기에, 물 위에 고요히 떠 있는 안개 한 자락과 아비새의 희한한 울음소리(아비새는 캐나다 1달러 동전에 새겨져 살아 있는 화석이 되었다. 1달러 동전은 아비새의 영어 단어 '룬'[loon]에서 따와서 '루니'라고 부른다)가 더해지면, 다른 세계를 엿보는 듯한 형언할 수 없는 경험을 하게 된다.

캐나다인들이 1965년에 이 아름다운 나뭇잎을 국기

문양으로 선택했고 그 전에 올림픽에서 자랑스럽게 그 깃발을 들었다는 것은 놀랄 일이 아니다.[4] 2012년에 도입된 새로운 폴리머 화폐에서 단풍잎 문양이 (캐나다 동부의 침입종인) 노르웨이 단풍잎으로 무심코 대체된 것은 이 짧지만 위대한 문양 이야기의 작은 교란에 불과하다.[5]

설탕단풍나무는 아름다움 때문만이 아니라 그것이 제공하는 귀하고 맛있는 음식 때문에도 비범한 존재다. 어떤 역사 기록이 존재한 시점보다도 한참 전에 미 대륙의 원주민들이 발견해서 오늘날까지도 크게 달라지지 않은 방법으로 생산하기 시작한 설탕단풍나무의 별미는 수천 년간 북미에서 매우 중요한 음식이었다. 물론 메이플 시럽 이야기다.

정확히 어떻게 발견되었는지에 대해서는 많은 설이 있지만 줄거리는 대략 비슷하다. 수액이 올라오는 이른 봄에 우연히 설탕단풍나무 하나에 상처가 났고(추장의 도끼가 목표물을 빗나가 나무에 맞았다는 설이 가장 흔하다), 그 자리에서 수액이 나오자 누군가가 그것을 모아서 끓여보았으며, 물기가 졸아들면서 기분 좋은 단맛이 진해진다는 것을 알게 되었다. 곧 사람들은 설탕단풍나무에 일부러 V자 모양의 상처를 내고 바닥에 양동이를 놓아 수액을 채취했다.[6] 원주민들은 자작나무껍질로 만든 양동이에 수액을 담아 모닥불에 올려놓고 졸이거나(신기하게도 자작나무껍질은 타지 않는다[7]) 나무 들통에 달군 돌을 넣어 수액을 졸였다. 걸쭉한 시럽이 되도록 졸이기도 했지만 엿이나 사탕처럼 더 단단하게 굳히거나 설탕 알갱이처럼 만들기도 했다. 오대호 북쪽에 주로 살던 치페와족 등은 그것을 야생벼(치페와족은 나중에 벼를 농경하기 시작한 것으로 유명하다), 옥수수, 과일, 심지어는 고기까지 여러 식재료와 섞어서 조리했다. 또 차거나 더운 음료로도 먹었고, 약으로 쓰거나 절임에 활용했다. 멋들어지게 조각한 작은 설탕 과자는 선물이나 화폐로 쓰이기도 했다.[8]

오늘날에도 많은 의례와 의식이 설탕단풍나무와 수액의 주기와 관련이 있다. 음력으로 특정한 달에 발생하는 자연 현상이나 부족민이 해야 하는 일(가령, 메이플 시럽 생산)을 의미하는 것이다.[9] 이를테면, 한겨울에 몇몇 원주민 부족은 '땅을 깨우는' 의례를 하면서 단풍나무 수액을 포함해 봄에 나오게 될 새로운 산출물에 대해 기도한다. 또 '슈거 문'이 뜨는 3월에서 4월 사이에 단풍나무 수액이 흐르기 시작하는데, 이들에게는 이때가 한 해의 시작이다.[10] 수액이 흐르기 시작하면 곧이어 눈과 얼음이 녹고 시내가 세차게 흐르며 새순이 돋고 새들이 노래하며 봄을 알린다. 우리가 쓰는 그레고리안 달력의 춥고 칙칙한 1월 1일보다 한 해의 시작으로 삼기에 훨씬 더 적절해보인다. 1월 1일에 아무리 화려하게 불꽃놀이를 해도 이 사실을 가릴 수는 없을 것이다.

유명한 '트랜스 캐나다' 고속도로를 따라 작지만 매력적인 대학 도시 안티고니시와 노바스코샤의 뉴글래스고 사이 어디쯤을 달리고 있던 날은 다행히도 1월이 아니라 몹시 화창한 늦여름이었다. 나는 아버지와 함께 며칠 전 슬로푸드 행사에서 만난 스콧 화이트로의 농장에 가는 중이었다. 화이트로는 참으로 걸맞은 이름의 '슈거 문 농장'에서 메이플 시럽을 생산하는 설탕단풍나무 농민으로, 노바스코샤 한복판에 그의 농장이 있었다. 내가 워낙 메이플 시럽 애호가인데다 메이플 시럽은 단풍나무 맛의 본질이나 마찬가지여서 나는 그를 만나자마자 관심이 쏠렸다. 너무나 친절하게도 그는 농장을 구경시켜주겠다고 했고, 그리하여 그 화창한 토요일 오후에 아버지와 함께 고속도로를 달리게 된 것이었다. 내비게이션이 강력하고 반복적으로 권한 대로

18A 출구로 나왔더니, 양옆으로 끝없이 숲만 이어지는 비포장도로에 있게 되었다. 인구 밀도가 낮기 때문에 비싼 아스팔트로 모든 도로를 포장하고 유지하는 것이 불가능한 노바스코샤에서는 꽤 흔한 일이다. 그리고 캐나다의 비포장도로는 상태가 무척 양호하다. 우리가 렌트한 자동차(좋은 차이긴 했지만 최저 지상고가 약 13센티미터이고 후륜구동인 것을 보면 비포장도로를 염두에 둔 차는 아니었다)로도 20킬로미터 정도를 달려 슈거 문 농장에 도착하는 데는 문제가 없었다.

넘실대는 전원 풍경에 둘러싸여 수려한 경관을 선사하는 드넓은 블루베리 밭을 지나 화이트로 농장의 본부 격으로 보이는 큰 통나무집에 도착했다. 놀랍게도 주변과 안에 사람이 많았는데, 농장 투어를 마치고 농장에 딸린 팬케이크 하우스에 팬케이크를 먹으러 온 관광객들이었다.

1~2분 뒤에 화이트로가 도착했다. 농민 시장에서 돌아오는 길이었는데, 그는 토요일 아침마다 그의 농장에서 생산된 것을 농민 시장에서 판매한다. 우리는 메이플 시럽 생산의 출발점에서부터 투어에 나섰다. 그 출발점은 그가 소유한 설탕단풍나무 숲으로, '슈거 부시'라고 불린다. 우리는 초원으로 지정된 곳(1821년 스코틀랜드 출신인 첫 유

럽인 정착민들이 세워놓은 돌 벽으로 경계가 구분되어 있었다)을 가로질러 좁은 오르막길을 올라갔다. 옆에는 일반적인 전선보다 직경이 훨씬 굵은 전선들이 보였다. 알고 보니 그것은 전선이 아니라 봄에 갓 채취한 수액을 설탕 헛간까지 나르는 파이프였다. 설탕 헛간으로 옮겨진 수액은 그곳에서 증발 공정을 통해 시럽이 된다.

보호되고 있는 듯한 어린 발삼전나무 수풀을 지나 성숙한 경목들이 늘어선 몹시 아름다운 숲에 도착했다. 설탕단풍나무가 가장 많았고 노란 자작나무, 물푸레나무, 붉은 단풍나무도 있었다. 둥치의 직경으로 보건대 150년은 넘은 것 같았다. 해가 바닥까지 닿아 다음 세대의 설탕단풍나무가 될 초록의 카펫을 비추고 있었고 가느다란 시내들이 중간중간을 가로지르고 있었다. 더 자세히 보니 불투명한 파란색 플라스틱 관이 나무에서 나무로 숲 전체에 걸쳐 연결되어 있었다. 화이트로는 여러 증거들로 볼 때 이 지역이 동부 캐나다 인디언 부족인 미크마크족이 사용하던 곳으로 보인다고 했는데, 충분히 그럴 것 같았다. 그들은 이곳을 겨울을 나기 위한 곳으로, 또 사냥터로 사용했을 것이고, 봄에는 메이플 시럽도 채취했을 것이다.

숲속으로 더 들어가 작은 시내를 건너니 키가 큰 노란

자작나무 아래 작은 통나무집이 나타났다. 여기에서 화이트로는 그의 이야기를 시작했다. 원래는 로드아일랜드 출신인데 고등학교 졸업 후에 노바스코샤로 이사를 왔고 삼림 학교를 졸업한 후 몇 년간 삼림 기술자로 일했다. 그가 삼림 기술자로 일하던 지역 대부분이 현재 그의 설탕 농장 인근이다. 어느 날 그는 '팝니다'라는 문구가 붙어 있는 집을 하나 발견했다. 마침 임대할 집을 구하고 있던 그는 주인에게 연락해서 매물에 대해 알아보았다. 놀랍게도 집주인인 밥 윌리엄스는 메이플 시럽을 생산하는 커다란 단풍나무 숲이 매물에 포함되어 있다고 했다. 윌리엄스 본인도 애초에 메이플 시럽을 생산하기 위해 단풍나무 군락지를 찾아 이곳에 온 것이었다. 당시에 윌리엄스는 이곳을 찾자마자 곧바로 수액을 채취해 시럽을 만드는 일을 시작했고 우리가 지금 서 있는 첫 번째 통나무집을 지었다. 오랫동안 그는 독자적으로 메이플 시럽을 생산했다. 최초의 유럽 정착민이 북미에 와서 원주민에게 메이플 시럽 만드는 법을 배웠을 때처럼 말이다. 짐마차용 말 두 마리의 도움을 받아가며, 윌리엄스는 메이플 시럽 병에 그려진 그림 속 남자와 비슷하게 살았다. 눈 오는 풍경을 배경으로 작은 나무 들통이 걸려 있는 단풍나무 옆에 말과 썰매와 함께 서 있는, 그런 모습으로 말이다.

시럽 병의 라벨에는 전형적으로 빨강과 검정의 체크무늬 재킷을 입고 가죽 모자 같은 것을 쓴 남자와 유혹적인 연기가 피어오르는 통나무집이 그려져 있다. 윌리엄스도 그런 재킷과 모자를 착용했을지는 모르겠지만, 내 앞에 보이는 통나무집은 그림 속의 집과 똑같은 모습이었다. 화이트로에 따르면, 윌리엄스는 단풍나무 수액 채취를 위해 나무 들통이나 금속 들통을 많게는 800개까지 사용했다고 한다(원주민이 사용하던 자작나무껍질 들통의 유럽 버전인 셈이다). 모은 수액은 커다란 금속 통 하나에 담아 우르릉거리는 장작불에서 가열했다. 수분이 증발하기 시작하면서 숲 한가운데의 작은 통나무집 굴뚝으로 엄청난 연기가 나왔을 것이다. 연기 구름이 나무들을 지나 하늘로 올라가면서 얼마나 군침 도는 냄새가 풍겼을까! 내가 철새라면 봄철에 메이플 시럽을 생산하는 지역으로 날아와서 날마다 서로 다른 설탕 헛간들을 돌아다닐 것이다. 그런데, 서로 다른 헛간들에서 나는 냄새의 차이를 알 수 있을까?

첫 만남 이후 윌리엄스는 화이트로 부부(아내의 이름은 퀴타 그레이다)와 매우 친해져서 2년 동안 집을 빌려주고 메이플 시럽에 대해 자신이 알고 있는 모든 것을 가르쳐

주겠다고 제안했다. 그 다음에 원한다면 이곳을 매입해 메이플 시럽을 계속 생산하라는 것이었다. 화이트로 부부는 이 기회를 덥석 붙잡았고, 그렇게 해서 슈거 문 농장을 열게 되었다. 이들로서는 몹시 운이 좋게도, 윌리엄스가 그 사이에 중력을 이용한 파이프 시스템을 구축해놓아서 수액이 파이프를 타고 설탕 헛간까지 직접 이동하게 되어 있었고, 따라서 들통 800개를 일일이 나를 필요가 없어졌다.

화이트로의 이야기를 계속 들으면서 숲속으로 더 깊이 들어가다가 한 설탕단풍나무 앞에서 걸음을 멈췄다. 수액이 나오도록 구멍이 뚫려 있었고 숲 전체에 퍼져 있는 복잡한 파이프 시스템으로 관이 연결되어 있었다. 화이트로는 지름이 적어도 25~30센티미터는 되는 나무에서만 수액을 채취한다고 했다. 노바스코샤에서는 나무의 성장 속도가 느려서 80년은 된 나무여야 한다. 평균적으로 나무 하나가 10~13액상온스(약 295~384밀리리터)의 시럽을 생산하는데(가게에서 파는 일반적인 시럽 병 용량은 8.5액상온스[약 251밀리리터]), 이것은 버몬트나 퀘백의 나무가 평균적으로 생산하는 양의 절반 정도다. 왜 노바스코샤의 나무가 생산량이 이렇게 적은지에 대해서는 여러 가설이 있는데, 토양이 얕고 돌이 많고 산성이라는 점 등이 주된 요인으로 보인다. 어쨌든 위안을 삼자면, 이 지역에서는 화이트로의 숲이 가장 생산성이 높은 것 같았다.

계속 걸어가면서 그는 메이플 농장에서 하는 일을 설명했다. 아직 눈이 허리까지 덮여 있는 2월에 일이 시작된다. 이때는 수액이 흐르기 시작하는, 즉 나무가 막 깨어나는 시기다. 흥미롭게도 과학자들은 아직 거의 모든 것이 얼어 있는 상태에서 단풍나무 뿌리가 어떤 원리로 땅 속 깊은 곳부터 가지의 말단까지 물을 끌어 올리는지에 대해 완전히 파악하고 있지는 못하다. 일반적으로 나무는 잎에서 물을 증발시켜 부압(빨아들이는 압력)을 일으킴으로써 물을 순환시킨다. 하지만 늦겨울에는 단풍나무에 잎이 없어서 그렇게 할 수 없다. 실험에 따르면, 기온이 영상과 영하를 몇 차례 오르락내리락하고 나면(가령, 낮에는 날이 풀리고 밤에는 영하로 내려가고 하는 식으로) 단풍나무 둥치 안에서 압력이 증가하기 시작하는 것으로 나타났다. 궁극적으로 이를 통해 수액이 흐를 수 있다. 양압이 30프사이에 달하기도 하는데 이것은 자동차 타이어 공기압과 비슷하다. 수액의 '삼출 현상'(exudation)이 정확히 어떤 원리에서 일어나는 것인지에 대해서는 아직도 논란이 있지만, 과학자들의 가설에 따르면, 삼투 현상과 얼었다 녹았다 할 때 나무 둥치와 가지에서 압력이 증가하는 현상 등이 합쳐져 뿌리에서 흡수된 물이 가지의 맨 끝까지 순환하게 되는 듯하다. 물론 가을에 방대한 뿌리에 저장해두었던 설탕과 아미노산도 함께 순환한다. 흥미롭게도, 구멍을 뚫었을 때 흘러나오는 수액은 뿌리에서 올라오는 것이 아니라 전날 올라와 나무 위쪽에 얼어 있던 것이 햇빛을 받아 녹으면서 아래로 내려온 수액인 것으로 보인다.[11]

메이플 농민에게 가장 중요한 일 중 하나는 수액 분비가 언제 시작되는지를 알아내는 것이다. 채취를 너무 일찍 시작하면 상처 부위의 섬세한 내부가 박테리아나 균에 너무 일찍 노출돼 수액 산출량이 줄어들 뿐 아니라 나무 자체를 손상시킬 수 있다.[12] 너무 늦게 채취하면 수액이 나오는 기간을 그만큼 놓치게 되어 생산량이 감소한다.

그리고 (내게는 이것이 더욱 흥미로웠는데) 언제 채취를 그만두어야 하는지 아는 것도 매우 중요하다. 수액의 맛이 시즌이 끝날 무렵에 크게 달라지기 때문이다. 슈거 문 농장에서 시즌은 열흘에서 7주까지 들쭉날쭉하다. 맛이 달라지는 것은 새싹이 성장하면서 수액에 다양한 아미노산이 증가하기 때문이다. 따라서 지속적으로 수액의 맛을 확인해야만 시즌의 끝이 왔는지를 판단할 수 있다. 기본적으로 메이플 농부는 숲속을 돌아다니면서 실제로 나무를 맛봐야 한다.

화이트로는 시즌 끝 무렵의 수액이 투시 롤 사탕 같은 버터, 캐러멜, 당밀 맛에 어떤 풀내의 쓴맛이 감도는 맛이라고 묘사했다. 메이플 시럽 생산에 관한 책들을 보면 자라고 있는 새싹의 맛이 들어 있다는 의미에서 그 쓴 잡내를 '싹내'라고 부른다.[13]

하지만 시즌의 시작과 끝을 완벽하게 포착하기가 점점 어려워지고 있다. 시즌은 어느 때보다도 일찍 시작되는 듯하고, 유난히 따뜻한 날에 나무가 일찍 싹을 틔우는 바람에 시즌이 갑자기 끝나버리곤 한다. 요즘 화이트로는 1월 말이면 시즌을 시작할 생각을 하는데 윌리엄스 시절만 해도 3월 1일 이전에 시즌을 시작해본 적이 없다. 기후는 분명히 변하고 있고, 이는 노바스코샤 메이플 시럽의 미래에 매우 실질적인 악영향을 미칠지 모른다.

수액을 채취하려면 나무에 매년 새로운 구멍을 뚫어야 한다. 지난해에 뚫은 구멍에서는 다시 수액이 흐르지 않기 때문인데, 그래서 수액을 채취한 지 오래된 나무에서는 수액을 채취하기가 점점 어려워진다. 어쨌든, 수액 구멍을 뚫고 각 나무가 모두 관으로 연결되면 이제 설탕 헛간의 증발기에 불을 지필 때다. 슈거 문 농장에서는 장작 증발기를 사용하기 때문에 불 지피는 것을 실제로 볼 수 있다. 화석연료 증발기와 달리 장작 증발기는 바닥 전체에 열이 고루 분산되게 하고 수액이 타지 않게 하기 위해 아주 조심스럽게 불을 살펴야 한다. 여름과 가을에 장작을 준비하느라 등골이 휘도록 했던 노동은 저리 가라다.

화이트로는 증발기가 시럽의 맛과 색을 내는 데 필수적이라고 했다. 이 과정이 없으면 당분이 캐러멜화되지 않아서 단맛이 강해지지 않는다.

이때쯤이면 우리는 설탕 헛간으로 돌아와 있었다. 입구 앞에 높이 쌓여 있는 장작을 보며 한동안 감탄한 뒤, 화이트로를 따라 시럽 제조 공정의 빛나는 심장을 보러 갔다. 거울처럼 윤이 나는 스테인리스 스틸 증발기가 바깥의 큰 탱크와 연결되어 있었고 이 탱크는 다시 숲에서 오는 파이프 시스템에 연결되어 있었다. 후드가 달린 거대한 부엌 싱크대 같았다. 네모난 바닥은 한쪽으로 약간 기울어져 있었고 미로 같은 칸막이들이 가득 들어차 있었다. 수액이 흐르는 속도를 늦추기 위해서였다. 가열된 바닥 위로 아주 서서히 수액이 흐르면서 수분은 대부분 날아가고 찐득한 시럽이 남는다. 법적으로 적어도 66퍼센트의 설탕을 함유해야 한다(평균적으로 메이플 수액 10갤런[약 38리터]에서 겨우 0.3갤런[약 1리터]의 시럽을 생산할 수 있다). 번쩍이는 거대 괴물이 발산하는 열기를 느끼면서 뭉게뭉게 올라오는 달콤한 증기를 직접 눈으로 보고 냄새 맡는 것은 얼마나 멋진 경험일까! 나는 설탕 시즌에 꼭 다시 와 보리라고 마음먹었다.

마지막 단계는 시럽을 체로 거르고 병입하는 것이다. 그러고 나면 증발기와 숲의 관들을 청소하는 어마어마한 노동이 뒤따른다. 나무에 연결된 관을 반드시 제거해 나무가 구멍을 스스로 막을 수 있게 해야 하는데, 건강한 나무는 한 계절 정도면 그렇게 할 수 있다.

이 모든 단계를 지나, 이제 맛을 볼 차례가 되었다. 나는 나무 맛의 차이를 시럽에서 발견하고 싶었다. 생산자들마다 메이플 시럽 맛에 차이가 있을까? 그러니까, 메이플 시럽에도 테루아가 있을까? 있다면, 개별 나무마다도 차이가 있을까? 빨리 알아보고 싶어서 안달이 났다.

나는 시즌 중 언제 채취한 것인지에 따라 메이플 시럽에 등급이 있다는 이야기는 들었지만 그 차이를 완벽히 알지는 못했다. 화이트로가 그것을 쉽게 파악할 수 있는 독창적인 방법을 개발해놓아서 무척 다행이었다. 해가 잘 드는 남향 창문 앞 작은 선반에 열네 병의 메이플 시럽이 일렬로 놓여 있었다. 매우 투명한 황금빛 노란색부터 불투명한 마호가니 색까지 색이 점점 짙어졌다. 그는 생산의 편의를 위해 시즌을 크게 넷으로 구분한다며 각각의 차이를 설명해 주었다.

우리는 시즌 초기 생산품인 황금빛 노란색 병부터 시음했다. 매우 부드럽고 상쾌한 느낌의 농도였고, 꽃향기가 도는 에쿠아도르 아리바 품종의 고급 다크 초콜릿, 밀크 커피, 바닐라, 캐러멜 향이 어우러진 복합적인 단맛이 났다. 환상적인 맛의 부케에 더해 깜짝 놀랄 상큼함이 어우러졌다. 메이플 시럽에서 나리라고는 예상치 못한 종류의 상큼함이었다. 화이트로는 팬케이크용으로 이 시럽을 가장 좋아한다.

다음은 시즌 중초반의 메이플 시럽으로, 더 짙은 금색이었다. 첫 번째와 향조가 비슷했지만 단맛이 더 강했고 더 따뜻한 느낌이기도 했다.

세 번째 것인 시즌 중후반의 호박색 시럽에서 앞의 것들과 두드러지게 맛의 차이를 느낄 수 있었다. 단맛과 입을 꽉 채우는 묵직한 감각(robust)이 이전의 시럽들에서 감지할 수 있었던 많은 맛을 압도했다. 당밀 비슷한 맛을 처음으로 감지할 수 있었는데, 네 번째인 시즌 말기의 마호가니 색 시럽에서 당밀 맛은 한층 더 두드러졌다. 하지만 유쾌한 당밀 맛과 함께 버터 같은 맛, 캐러멜 같은 맛, 건포도 맛, 그리고 약간의 짠 기까지 여러 가지 맛을 여전히 담고 있었다. 독특한 풋내 같은 게 있긴 했지만 나는 이 마지막 시럽이 가장 좋았고 요리에 쓰기 완벽할 것 같았다.

채취 시기 외에, 생산자에 따라서도 맛의 차이가 있을까? 화이트로는 그렇다고 했다. 화이트로에 따르면, 그의 직원 한 명은 이곳의 시럽과 1~2킬로미터도 채 떨어지지 않은 언덕 바로 저쪽 농장의 시럽을 구별할 수 있다고 한다. 아마도 생산자마다 사용하는 증발기의 유형이 다르고 가열 속도나 졸이는 방식 등에서도 차이가 나기 때문일 것이다. 이러한 요소들 모두가 최종적인 시럽 맛에 영향을 준다. 그리고 토양도 명백히 영향을 미칠 것이다.

이런 차이를 농장에서는 알아볼 수 없었기 때문에, 며칠 뒤 나는 메이플 시럽 쇼핑에 나섰다. 그 결과, 동일하거나 비슷한 범주의 시럽 사이에서도 커다란 차이를 발견할 수

있었다. 질감도 달랐고(부드러운 것부터 찐득한 것, 매우 찐득한 것까지 있었는데, 증발된 정도에 따른 차이일 것이다), 강하게 볶은 짙은 커피 맛부터 미세한 밀크 초콜릿 맛까지 맛도 다양했다. 어떤 것은 잘 익은 체리나 자두 같은 붉은 과일을 연상시키기도 했다. 시럽이 아니라 노바스코샤산 메이플 수액을 냉장한 상태로 파는 제품도 발견했다. 원액에서 물기를 아주 약간만 증발시켜 단맛을 살짝 강화한 것인데, 수액 시즌에 나무에서 직접 받아서 마시는 것과 가장 흡사한 맛일 터였다. 실제로, 시럽과는 맛이 아주 달랐다. 단맛이 약했고 풀 향이 섞여 있었을 뿐 아니라 종이 같은 (그러나 나쁘지 않은) 맛도 약간 나는 것 같았다.

슈거 문 농장에서 화이트로의 깊은 환대에 감사를 전하며 작별 인사를 하고 나서 농장에 딸린 팬케이크 하우스에서 메이플 시럽을 넉넉히 두른 버터밀크 팬케이크를 먹었다. 그런데 화이트로가 한 말 하나가 뇌리에 계속 남았다. 그는 이론적으로는 전 세계의 모든 단풍나무 종이 메이플 시럽 만드는 데 쓰일 수 있으며, 단지 설탕단풍나무(평균적으로

2퍼센트의 설탕을 함유하고 있다)보다 설탕 함유량이 적어서 생산에 사용되지 않을 뿐이라고 했다. 실제로 그의 농장에서 붉은 단풍나무 수액을 채취해보았는데 정확히 묘사하기는 어렵지만 독특한 맛이 났다고 했다. 또 그는 캐나다의 대평원 지역이나 브리티시컬럼비아 사람들은 매니토바 단풍나무와 큰잎단풍나무를 각각 사용한다는 말을 들은 적이 있다고 했다. 그리고 한국에서는 봄에 단풍나무 과에 속하는 고로쇠나무 수액을 강장제로 마신다.[14]

즉 화이트로에 따르면, 맛의 차이는 시럽 생산자에게만 달린 것이 아니라 단풍나무 품종에도 달려 있었다. 하지만 그는 동일한 품종 내에서 개별 나무마다도 맛이 다른지는 알아보지 않았다. 수액 시즌이 이미 거의 끝나버려서 캐나다에서는 이것을 직접 알아볼 수 없었지만, 오스트리아로 돌아왔을 때는 내게 묘안이 있었다. 나는 북부와 동부 유럽 국가들에서는 자작나무 수액을 북미에서 단풍나무 수액을 사용하는 것과 유사하게 사용한다는 이야기를 여러 차례 읽은 바 있었고,[15] 운 좋게도 우리 집 주변에 자작나무가 많았다. 그래서 초봄이 되면 두 그루의 자작나무에서 수액을 채취해 맛을 비교해보기로 했다.

역시 운 좋게도 곧 봄이 올 터였다. 자작나무에 수액이 흐르기 시작한 것이 확실해지자마자(단풍나무와 비슷한 복잡한 과정으로 수액이 흐른다[16]) 가까운 곳에서 두 그루를 골랐다. 너무 깊게 혹은 잘못된 위치에 구멍을 내서 나무를 심하게 손상시키지 않기 위해 두 그루 각각에서 엄지손가락 두께의 가지 끝을 조금 자르고 거기에 유리병을 묶었다. 병 무게 때문에 가지가 휘어져 병이 수직으로 매달려 있을 수 있었다. 다음 날 개와 산책을 와서 보니 두 병에서 수액이 넘쳐흐르고 있어 즉시 맛을 볼 수 있었다. 코 높이에 매달린 신기한 장치의 냄새를 맡으려 킁킁대는 개를 떨어뜨려 놓은 뒤, 첫 번째 병을 가지에서 떼어 맛을 보았다. 단풍나무 수액처럼 매우 미세한 맛이 났다. 가벼운 단맛에서 시작해 조금 시간이 지나니 버드나무 껍질을 연상시키는 아주 약한 풀 향이 났다. 이어서 두 번째 병을 떼어(개가 닿지 않는, 좀 더 높은 곳에 매달려 있었다) 맛을 보았다. 차이가 있을까?

두 번째 병의 수액을 처음 맛보았을 때는 첫 번째 것과 차이를 느낄 수 없었다. 연이어 바로 다시 마셔보자 맛의 강도에서 차이를 감지할 수 있었다. 하지만 이것은 두 번째 나무가 물을 더 직접 접할 수 있어서 맛이 희석되었기 때문일 것이고, 이를 감안하면 같은 품종의 두 자작나무 사이에서는 맛의 차이를 느낄 수 없었다. 설탕단풍나무로 실험했어도 결과는 별반 다르지 않았을 것이다. 어쨌든 나는 실험 결과에 만족했다. 굉장히 상쾌한 봄철의 강장 음료를 발견했을 뿐 아니라, 또 하나의 새로운 나무 맛을 경험할 수 있었기 때문이다.

갑자기 먹구름이 몰려오더니 눈보라가 쳤다. 돌아오는 길에 나는 벌써부터 봄철 요리에 이 훌륭한 강장제를 어떻게 사용할지 머리를 굴렸다. 미니 야채를 넣은 자작나무 수액 리소토, 약간 졸인 자작나무 수액으로 요리한 야생 송어와, 자작나무 잎 향수… 눈보라 속을 걸어서 오다 보니 자작나무 수액 아이스크림도 떠올랐다.

자작나무 수액도 메이플 시럽 못지않게 중요한 식재료가 될 수 있으리라는 생각이 들었다. 메이플 시럽은 이미 내가 샐러드, 칵테일, 연어 요리, 디저트 등을 만들 때 두루 사용하는 식재료였다. 이 다양한 사용처는 화이트로의 도움으로 메이플 시럽과 나무 맛의 다채로움을 추가로 알게 된 덕분에 이제 한층 더 폭이 넓어질 것이다.

포도와 오크의 화합

오랫동안 와인에 대해서는 잘 모르는 편이었지만 남티롤의 와인 생산지 마닌코르에 대해서는 들어서 알고 있었다. 고등학교 때 친한 친구 클레멘스가 때때로 그곳 이야기를 했기 때문이다. 남티롤의 아름다운 도시 칼테른 근처에 그의 작은할아버지가 운영하는 포도밭과 와인 양조장이 있다고 했다. 화이트와 레드가 있다는 것 외에는 와인에 대해 아는 바가 없는 내 입에도 마닌코르산 와인은 아주 맛있었다. 그러다가 몇 년이 지나서 나무통에 대한 기사를 쓰기 위해 자료를 찾다가 마닌코르라는 이름과 다시 마주쳤다. 이제는 와인에도 나무통에도 관심이 많아진 나는 마닌코르에서는 사용하는 나무통의 일부를 현지에서 자라는 오크로 만든다는 것을 알고 확 관심이 생겼다. 그뿐 아니라 그곳에서는 화이트 와인도 나무통에서 숙성을 한다고 했는데, 나로서는 들어본 적이 없는 이야기였다.

마닌코르에 가볼 계획은 여러 번 세웠고 남티롤에 갈 일도 여러 차례 있었지만 어쩐 일인지 마닌코르 방문은 계속 성사되지 않았다. 그러다가 2015년 10월 밀라노 세계 엑스포 관련 일을 하던 동안 한 친구이자 동료가 어느 주말에 부모님 댁인 남티롤의 트라민에 놀러 오라고 나를 초대했다. 마닌코르를 방문하기에 절호의 기회였다. 클레멘스를 통해 마닌코르 소유주 미카엘 고에스 엔젠베르크 백작의 연락처를 구했고 그를 만나 마닌코르 와인 산지에 대해, 그리고 와인을 나무통에 숙성하는 것과 관련해 그가 취하고 있는 흥미로운 접근법 대해 이야기를 듣기로 약속을 잡았다.

며칠 뒤 나는 구불구불한 길을 따라 그곳으로 차를 몰았다. 무개차였더라면 얼마나 좋았을까 싶은 순간이 한두 번이 아니었다. 평소에는 너무 불편할 것 같아서 무개차를 싫어하는 편인데, 양옆으로 포도 덩굴이 보이는 구불구불한 길, 사과 과수원, 반짝이는 호수, 예스러운 작은 마을, 만년설 덮인 높이 솟은 산 등의 풍광이 무개차의 불편함을 상쇄하고도 남을 것 같았다.

철기 시대 후기에 이곳에 살았던 라에티아 사람들이 본 풍경은 이와 매우 달랐을 것이다. 하지만 야생 포도 씨에 대한 고고학적 증거와 역사 기록 모두가 심지어 그때도 와인이 생산되었음을 말해준다. 기원전 1세기에 로마가 침공해 포도를 널리 퍼뜨리기 훨씬 이전부터 말이다.[1] 로마인들은 그 전에 페니키아 사람들에게 포도 재배법을 배웠으며, 페니키아 사람들은 다시 기원전 9세기에 고대 그리스와 이탈리아로부터 포도 재배법과 와인 제조법을 배웠다고 알려져 있다. 그리고 그보다 더 전에 고대 이집트와 메소포타미아에서도 포도를 발효한 음료를 즐겼음이 틀림없다. 사실 포도가 처음 경작된 것은 그보다도 이른 기원전 7000년에서 4000년 사이 흑해와 이란 중간 어디쯤이다.[2]

와인 양조 방식은 수천 년 동안 문화의 상징으로 우상화되고 소중히 여겨지면서 기본적으로 지금도 달라지지 않았다. 포도(야생이든 재배든)를 압착해 즙을 내어 천연 이스트로 발효하는 것이다.[3] 물론 오늘날의 양조장을 가보면 엄청난 장비들에 놀라고, 와인 종류마다 각기 다른 발효 과정, 각기 다른 숙성 용기, 각기 다른 병입 및 코르크 봉인 방식이 있다는 점에 놀랄 것이다. 하지만 기본은 늘 동일하다. 재배하고, 수확하고, 압착하고, 발효한다.

와인을 즐겨 마시는 편은 아니지만 와인 양조 공정과 와인을 둘러싼 문화적인 아우라에는 늘 관심이 많았다. 와인은 그 자신의 언어가 있고 과정이 있고 전통이 있다. 특히 나는 와인의 맛을 묘사하는 데 쓰이는 언어에 매번 놀란다. 아마 와인은 단일 식품 중 맛에 대한 묘사가 가장 많은 음식일 것이다. 구글 트렌드(특정한 검색어가 전체 검색량 대비 얼마나 많은 비중을 차지하는지 알 수 있다[4])에서 '와인 맛'을 검색하고 이것을 '맥주 맛', '치즈 맛', '초콜릿 맛', '위스키 맛'과 비교해보면 와인이 항상 압도적인 1등이다.[5]

대부분의 사람들에게 와인 맛을 묘사한다는 것은 처음에는 어렵고 두렵기까지 하지만, 혀와 코로 느끼는 감각을 잘 표현하도록 돕기 위해 범주별로 향을 표시한 바퀴 모양의 표가 있다. '아로마 휠'(Aroma Wheel)을 처음 개발한 사람으로 꼽히는 안 노블은 와인에서 포착할 수 있는 모든 향을 이 표에 표시했다. 이것은 내가 미식과학대학에서 공부할 때 처음 배운 수업 교재이기도 했는데, 꿀, 레몬, 아몬드 같은 기본적인 맛에 더해 탄 성냥, 삼나무, 심지어 먼지 같은 특별한 맛들도 표시되어 있었다.[6] 분명 노블은 와인 맛을 묘사하는 어휘에 더 많은 사람이 쉽게 접근할 수 있도록 돕기 위해 아로마 휠을 고안했을 것이다. 그때까지 와인 세계의 어휘에는 '풍부하다'(rich)라든가 '섬세하다'(fine)와 같이 사회적 계층을 반영하는 형용사가 많았다. 하지만 과일, 돌멩이, 야채 같은 평범한 사물에 접근할 수 있는 사람이라면 누구나 와인 맛을 수월하게 묘사할 수 있게 하자는 것이 노블의 아이디어였다.[7]

물론 "심오하고 깊이 복합적이며, 트러플이 뿌려진 스펀지 케이크, 탄 오렌지, 감초 맛이 난다. 대담하게 섹시하며 시크하다. 타닌은 벨벳처럼 부드럽지만 바디감은 여전히 묵직한 편이다"와 같은 과장된 묘사는 코미디언과 일반인 모두에게 조롱을 사곤 하지만, 와인 맛을 묘사하는 것은 본질적으로 전 세계적인 언어 실험이라고 볼 수 있다.[8] 우리의 혀와 코가 인지하는 신호들을 어떻게 하면 가장 정확하게 묘사할 것인가? 이것은 지금도 계속 개발되고 있는, 맛을 표현하는 새로운 언어다.

유명한 남티롤의 '와인 로드'에 바로 면한 마닌코르 와인 산지에 도착했다. 약간 높은 지대에 있어서 한쪽으로는 칼테른 호수가 굽어보이고 다른 쪽으로는 로이히텐부르크 성 유적이 올려다 보였다. 사실 이 유적도 마닌코르 와인 산지의 일부이고 이곳의 오크 통에 쓰일 나무가 자라는 숲의 한복판에 위치해 있다. 포도밭과 과수원에 둘러싸인 저택은 17세기와 18세기의 남티롤 위베레슈 스타일로 지어진 몇 채의 집으로 이뤄져 있다. 고에스-엔젠베르크 백작이 1991년에 삼촌에게서 이 영지를 구매했을 때는 와인 양조장이 없었는데, 몇 년 뒤 지하에 대규모 와인 양조장과 지상에 작은 상점을 지어서 이 문제를 해결했다.[9] 지하에 지은 이유는 아름다운 저택과 그림 같은 주변 풍광을 해치지 않기 위해서였다. 그 결과, 건축적으로 대단히 흥미로운 건물이 탄생했다. 원래 있던 건물 복합체의 한가운데로 들어가야만 지하 양조장으로 내려가는 널따란 진입로에 다다를 수 있다. 지극히 아름다운 풍광 아래 있는 비밀스러운 지하 공간이라니, 모든 게 제임스 본드 영화에서 튀어나온 것만 같다. 짙은 색의 SUV가 뒤를 쫓는 가운데 애스턴 마틴이 양조장의 커다란 금속제 문을 열고 쏜살같이 나오는 모습이 눈앞에 그려졌다. 뒤쫓는 차에서는 총을 든 악당이 창문으로 몸을 반쯤 내밀고서 말이다. 다행히 건물의 진입로를 따라 내려가는 동안 우리 뒤에는 작은 트랙터 한 대만이 느긋한 속도로 따라왔다.

고에스-엔젠베르크 백작과 만나자마자 와인과 통과 나무에 대해 활기찬 대화가 시작되었다. 곧 우리가 같은 고등학교를 나왔으며 둘 다 목공 일을 배웠다는 사실도 알게 되었다. 나는 그에게도 나무가 삶에서 중요한 부분이리라는 것을 직감했다. 얼마나 그런지는 더 나중에야 알게 되지만 말이다.

고에스-엔젠베르크는 지하 양조장을 건설하는 대형 프로젝트를 마무리한 다음, 2005년에 '생명역학적 농법'을 도입해 이곳 와인 산지를 대대적으로 변모시키는 일에 착수했다. 당시에는 상당히 급진적인 아이디어였다. 그가 보기에 이곳에서 나오는 포도는 그가 생각하는 와인을 만들 수 있는 최상의 품질에 결코 미치지 못해 보였다. 그는 사람들이 좋은 음식과 신선한 공기, 가정에서의 돌봄과 개인적인 관심을 통해 건강을 유지하듯이 포도도 그러한 자연의 돌봄을 필요로 한다는 것을 깨달았다. 그는 전문가의 컨설팅을 받으며 포도 재배 방법을 완전히 바꾸었다. 처음에는 직원 모두가 충격을 받았을 정도였다. 우선, 산업적으로 생산된 화학물질을 일절 사용하지 않고 포도나무들 사이사이에 유익한 식물들을 다양하게 심어서 표토를 일구기 시작했다. 또한 인위적으로 네모난 둑 모양이 되도록 가지를 다듬었던 포도나무가 다시 자연스럽게 자라게 하고, 나무들을 심고, 퇴비를 사용하고, 포도를 하나하나 손으로 돌보면서 포도밭에 생명과 생물종 다양성을 다시 불러왔다.

실로 대대적으로 말이다. 줄지어 선 포도나무들 사이를 걸어가면서 보니 곳곳에서 동물이 활발하게 활동하고 있었다. 벌이 앞뒤로 웽웽 날아다녔고, 새들은 노래하고 닭들은 흙바닥을 긁어대고 있었다. 겨울에는 심지어 양들이 돌아다닌다고 했다. 이렇게 자연이 포도나무를 하나하나 돌봐주는 시스템 아래에서, 드디어 그가 늘 상상했던 양질의 포도가 생산되었고, 그가 꿈꾸었던 와인을 만들 수 있게 되었으며, 그 와인은 여러 저명한 상을 받았다. 이제는 가장 회의적이었던 직원(이곳에서 60년 넘게 일한 사람이었다)도 생명역학적 농법의 가치에 완전하게 설득되었다.[10] 백작에게는 모든 이가 납득하는 것이 무엇보다 중요했다.

와인의 맛과 질은 묘목 심기부터, 포도 덩굴과 땅, 와인 저장고 관리, 통 제조까지, 관여된 모든 사람의 손에 달려 있기 때문이다. 그는 최종적인 와인 맛의 절반까지는 아니라 해도 적어도 3분의 1은 사람에게 달려 있다고 했다.

하지만, 그렇다면 테루아라는 개념은 어떻게 되는가? 테루아야말로 와인 업계에서, (특히 프랑스 와인 업계에서) 처음 나온 말이 아닌가?[11] 백작은 토양의 유형, 특정한 미생물 환경, 햇빛의 방향과 각도 모두가 물론 중요한 역할을 한다고 인정했다. 하지만 그에게 테루아는 인간의 활동도 포함하는 개념이었다.

예상하시다시피 나는 기대에 찬 목소리로, 이 맥락에서 나무가 얼마나 중요한지 물어보았다. 그는 그의 와인에서 나무는 매우 중요한 부분 중 하나이며, 현지에서 생산되는 목재로 통을 만들어 사용하는 것도 테루아 개념에서 영향을 받은 것이라고 말했다. 하지만 뜻밖에도 백작은 와인에서 나무가 갖는 중요성에 대해 무척 조심스러운 태도를 보였다. 어떤 와인 전문가들은 와인을 마셔보고 리무쟁 오크로 만든 통에서 숙성된 것인지 알리에 오크로 만든 통에서 숙성된 것인지를 와인 맛의 차이를 통해 구별해내곤 한다. 하지만 백작은 그의 와인에 대해서도 누군가가 그럴 수 있다면 이것은 그가 와인을 잘못 만들었다는 소리라고 말했다. 그의 신조에 따르면, 그의 와인에서 사람들이 맛보아야 하는 것은 우월한 포도의 맛이지 통에 사용된 나무의 맛이 아니기 때문이다. 포도 이외에 다른 모든 것은 포도의 맛이 더 잘 느껴지도록 지원하는 역할만 해야 한다는 것이다.

이것은 내가 예상했던 답변이 아니었다. 마닌코르에서는 현지에서 생산된 목재를 사용하고 심지어 화이트 와인도 나무통에서 숙성한다고 하기에 나는 그가 나무의 맛을 굉장히 좋아하는 모양이라고 지레 짐작하고 있었다. 와인에서 나무 맛이 많이 날수록 좋다고 생각할 줄 알았는데 그렇지 않아서 나는 좀 놀랐다.

고에스-엔젠베르크는 와인이 제 맛을 낼 수 있도록 최적의 조건을 마련해주는 것이 나무통의 핵심이라고 말했다. 통은 와인이 숨 쉴 수 있게 해야 하고, 그럼으로써 안정성이 높아져 보존제를 쓸 필요성이 적어지게 해야 한다. 나무는 미세 산화를 활성화해서 이것을 가능하게 한다. 와인에 산소를 포화시켜서 나중에 추가적인 산화가 거의 일어나지 않게 하는 것이다(보통은 와인을 따고 나서 시간이 지나면 추가로 산화가 일어나 맛이 밋밋해진다). 또 나무통은 튀는 맛을 둥글둥글하게 잡아준다. 백작에 따르면, 나무통에서 세심하게 숙성된 와인은 더 많이 '살아 있지만' 나무 맛을 갖지는 않는다. 하지만, 나무를 사용하면서도 나무 맛이 나지 않게 하는 게 가능한 일일까?

증류와 발효를 모두 포함해 다양한 종류의 술 전문가들에게 들었던 이야기를 종합해보면, '정확한 나무를 사용한다'는 것의 의미는 크게 둘로 나뉘었다.[12] 그렇다, 우리는 나무와 나무 맛을 원한다(정도의 차이는 있더라도).[13] 아니다, 우리는 나무와 나무 맛을 원하지 않는다. 이제까지 고에스-엔젠베르크와 비슷하게 접근하는 경우는 딱 한 번 보았는데, 셰리주에 대해서였다. 셰리주는 수백 년 정도 된, 즉 아주 오래되어 나무 맛이 거의 남아 있지 않은 통만 사용하며, 이 경우 최종 제품에 나무통이 미치는 영향은 미세 산화를 통한 영향뿐이다. 하지만 마닌코르에서 사용되는 통은 그렇게 오래된 것이 아니었다. 그렇다면 어떻게 이것이 가능할까?

양조장 건물의 회의실을 나와 옛 저택의 정원으로 가면서 백작은 설명을 계속했다. 한쪽에는 판자들이 쌓여 있었는데 통을 만드는 데 쓰일 것임을 바로 알아챘다. 짙은 검회색인 것을 볼 때 수년이나 거기 있었던 것이 틀림없었다. 실제로 숲에서 베어서 위험하고 가파른 산 경사면에서 조심조심 들어 올려서 이리 옮겨 온 지 3년이 조금 넘었다고 했다. 첫해에 나무들이 비를 맞으면서 내놓던 노란 타닌과 강한 바닐라 향을 그는 실감나게 설명했다. 이제는 독한 향들은 다 씻겨 나갔을 게 분명했다. 여기에서 나무를 가르고 잘라 통널까지 만든 뒤 오스트리아의 믿을 만한 통 제조장으로 옮긴다. 목재를 와인 산지에서 직접 조달할 뿐 아니라 건조도 양조장 바로 옆에서 하는 것 모두가 그의 테루아 개념의 일부다. 통 제조장이 이동식 작업장을 가지고 있다면 아마 그는 통을 만드는 것도 여기에서 해달라고 요청했을 것이다.

백작은 몇몇 통 제조장을 테스트해본 뒤 거래할 곳을 선택했고 그 제조장이 이곳의 숲에서 생산되는 목재를 사용하는 모든 통을 만든다. 양조장에서 쓰는 전체 통의 약 20퍼센트인데, 나무를 더 베면 숲의 지속 가능성을 훼손할 수 있어서다. 나머지 80퍼센트는 프랑스 보르도의 통 제조장에서 수입해 온다. 두 곳 다 통널을 적어도 3년 이상 옥외에서 건조시키고 통 내부를 조심스럽고 가볍게 토스팅한다는 공통점이 있다. 그렇게 하면 나무의 향조가 낮아지고 불쾌한 훈연 향이 와인에 남지 않는다.

나무통의 미학과는 대조적으로, 지하에 지어진 양조

장은 완전히 현대식 건물이었다. 전체적으로 옅은 회색이 감도는 베이지 톤의 콘크리트 건물에 문, 계단, 벽 패널, 붙박이 장치, 마감재 등은 모두 금속 재질이었다. 세 개 층에 걸쳐 있는 이 양조장에는 와인 압착기부터 커다란 발효조(이것도 오크로 만들어져 있었다), 통 저장실, 병입 공장, 병 보관 창고, 기계와 도구를 보관하는 넓은 창고까지 와인을 만드는 데 필요한 모든 것이 있었다. 이 공간은 문자 그대로 쿨하고 낮은 톤으로 되어 있었다. 불필요하고 장식적인 것은 하나도 없었고 모든 것이 직선이었다. 명백히 기능주의에 충실한 건물이었다.

내가 갔을 때가 연중 가장 바쁜 시기였기 때문에(포도를 수확하고 와인을 만드는 시기) 와인 양조장은 온통 들썩이고 있었다. 나무로 된 발효조에서는 천연 이스트의 작용으로 거품이 부글부글 올라오면서 굉장한 냄새가 뿜어져 나왔다. 신선한 포도즙, 사워 도우, 알코올, 그리고 모종의 견과류 향이 공기 중에 떠돌았다. 큰 홀에는 채워지기를 기다리고 있는 통들이 가득했고, 사람들은 창고에서 기계, 도구, 그리고 마지막 수확에 쓸 상자들을 준비하고 있었다. 통을 보관하는 큰 창고에는 오크 통이 차가운 조명 아래 일정한 간격으로 줄지어 있었다. 중간에 들른 창고를 포함해 이러한 활동들이 벌어지고 있는 곳들을 모두 거쳐 건물 끝의 긴 금속제 계단에 도착했다. 우리는 점점 더 밝아지는 빛을 향해 계단을 올라갔다. 절반쯤 올라가서야 그것이 인공 조명이 아니라 한낮의 진짜 태양이라는 것을 깨달았다. 우리는 커다란 문을 지나 시음실로 들어갔다. 지하의 양조장에서 올라오면서 보이는 광경은 잠수함에서 잠망경이 올라오면서 밖을 내다보는 것 같았다. 바로 앞의 근경에는 와인 산지의 놀라운 경관, 중간쯤 떨어진 곳에는 칼테른 호수, 멀리는 산을 배경으로 한 옛 성의 윤곽이 보였다. 높은 창문을 통해 그 경관을 내다보다가 야외 테이블에 앉아 있는 화려한 수탉과 눈이 딱 마주쳤다.

고에스-엔젠베르크 백작은 나무통으로 만든 의자에 자리를 권했다. 전에도 통으로 만든 의자들을 본 적이 있었는데, 그것들은 끔찍하게 엉성했지만 이것은 놀랄만큼 우아했다. 나무통이 와인 양조용으로 수명이 다한 이후에 또 다른 사용처를 찾아주는 것이 그의 취미라고 했다. 최고급 품질의 나무가 낭비되지 않길 바라는 마음은 그가 목공 일에도 여전히 열정을 가지고 있음을 보여주는 신호였다. 다른 와인 양조장들도 그렇게 하면 좋을 것 같았다. 그 의자에 앉아서 이곳의 와인 몇 가지를 시음했다. 나는 '나무에서 숙성하는데 나무 맛이 나지 않는' 와인이 어떤 맛일지 몹시 궁금했다. 운전을 해야 해서 아주 조금만 맛볼 수 있었는데도 그것이 드러내는 맛은 놀라웠다.

'모스카토 지알로'라고 불리는 화이트 와인부터 시작했다. 머스캣 품종이 원료이며, 특이하게도 압착한 다음에도 포도 껍질과 열두 시간 동안 더 닿게 해서 다양한 향 화합물을 추출해낸다(이와 달리 대부분의 화이트 와인은 껍질에 닿는 시간을 최대한 줄여서 만든다). 즙의 일부는 오크 통에서 발효시키고(이것도 특이한 점이다), 나머지는 일반적인 스테인리스 스틸 탱크에서 발효시킨다. 강렬한 노란색은 즙이 오랫동안 껍질과 닿아서 생긴 효과다. 향은 매우 상큼해서 감귤과의 커다란 과일인 포멜로가 떠올랐다. 가장 먼저 상큼함이 느껴졌고 곧이어 가벼운 산미와 귤 같은 과일 맛이 났으며 약간의 쌉쌀함도 감돌았다. 놀랍게도 오크 특유의 바닐라 향이 나지 않았다. 굉장히 오래 여운이 남았고, 간혹 화이트 와인에서 불쾌감을 일으키곤 하는 맛의 돌출이 전혀 없었다. 아마도 나무 덕분이 아닐까?

그 다음은 또 다른 화이트 와인 '레제르브 델라 콘테사'였다. 이 이름은 익숙했다. 친구 클레망이 집에 놀러 올 때면 늘 가지고 오던 와인이다. 피노 블랑, 샤도네이, 쇼비

뇽 블랑 품종을 섞어 만들며, 역시 압착 후에 포도 껍질을 한동안(이 경우에는 6시간 정도) 그대로 둔다. 그리고 이번에는 전체를 다 오크 통에서 발효한다.

이 와인도 강렬한 노란색이었고 살구나 멜론을 연상시키는 굉장히 상쾌한 향을 가지고 있었다. 하지만 여기에 더해 이번에는 약간의 바닐라 향을 감지할 수 있었다. 맛은 극히 부드러우면서도 놀랍게 묵직했다. 화이트 와인 치고는 강한 맛이었고 톤이 매우 낮아진 산미와 약간의 쌉쌀한 뒷맛도 있었다. 꿀과 살구 향에 오크의 바닐라 향이 아주 희미하게만 감도는 것이, 첫 와인과도 비슷한 면이 있었다. 맛의 여운이 굉장히 오래가는 게 특히 인상적이었다. 이 범상치 않은 와인은 오크 향이 감돌긴 했지만 너무나 섬세하게 다른 맛들과 어우러져 있어서 놓치기가 쉬웠다.

마지막은 '카시아노'라는 레드 와인으로, 일곱 가지 붉은 포도 품종을 따로따로 압착하고 껍질과 함께(레드 와인은 일반적으로 이렇게 한다) 발효해 60갤런들이(약 227리터) 바리크 통에서 숙성시킨 것이었다. 통의 절반은 더 강한 나무 향을 내놓는 새 통, 절반은 쓰던 통을 사용한다. 자두 빛의 붉은색에 짙은 붉은 과일 냄새가 어우러졌고, 분명히 인지되는 오크의 바닐라 향이 있었다. 맛도 자두를 연상시켰다가 레드 와인치고는 드문 가볍고 상큼한 맛이 어우러졌고 나중에서야 타닌과 그에 따라오는 떫은맛이 나타났다. 이 와인에서는 분명하게 바닐라 맛이 느껴졌지만, 이번에도 톤이 낮아진, 그리고 상쾌한 단맛과 잘 어우러진 채로였다.

두 번째 화이트 와인과 마지막의 레드 와인에서 오크의 향조가 명백히 나타났지만 다른 향들과 몹시 잘 어우러져 있고 균형 잡혀 있는 것이 굉장히 인상적이었다. 오크 향은 고립되어 있지 않았고 다른 모든 향과 함께 말하고 웃고 몸짓으로 어우러지고 있었다.

비로소 나는 고에스-엔젠베르크 백작이 와인에서 나무를 사용하는 것이 어떤 의미인가에 대해 이야기한 바를 이해했다. 나무통은 최종적인 와인 맛에 즉시 감지할 수 있는 나무 맛을 더하지는 않는다. 완벽하게 맞는 향수를 사용했을 때처럼, 나무는 와인 맛을 강조하고 지원해주는 것이지 와인 맛과 경쟁하는 것이 아니다. 매우 정제되고 톤을 낮춘 나무 맛과 솜씨 있게 결합되면 이 고대의 발효 음료는 진정으로 빛이 난다.

이렇게 해서, 나는 마닌코르의 와인에서 현대적으로 재해석된 나무의 맛을 발견했다.

트러플 사냥

밀라노 엑스포에서 8개월간 일을 하고서 여자친구와 나는 군중에서 벗어나 시간을 보내고 싶은 마음이 간절했다. 그래서 우리는 며칠을 리구리아 국립공원에서 조용하게 보내기로 했다. 재충전을 하고서, 마지막 날에 배를 타고 문명세계로 돌아오는 대신 조금 더 도전적이지만 경관이 훨씬 좋은 길을 따라 한 시간가량 하이킹을 해서 차를 세워 둔 곳까지 오기로 했다.

오전 10시쯤 호텔을 나섰다. 고맙게도 가벼운 짐을 어깨에 메고 바위가 있는 해안선을 따라 수백 개의 계단을 오르기 시작했다. 곧 폭우가 쏟아질 듯 습했지만 바다를 내려다보며 가파른 리구리아의 돌 해안을 걷는 것은 즐거웠다.

바다와 하늘이 이음매 없이 연결되어 있었고 멀리 보이는 배의 실루엣만이 그 둘 사이를 가르고 있었다.

해안을 따라 아래쪽으로 2킬로미터쯤 떨어진 산 로코 마을에 돌아오니 우리 차가 지중해의 잣나무 아래 잘 세워져 있는 게 보였다. 이 잣나무는 구불구불한 리구리아 해안 풍경의 특징 중 하나이며 이 지역 음식에 필수불가결한 요소이기도 하다. 엄청난 양의 바질, 파르메산 치즈, 올리브유, 소금, 때로는 마늘, 그리고 너무나 중요한 잣을 넣어 만드는 제노바의 페스토는 세계적으로 유명한데, 여기에 들어가는 잣이 잣나무가 없으면 존재할 수 없기 때문이다. 리구리아 해안의 또 다른 특징을 꼽으라면, 여행객들 사이에서 악명이 자자한 좁디좁은 도로다. 이탈리아에서 운전을 하는 것 자체가 험난한 모험인데, 바위산을 관통하는 좁고 어두운 터널들을 달리는 것은 늘 불쾌한 아드레날린을 분비시킨다(고속도로 자체도 해안의 절벽을 깎고 지어진 구간이 많다). 특히 트럭이 아마도 트럭 운전사로서는 도저히 이해가 안 가는 이유로 시속 80마일 제한속도를 지키며 가고 있는 내 차 옆을 바짝 붙어 추월할 때면 더욱 그렇다.

이런 터널을 따라 달리다 보면 그나마 도로가 넓은 토리노로 빠져나가는 출구가 나오기를 정말로 간절히 고대하게 된다. 하지만 우리의 목적지인 토리노 주변의 평지에 도달하려면 어쩔 도리 없이 먼저 리구리아 해안의 구불구불한 산악 길에서 모험을 해야 한다. 산맥과 해안선이 나란히 나 있는 리구리아는 대단히 다양한 기후와 생태 지역을 품고 있다. 토양이 척박한 편인데도 리구리아 해안은 불과 몇 킬로미터 사이에 오렌지부터 슬로 베리(칵테일 '슬로 진 피즈'로 유명한 베리. '검은 가시'라고도 불리며 열매가 맛있어지려면 서리가 내려야 한다)까지 온갖 먹을거리를 생산한다.

리구리아를 떠난 지 세 시간 만에 토리노에 도착해서 중심가에 차를 세우고 한때 이탈리아의 수도였던 이 도시의 유명한 건물과 골목을 구경했다. 모두 지난 시절을 기념하는 역사적인 유적이었다. 우리의 관광은 토리노 레스토랑계에서 떠오르고 있는 창조적인 콘셉트의 채식 레스토랑 중 하나에서 마무리되었다.[1] 미식과학대학 시절의 친구 몇 명이 마침 여기 살아서 식사 후에는 우리가 제일 좋아하는 와인 바에서 그들과 술을 마셨다.

다시 차로 돌아온 때는 자정이었다. 주차장에는 덜렁 우리 차만 있었다. 가까이 가보니 누군가가 운전석 유리를 깨고 조수석 앞 서랍에서 별 가치도 안 나가는 것들을 훔치려 한 것 같았다. 없어진 것은 길에서 차가 고장 났을 때 긴급 출동 서비스를 받을 수 있는 회원 카드뿐이었지만 차가 엉망이 되어 있었다. 유리 조각이 차 내부에 다 튄 채로 운전하는 것은 불가능했고 가능하더라도 위험했다. 불행 중 다행으로 아직 잠들지 않은 토리노 친구와 연락이 닿아 그의 아파트 차고에 마침 남아 있는 한 자리를 빌리기로 했다. 일단 그날 밤 동안이라도 비바람이나 또 다른 도둑으로부터 차를 안전하게 둘 수 있다는 의미였다.

다음 날 아침, 수리점에 일착으로 가려고 일찍 일어났다. 깨진 창문으로 바람이 쌩쌩 들이치는 가운데 아름답지만 아직 쌀쌀한 가을 아침의 거리를 달리노라니 잠이 홀딱 깼다. 커피도 필요 없었다. 수리점에서 긴 논의와 여러 차례의 전화 통화가 오간 후, 갈아 끼울 옆 유리를 구할 수 있었다. 하지만 갈아 끼우는 데는 몇 시간이 걸린다고 했다. 그래서 정작 피에몬테에 온 주 목적이 어그러질 위기에 처했다. 우리의 행선지는 라 모라였는데, 한나절을 차 수리에 버리고 나면 시간에 맞게 라 모라에 가기는 불가능할 터였다.

피에몬테 남부, 랑게 지역의 높은 언덕에 위치한 라 모라는 작지만 풍광이 빼어난 마을이다. 이탈리아 최고 품질의 레드 와인 산지이기도 하다. 이 지역에서 나는 네비올로 품종 포도는 그 이름을 그대로 딴 네비올로와 바르바레스코, 그리고 세계적으로 유명한 바롤로의 원료다. 미식과학대학의 와인 교수님은 바롤로를 '명상 와인'이라고 부르곤 하셨다. 굉장히 묵직하고 무거우며 타닌이 많아서 마시려면 시간이 많이 필요하기 때문이다.

하지만 내가 랑게에 가는 것은 와인이 아니라 세계적으로 유명한 또 다른 특산품 때문이었다. 바로 알바의 화이트 트러플이다. 나는 알바에서 몇 킬로미터 떨어진 라 모라에 사는 베테랑 트러플 채집가 마르코 바랄도와 만나기로 되어 있었다. 트러플이 특정한 나무 종들과 공생하는 버섯균이기 때문에, 나는 나무의 종류마다 트러플의 맛에 다른 영향을 미치는지가 너무 알고 싶었다. 어쩌면 트러플이 나무 맛의 비밀을 품고 있지 않을까?

그런데 이 만남이 자동차 강도 때문에 엉망이 될 지경이 된 것이다! 나는 정말 열받았다!

잼을 넣은 코르네토와 에스프레소로 달콤한 이탈리아식 아침 식사를 하러 간다는 것으로 화를 약간 진정시켰다. 그런데 더없이 놀랍고도 반가운 우연이 발생했고, 나는 기적을 믿게 되었다. 식사를 하면서 실망을 달래고 있는데, 미식과학대학 시절 친구이자 식도락가인 필이 문자를 보내왔다. 휴일을 맞아 여기에 와 있다는 것이었다. 곧바로 그에게 전화를 해서, 꿍꿍이가 아주 없지는 않은 채로, 그에게 그날 특별한 계획이 있느냐고 넌지시 물어보았다. 다행히 그는 특별한 계획이 없었고 트러플 채집에 동행하는 데 매우 관심을 보였다. 게다가 그는 자동차도 있었다. 30분 뒤에 우리는 라 모라를 향해 고속도로를 달릴 수 있었다.

눈길을 돌리는 곳마다 밝은 가을 색이 빛나는 11월의 아름다운 날이었다. 토리노 주변 포 밸리의 평지도, 그 다음에 진입한 피에몬테의 언덕도, 각자의 색상을 뽐내고 있었다. 평지 쪽은 야하다 싶을 만큼 밝은 금색의 포플러 나무가, 언덕 쪽은 붉은 헤이즐넛 덤불과 포도나무가 지배하고 있었다. 먼 배경에 보이는 눈 덮인 산과 대비되어 더 생생해 보였다. 토리노를 둘러싼 이 산들은 대개 짙은 안개 때문에 희미하게만 보이는데 오늘처럼 맑은 날에는 장벽처럼 평원 한가운데에 우뚝 모습을 드러낸다.

우리는 제 시간에 라 모라에 도착했고 마을 바로 외곽에 있는 주차장도 제대로 찾았다. 숲으로 들어가기 전에 바랄도와 1차로 접선하기로 한 곳이었다. 그는 깜찍한 피아트 판다 4×4 오리지널 모델을 타고 주차장에 이미 도착해 있었다. 차에는 신난 트러플 사냥개 두 마리가 있었다. 우리가 차에서 내려 등산화를 채 갈아 신을 새도 없이 그는 마을 조금 아래쪽에 있는 포도밭과 작은 숲 지대의 입구에서 만나자고 하고는 다시 자기 차로 돌아갔다. 그곳까지 걷는 것은 즐거운 산책이었다. 길 왼쪽에는 잎이 초록색에서 붉은 밤색으로 변신할 준비를 하고 있는 포도나무들이 있었고 오른쪽에는 붉은 갈색 잎의 헤이즐넛 관목이 일정한 간격으로 늘어서 있었다. 활엽수들이 낙엽을 떨구고 난 터라 아래쪽 랑게 계곡의 옅은 안개 낀 풍경을 비교적 시원하게 볼 수 있었고 그 너머로는 점점 산세가 험해지는 산의 모습이 보였다. 이마 위로 조용한 산들바람이 스쳤고, 낮게 깔린 해가 투사하는 우리의 긴 그림자가 녹슨 하프 줄을 뜯기라도 한 것처럼 바람에 흔들리는 마른 잎들 위로 일렁거렸다. 사방에서 들리는 자연의 교향곡과 함께, 우리는 겨울에 한층 더 약해지기 전의 마지막 따스한 햇볕을 조용히 즐겼다.

발밑에 숨어 있을 맛있는 트러플을 기대하면서 바랄도와 만나기로 한 숲 입구에 도착했다. 이번에도 그가 먼저 와서 기다리고 있었다. 숲으로 들어가기 전에 바랄도는 트러플의 비밀스러운 지하 세계에 대해 간단히 설명해주었다. 트러플은 혹을 형성하는 버섯균으로, 수천 년 전부터 전 세계에서 귀한 식재료로 쓰였다.

트러플에 대한 기록은 기원전 1728년에서 1531년 사이 수메르 판각 문자로까지 거슬러 올라간다. 또한 플라톤부터 아리스토텔레스, 플루타르코스, 테오프라스토스까지 고대의 저자들도 트러플에 대한 언급을 남겼다. 바랄도에 따르면, 고대 그리스 사람들은 트러플이 번개와 천둥에 의해 만들어진다고 여겼다. 이 믿음은 사하라의 베두인 유목민들 사이에서 아직도 이어지고 있다. 또 많은 이들이 성경과 코란에 나오는, 신께서 사막을 가로지르는 이스라엘 사람들에게 주셨다고 하는 신의 음식 '만나'(Manna)가 트러플을 지칭한다고 보고 있다.

이들 옛 자료에 언급된 트러플은 '사막 트러플'을 말하는 것으로 보인다. 생물 분류상으로는 유럽 트러플 목에 속하지만 건조 지역이나 반(半)건조 지역인 중동에서 자란다. 또한 땅속으로 약 30센티미터까지도 깊이 들어가 자라는 유럽 품종 트러플과 달리 더 지표면 가까이에서 자란다. 따라서 사막 트러플은 열매 부분이 지표로 뚫고 올라오는 경우가 많아서 육안으로 볼 수 있기 때문에 트러플 사냥개가 필요하지 않다.[2] 유럽 품종 트러플에 대한 기록은 17세기에 등장하기 시작한다. 당시 이탈리아와 프랑스 귀족 층에서는 트러플 채집이 인기 있는 여가 활동이었다. 식도락가들의 이러한 여가 활동은 오늘날에도 계속되고 있다. 오늘 우리의 피에몬테 탐험이 보여주듯이 말이다.

트러플과 관련된 생물학도 역사 못지않게 흥미롭다. 자연에서 볼 수 있는, 또 슈퍼마켓에 포장되어 있는 여느 버섯과 마찬가지로 우리가 먹는 트러플은 버섯의 열매 부분에 해당하고 실제 버섯 자체는 눈에 잘 띄지 않는 흰 그물이다. 이것을 균사체라고 부른다. 균사체는 수 평방킬로미터에 걸쳐 분포하기도 한다.[3] 균사체를 이루는 미세한 실 같은 물질을 균사라고 부르는데, 두께는 2~10마이크로미터다.[4] 비교를 위해 덧붙이자면, 인간 머리카락 두께는 30~80마이크로미터다.[5] 다른 버섯들과 마찬가지로 트러플은 특정한 나무와 관계를 맺으면서 체외공생(ectosymbiosis)을 한다. 균사는 딱 맞는 양말처럼 나무의 뿌리를 세포 수준에서 둘러싸서 나무가 체내에서 영양분을 순환

시키는 사이클에 접한다. 그렇게 해서 나무가 광합성으로 만드는 양분, 즉 당분이나 아미노산 등이 버섯의 열매 부분에도 유입된다.

하지만 트러플은 거머리처럼 양분을 빨아 먹기만 하는 존재가 아니다. 오히려 그 반대다. 균근(버섯과 나무의 공생체)은 나무와 숲에도 매우 중요하다. 우선, 뿌리 주위에 보호막을 형성해서 나무가 병균을 막아내고 마르지 않게 해준다. 또 균근은 연장된 뿌리 역할을 해서 양분과 물을 더 멀리서부터 끌어와 나무에 공급한다.[6] 버섯에 있는 여러 물리적, 화학적 성질은 거친 유기 물질들, 가령 나무나 심지어는 바위까지도 깨뜨려 거기에 있는 영양분을 나무가 이용할 수 있게 해주기도 한다.[7] 마지막으로, 균근은 숲의 토양에 방대한 네트워크를 구축해 대부분의 나무와 풀을 뿌리를 통해 연결시킴으로써 양분, 물, 미네랄, 그리고 어쩌면 정보까지도 교환될 수 있게 해준다. 우리가 사용하는 인터넷과 매우 비슷해서, 이것을 묘사하기 위해 '우드 와이드 웹'이라는 독창적인 용어도 생겼다.[8]

나무로부터 얻는 양분으로 트러플 균사체는 무척 귀한 열매를 형성한다. 유명한 알바 화이트 트러플부터 프랑스의 블랙 페리고르 트러플, 또 유럽의 여름 트러플까지 말이다. 흥미롭게도, 트러플 종류마다 서로 다른 나무를 필요로 한다. 바랄도에 따르면, 가령 알바 화이트 트러플은 오크, 포플러, 느릅나무, 버드나무, 린덴 나무에서만 자란다. 그렇다면, 나무에 따라 맛이 다를까?

'열매'를 형성하는 버섯은 전 세계에 180종 정도 있다고 추산된다. 그중 미식에 쓰이는 것은 몇 되지 않고 그것들은 금처럼 비싸다. 2010년에 알바 화이트 트러플 1.3킬로그램이 미국 달러로 41만 7200달러에 팔렸다. 그램당 321달러나 되는 것이다.[9] 알바 화이트 트러플 채집 지역에서 우리가 겨우 약 15킬로미터 떨어져 있었으므로 오늘 우리가 발견할 가능성도 없지는 않았다. 누가 아는가?

트러플의 역사와 과학을 알았으니, 이제 빨리 채집을 하고 싶었다. 바랄도의 개 두 마리도 계속 짖는 걸 보니 그러고 싶은 게 분명했다. 우리는 트러플 사냥개 두 마리와 함께 숲을 걷기 시작했다. 더 나이가 많은 개의 이름은 로키, 더 어린 개는 릴라였다. 이들은 곧바로 숲 바닥을 예민한 코로 킁킁거리며 탐색하기 시작했다. 그러는 동안 바랄도는 우리에게 트러플 채집의 비밀 몇 가지를 알려주었다. 트러플이 특정한 종류의 나무하고만 공생하기 때문에 먼저 나무를 제대로 찾아야 한다. 운 좋게도 그 나무들이 모두 여기에 있었다. 그 다음의 명백한 신호는 숲 바닥에 다른 버섯들이 있는 것이다. 특히 '사제의 모자'라고 불리는 것이 있으면 좋다(작고 안장 같은 모양을 하고 있어서 영어로는 '요정의 안장'이라고도 불린다[10]). 마지막으로, 사냥이나 낚시와 마찬가지로 서두르지 않아야 한다. 느리고 꾸준하게 달리는 사람이 종국에 승리한다(트러플의 경우, 수천 달러를 번다).

큐 사인이라도 떨어진 듯이 릴라는 중간 크기 오크나무의 뿌리를 파헤치기 시작했다. 릴라의 짧은 꼬리가 맹렬히 흔들렸다. 바랄도는 릴라 옆에 간식을 던져서 릴라의 관심을 돌리고 스마트폰 정도 크기의 접이식 트러플 삽으로 조심조심 땅을 파기 시작했다. 몇 초 만에 월넛 만한 크기의 작은 블랙 트러플이 나왔다. 우리 중 누구도 이 발견에 기여한 바 없었지만 그래도 우리는 매우 신이 났다. 작고 쪼글쪼글한 이 검은 물체를 조심스럽게 좌중에 돌리면서, 희미한 향을 맡아보려고 노력했다. 나중에 바랄도는 갓 캔 트러플은 좋은 와인과 같다고 했다. 열어서 한동안 숨을 쉬게 해야 완전한 향이 살아난다는 것이었다.

흥미롭게도, 트러플의 질과 피에몬테에서 생산되는 와인의 질 사이에는 역의 상관관계가 있다. 트러플 생산이 많은 해는 와인에 안 좋은 해다. 그 이유는 트러플은 번개의 산물이라는 고대 그리스의 믿음과 그리 동떨어져 있지 않다. 트러플은 늦봄과 초여름에 생기기 시작해 여름 내내, 그리고 가을에도 많은 양의 물을 필요로 한다. 그런데 포도는 해가 쨍쨍 나야 잘 자란다. 그래서 트러플 채집가들은 비 오고 천둥 치는 여름을 좋아하지만 와인 생산자들은 그와 반대다.

바랄도는 그의 개 두 마리에 대해서도 이야기해주었다. 바랄도에게 개들은 이 세계를 의미했다. 둘 다 잡종으로, 로키는 래브라도와 스피논 이탈리아노와 브리타니의 잡종이고 릴라는 거의 순수한 스피논 이탈리아노이며 둘 다 사냥개의 혈통을 가지고 있었다. 하지만 바랄도는 훌륭한 트러플 개의 자질을 갖추려면 사냥 DNA만으로는 부족하고 마음과 영혼에 트러플을 지니고 있는 개여야 한다고 열정적으로 말했다. 실제로 이 개들은 영혼에 트러플을 품고 있는 것 같았다. 처음 것을 발견한 지 10분도 안 되어서 두 마리 모두 또다시 꼬리를 세차게 흔들면서 땅을 파기 시작했다. 이번에도 간식으로 개들의 관심을 돌리고 몇 분 후에 우리는 상당히 큰 알바 화이트 트러플을 찾는 행운을 안았다. 붉은 체크무늬 손수건으로 살며시 감싼 후 한 명씩 돌아가며 보았다. 새벽에 부서진 자동차 창문으로 시작해서 이른 저녁에 화이트 트러플로 마무리를 하다니, 참으로 굉장한 하루였다.

화이트 트러플은 블랙 트러플보다 표면이 더 부드러워서 조금 더 맛있어 보였고 약간 더 강한 흙, 혹은 사향 같은 향과 희미하게 마늘 향도 났다. 다소 이상하면서도 매우 입맛이 돌게 하는 향이었다.

로키와 릴라 모두 간식을 한 번 더 먹었다. 화이트 트러플은 상을 두 배로 주기로 되어 있기 때문이다. 더 나이 든 개 로키는 진작 이것을 파악해서 화이트 트러플 찾는 데 도사가 되었다. 대조적으로 릴라는 아직 젊은 혈기에 어느 것이든 맹렬히 찾아 나선다.

아직까지는 성공적인 트러플 채집을 계속하면서 나는 바랄도에게 트러플이 자라는 나무에 따라 트러플 맛이 달라지는지 물어보았다. 놀랍게도 그는 이 가설을 강하게 지지했을 뿐 아니라 각각의 차이와 각기 어떤 음식과 어울리는지도 구체적으로 설명해주었다. 포플러, 린덴, 버드나무에서 자라는 트러플은 색이 더 밝고 오크나 느릅나무에서 자라는 것은 더 짙다. 맛도 그렇다. 더 밝은 색의 트러플은 더 섬세한 맛이 나서 계란이나 퐁듀 요리에 잘 어울리고,

색이 짙은 것은 맛이 더 강렬하고 오래가며 고기 요리와 잘 어울린다. 파스타는 둘 다 잘 어울린다.

하지만 최고의 트러플은 벌레가 파먹은 흔적이 있는 것이라고 했다. 이 말을 할 때 바랄도의 눈이 반짝였다. 숲 속의 생물들은 전혀 멍청하지 않아서 최고로 맛있는 것을 기가 막히게 고른다고 했다. 또 그는 트러플을 막 먹고 난 지렁이를 발견하면 구워서 먹으라고 강하게 추천했다. 굉장히 맛있다고 했다. 물론 나는 그 말을 모두 믿었다. 그리고 어느 나무에서 자란 트러플을 먹은 지렁이인지에 따라 맛이 다를지 궁금했다.

홀린 듯한 채집은 계속되었고 해가 낮아져 이제 시야가 너무 어둡지 않나 싶어진 시점에 화이트 트러플을 심지어 하나 더 발견했다. 걸어서 차로 돌아오면서 나는 수백 달러나 수천 달러를 쓰지 않고 트러플에 흡수된 다양한 나무의 맛을 어떻게 볼 수 있을지에 대해 골똘히 생각했다. 값싼 트러플 오일은 선택지가 아니었다. 바랄도도 강하게 반대했다. 인공적으로 향이 강화되어 있을 것이기 때문이다. 설령 그렇지 않은 것을 찾아낸다 해도 나무 종류별로 트러플 오일이 따로 나오는 게 아니라 여러 나무에서 자란 트러플들을 섞어 만든 오일일 터이므로 나무의 종류에 따른 맛을 비교해볼 수는 없을 것이었다. 해결책이 요원해 보였다.

안타깝지만 그날 채집한 트러플을 먹어보기 위해 더 머물 수 있는 상황도 아니었다. 토리노의 자동차 수리점이 문 닫기 전에 돌아가 (바라건대 이제는 창문을 닫을 수 있는) 차를 찾아야 했기 때문이다. 해질 녘에 안개 낀 색색의 랑게 계곡이 내려다보이는 길을 따라 피에몬테로 돌아오자, 몇 년 전 이탈리아에서 미식과학대학을 다니기 시작한 지 얼마 안 되었을 때 바로 여기에서 내 생일 날 저녁 식사를 했던 것이 또렷이 기억났다. 대학교가 알바에서 20분 거리에 있어서 친구들이 알바에서 트러플을 먹어보자고 했고 우리는 바로 실행에 옮겼다. 친구의 친구가 강력하게 추천한 식당에 가서 트러플 메뉴를 주문했다. 그때는 학생이었으므로 블랙 트러플을 시켰다.

가장 기억이 생생한 것은 굉장히 짙은 노란색의 탈리아텔레 파스타 면(계란 노른자가 잔뜩 들어간 모양이었다)에 버터, 그리고 간 블랙 트러플이 올라간 음식이었다. 신선한 파스타, 녹은 버터, 그리고 흙 맛과 약간의 황 향이 나는 블랙 트러플은 냄새만으로도 굉장했는데, 맛은 이 세상 맛이 아니었다. 파스타의 달콤한 전분과 버터의 기름진 느끼함에 강렬하고 흙 맛이 나는 블랙 트러플이 어우러져 형언할 수 없는 맛을 냈다. 여기에서 "형언할 수 없다"는 것은 그저 관용적인 표현이 아니다. 블랙 트러플의 맛을 묘사하는 것은 실제로 불가능했다. 그러니 같은 트러플이 다른 종류의 나무에서 자란 것을 발견한다 해도 그 맛의 차이를 내가 말로 표현하지는 못할 것이었다. 음식과 음식 맛에 대해 글을 쓰는 사람에게는 전혀 바람직한 상황이 아니었다.

그때 한 친구가 구세주처럼 나타났다. 대학 시절 친구인 새러인데, 포스트카드 티 상점의 팀 도파이를 소개해준 사람이기도 하다. 새러는 자신이 도쿄에 새로 문을 연 콘셉트 레스토랑에 대해 알려주었다. '아웃'이라는 이름의 이 레스토랑에서는 신선한 수제 파스타에 트러플을 듬뿍 얹은 메뉴만 내놓는다고 했다. 레드 와인과 레드 제플린의 음악과 함께.

나는 늘 트러플에 둘러싸여 있는 새러에게 방대한 트러플 시식에서 얻은 지식을 좀 나눠줄 수 있는지 물어보았다. 새러는 기꺼이 응해주었고, 트러플의 맛도 묘사할 수 있었다. 새러에 따르면, 트러플은 훈연한 깊은 맛이 나고, 나무 칩, 흙, 버섯, 습한 땅, 황, 심지어 초콜릿과 탄 캐러멜의 단맛도 섞여 있다. 또한 새러는 트러플이 약간 이상해지면 등유 같은 화학적인 맛이 생성되면서 굉장히 놀라운 맛이 된다고 했다. 하지만, 흥미롭게도 트러플의 향과 맛을 묘사하는 것은 새러에게도 어려운 일이었다. 그래서 새러는 그것을 '완전한 흥분의 느낌'이라고 표현하는 것을 더 좋아한다.

전 세계의 미식가들이 가장 많이 찾는, 그리고 가장 비싼 이 지하의 음식에 숨겨진 나무 맛의 향연을 묘사하는 데 '흥분'은 실로 적절한 표현이다.[11] 그리고 이 경이로운 지하의 맛은 공생 덕분에 가능하다. 나무 없이는 트러플도 있을 수 없다.

나무껍질에 숨겨둔 치즈

미식과학대학 동창인 친구가 오스트리아의 온라인 치즈 가게 링크를 보내온 것이 모든 일의 시작이었다. 내가 나무 맛을 찾아다닌다는 사실을 알고 있었던지라 어느 날 가문비나무 형성층(껍질 바로 안쪽의 연한 부분)으로 감싸 숙성한 치즈 이야기를 보고 내게 링크를 보내준 것이었다. 나는 흥미가 동했지만 곧바로 그것을 찾아보지는 못했고, 그 메일은 내 메일함에서 다른 이메일들에 파묻혔다. 그런데 불과 일주일이 지나서, 위의 사건과는 전혀 상관없이, 부모님이 그 다음 주에 방영 예정인 BBC 다큐멘터리에 대한 정보를 보내주셨다. 「해외의 요리사」라는 프로였는데, 런던에서 활동하는 요리사 모니카 갈레티가 앞서 내 친구가 보내준 링크에 나오는 것과 비슷한 치즈를 만드는 프랑스 치즈 생산자를 방문한 내용이었다. 나는 링크를 캘린더에 저장하고 이번에는 잊지 않고 방송을 보려고 알림 설정도 해두었지만 왜인지 알림이 울리지 않았다. 이것으로 이야기가 끝날 수도 있었다. 그런데 다시 일주일 뒤에 이번에는 스위스 치즈 회사가 빈에 매장을 내는 것을 돕고 있는 또 다른 친구와 근황 이야기를 나누게 되었는데, 이 친구도 나무껍질로 감싼 치즈에 대해 이야기했다. 이쯤 되면 이것은 운명이라고 보아야 한다.

독일에 '미트 뎀 자운팔 빈켄'(mit dem Zaunpfahl winken)이라는 말이 있는데, 직역하면 '울타리 표지판을 가지고 흔들다'라는 의미이지만(독일어는 퍽 이상한 언어다) 실제로는 '광범위한 힌트를 주다'라는 뜻이다. 그리고 운명이 오스트리아, 프랑스, 스위스 등 가능한 모든 방향에서 울타리 표지판(아마도 가문비나무로 만든)을 흔들며 나에게 광범위한 힌트를 주고 있었다. 그래서 나는 밀라노로 돌아가는 길에(그때 나는 밀라노에 살고 있었다) 형성층으로 감싼 치즈에 대해 휴대폰으로 검색해보았고 어찌어찌 '상글레'라는 이름에 닿게 되었다. 이런 유의 치즈를 일컫는 프랑스 말인 것 같았다. 사전을 찾아보니 상글레는 '띠'

라는 뜻으로, 치즈 둘레를 감싸는 가문비나무 띠를 지칭하는 듯했다. 프랑스어를 할 줄 몰라 상글레에 대해 더 알아보는 것은 막다른 골목에 부딪혔다. 하지만 밀라노에 돌아와 내 컴퓨터와 재상봉 했을 때 친구와 부모님이 보내준 링크를 열어보았더니 내게 필요할 법한 정보가 다 들어 있었다. 그중에서도 내 취재에 특히 도움이 될 것 같은 사람 한 명이 눈에 띄었다. 세계적으로 유명한 스위스의 치즈 생산자 빌리 슈미트였다. 그는 스위스 치즈계의 록 스타나 다름없었다. 2006년에 자신의 치즈 제조장을 세운 이래 스위스의 가장 혁신적인 치즈 생산자로 이름을 떨치고 있었다. 2010년에는 세계 최고의 저지 치즈(블루치즈)에 주는 상을 받았고 2년 뒤에 다시 한번 이 영예를 안았다.[1]

무엇보다 그는 상글레 치즈를 두 종류 생산하고 있었다. 하나는 산악 가문비나무라는 뜻의 베르그피히트로, 살균 처리하지 않은 소젖으로 만든 치즈이고, 다른 하나는 나무 염소라는 뜻의 횔체른 가이스로, 살균 처리하지 않은 염소젖으로 만든 치즈였다. 게다가 그는 독일어를 할 줄 알았고 그의 치즈 농장은 밀라노에서 차로 몇 시간만 가면 나오는 취리히 동쪽의 세인트 갈렌 구에 있었다.

나는 그의 치즈 농장 전화번호를 찾아내서 바로 전화

를 걸었다. 그가 직접 전화를 받았고 찾아가도 되겠냐고 묻자 흔쾌히 수락해주었다. 자동차로 가는 게 좋을지 대중교통으로 가는 게 좋을지 물었더니 그는 주저 없이 대중교통을 추천하면서 특히 버스로 오면 편하다고 알려주었다. 하지만 엑스포에서 시달리다 겨우 쉬게 된 이틀 동안 버스 시간표에 매이고 싶지 않아서 그의 말을 듣지 않았다. 그리고 곧 후회했다. 스위스-이탈리아 국경을 넘으려면 40프랑짜리 '연간' 통행증을 끊어야 했던 것이다. 나는 딱 이틀만 필요하지만 1년짜리 통행증만 팔기 때문에 도리 없이 그걸 사야 했다(스위스는 이렇게 며칠만 왔다 가는 관광객들 덕분에 돈을 왕창 벌고 있을 것이다. 잘했다, 스위스!)

이탈리아에서 스위스로 들어서니 운전이 확 달라지는 게 느껴졌다. 도로 상태도 완벽했지만(나 같은 사람들이 1년짜리 통행증을 구입하는 것이 크게 일조했을 것이다), 그보다는 교통의 흐름 자체가 달랐다. 정확히 무엇이 달라진 것인지 알아내기까지는 시간이 좀 걸렸는데, 깨닫자마자 웃음이 터졌다. 모두가 제한속도를 지켜가며 조심조심 운전을 하고 있었다! 이탈리아에서는 생각할 수도 없는 일이다. 하지만 스위스에서는 속도위반 벌금이 어마어마하다. 제한속도를 시속 1~3마일(1.5~5킬로미터)만 넘겨도

2 맛있는 나무

40프랑을 내야 하고 시속 7~9마일(11~14킬로미터) 넘기면 160프랑을 내야 한다.[2] 단지 서류상의 벌금이 아니다. 위반한 운전자를 끝까지 찾아내 기어코 벌금을 징수한다. 세인트 갈렌이라는 작은 구에서만도 2014년 한 해 동안 과속 벌금을 1740만 프랑이나 거둬들였다.[3]

얼마 후 버스를 타지 않고 차를 몰기로 한 것이 실수였음을 한층 더 확실히 깨닫게 되었는데, 고트하드 터널 앞 공사 때문에 교통이 두 시간이나 완전히 멎은 것이다. 세계에서 대중교통이 가장 잘되어 있는 나라에서 차를 몬다는 것의 의미에 대해 정말로 값진 교훈을 얻었다.

이 말은 스타틀리차시 리첸스타이크에 있는 그의 농장에서 빌리 슈미트를 만나기로 한 약속 시간에 굉장히 늦을지도 모른다는 의미였다. 점점 더 다급해지는 마음으로 (하지만 제한속도는 계속 잘 지키면서) 운전을 하는 와중에도, 계속 달라지는 아름다운 광경에 감탄했다. 불과 몇 킬로미터 사이에 높은 산으로 둘러싸인 깊은 골짜기, 구불구불한 길 양옆으로 갈색과 흰색의 점박이 소떼가 풀을 뜯는 저지대 초원, 교회 주위에 지어진 매력적인 작은 농가 마을, 그리고 놀랄 만큼 산업적으로 보이는 창고와 공장들을 볼 수 있었다. 어느 면에서 스위스를 완벽하게 묘사하는 장면이었다. 농업을 기반으로 하되 세계 선도적인 고도의 전문 산업도 발달한 나라 말이다. 그럼에도 원래의 농가 풍경 역시 여전히 남아 있었다. 나는 세계적으로 유명한 스위스의 시계 산업이 어떻게 시작되었는지에 대한 이야기에 늘 놀라곤 한다. 스위스의 초창기 시계공들은 원래 농한기인 겨울 동안에 할 만한 부수입 거리를 찾던 농민들이었다.[4] 작물이 자라는 계절에는 밭에서 일하다가 겨울에는 침침한 불을 밝히고 시계에 쓸 정밀한 금속 부품을 만드는 것이 상상이 가는가? 이렇게 매력적인 이야기들이 있으니, 전 세계 소비자가 스위스제 물건들을 갖고 싶어 하는 것은 놀랄 일이 아닐 것이다.

적어도 켈트족으로까지 역사가 거슬러 올라가는 치즈도 전 세계 소비자가 원하는 스위스제 물건 중 하나다.[5] 그래서 나는 20세기에 치즈 애호가들 사이에서 스위스 치즈의 품질과 평판이 막대하게 손상되었다는 슈미트의 말에 상당히 놀랐다(이때는 어찌어찌 그의 농장에 도착해서 스위스 치즈의 역사에 대해 그와 흥미로운 대화를 나누는 데 푹 빠져 있었다). 1930년대까지만 해도 스위스 치즈 업계는 비교적 다양성이 큰 편이었고 많은 농장이 여전히 블루치즈(그의 대표 치즈)를 만들었다. 하지만 스위스 치즈 다양성의 몰락은 그보다 몇 년 전, 1차 대전이 발발한 1914년에 이미 시작되었다. 이때 '스위스 치즈 연합회'가 설립되었는데, 이것은 우유 생산자, 치즈 생산자, 수출업자 사이의 정부 공인 카르텔이나 마찬가지였다. 전쟁 중에 산업이 붕괴하는 것을 막기 위해서였는데, 우유 산업이 스위스 전체의 중요한 식품 산업이었음을 생각하면 충분히 이해할 만한 조치였다.

우유와 치즈는 가격이 고정되었고 생산 할당제가 도입되었다. 이것이 치즈의 다양성을 유지하는 데 심각한 문제를 초래했다. 처음에는 생산이 그뤼에르, 에멘탈, 스브린츠 세 종류의 치즈로만 제한되었다. 모두 경성 치즈다. 양차 대전 사이의 격동기에도 치즈 연합회는 사실상 계속 유지되었고 업계를 안정화시키려는 노력을 지속했다. 기준은 약간 느슨해졌지만 여전히 세 가지 경성 치즈가 선호되었다. 이어 2차 대전이 주변국들을 휩쓸면서 이 작은 나라는 다시 한번 자급자족을 해야 했다.

전쟁이 끝날 무렵에는 농민들이 치즈 연합회가 우유 전량을 수매하는 것에 완전히 익숙해져서 이 관행이 계속되기를 요구했다. 정부도 동의했지만 농민들이 치즈 연합회가 정한 종류와 양에 따라서 생산한다는 조건에서였다.

즉, 그뤼에르, 에멘탈, 스브린츠만 생산되어야 한다는 말이었고, 이것들은 모두 선반 수명이 긴 경성 치즈였다. 연성 치즈의 자리는 없었고 다양성의 여지도 없었다. 연합회의 수출업자들은 치즈가 빠르게 상하지 않고 대량으로 판매할 수 있는 것이어야 좋았고, 곧 구매업자들도 이를 자신들에게 유리하게 이용했다. 연합회의 재고가 꽉 찰 때까지 기다리면 크게 할인을 받을 수 있었던 것이다.

흥미롭게도, 치즈 연합회는 지역 음식이었던 퐁듀가 세계적으로 유명해지는 데도 기여했다. 수십 년간 대대적인 광고를 펼치고 특히 1964년에 뉴욕 세계 박람회에서 퐁듀가 대히트를 치면서, 전 세계 사람들이 스위스에서는 다들 퐁듀를 (그리고 초콜릿을) 먹고 사는 줄 알게 된 것이다.

1990년대 말에 세계무역협정 규준 위반으로 간주되어 치즈 연합회가 해체되고서야 스위스 치즈 업계는 예전의 다양성을 회복하기 시작했다. 슈미트는 2006년에 치즈 농장을 열었고, 어떤 이들은 이것이 스위스에 수제 치즈 생산이 되돌아온 기점이라고 평한다.[6] 내 취재의 계기가 된 나무 형성층으로 감싼 치즈도 처음부터 그의 제품군에 포함되어 있었다. 그는 나무껍질로 치즈를 감싸는 것은 치즈 제조의 뿌리로 돌아가는 것이라고 말했다.

치즈에 나무껍질이 어떻게 사용되는지를 알려면 치즈를 만드는 기본적인 제조 과정을 먼저 알아야 한다. 모든 치즈는 소, 염소, 양 등 동물의 젖에서 시작한다. 동물 젖(신선할수록 좋다)을 용기에 넣고 서서히 가열해 31~33도가 되게 한다. 이 온도에 도달하면 단백질을 응고해 '커드'로 만들어주는 '레닛'을 넣는다. 커드가 분리되고 난 나머지 액체는 '유장'이라고 부른다. 커드가 다 형성되면 조각조각 잘라 다시 한번 가열한 뒤 물기를 빼고 작은 구멍들이 난 틀에 넣고 짠다.[7] 이 틀은 치즈 모양을 잡고 남아 있는 유장을 추가로 제거하는 두 가지 기능을 한다. 요즘은 작은 구멍들이 뚫린 플라스틱으로 만들지만 전에는 나무껍질로 만들었고 특히 가문비나무 껍질이 많이 쓰였다. 봄이 되면 치즈 장인들은 숲으로 가서 원하는 직경의 가문비나무를 골라 틀의 높이만큼이 되도록 가로로 두 번 칼집을 냈다. 그 다음에 한쪽을 세로로 한 번 가르고 나무에서 껍질을 살살 벗겨(봄철에는 형성층에 수액이 많아서 껍질을 벗겨내기 쉽다) 위아래가 뚫린 원통형이 되게 했다. 이것을 유연한 나무뿌리로 꿰매 막으면 틀이 완성되었다. 가문비나무는 직경이 적당할 뿐 아니라 두꺼우면서도 유연한 껍질을 가지고 있어서 틀을 만들기에 제격이었다. 이에 더해, 바닥 쪽에 나는 다수의 매우 가느다란 가지들이 햇빛이 잘 닿지 않아 금방 죽는데, 그러면 나무껍질에 자연히 작은 구멍들이 생기고 이것은 유장을 제거하는 데 안성맞춤이다. 이런 구멍은 인공적으로 뚫을 수 없다. 조금만 압력을 가해도 나무껍질이 찢어질 것이기 때문이다.

나무껍질 틀로 만든 치즈 중 흥미로운 사례 하나는 알프스 산맥 고지대 초원에서 만들어지던 지그라 치즈다. 만드는 방법은, 우선 그날 짠 우유로 커드를 만들어 커다란 나무껍질 틀에 넣는다. 틀이 다 채워지려면 며칠이나 몇 주치의 우유가 필요한데, 다 채워지면 층층이 색이 진다. 그것을 눌러서 틀 채로 등에 지고 산 아래쪽으로 내려와 추가적인 가공 작업을 한다. 짊어지고 내려오는 도중에 치즈 장인은 매우 흥미로운 냄새를 풍겼을 것이다.

그 시절에는 나무껍질이 맛 때문이라기보다 기능적인 이유 때문에 사용되었고, 슈미트에 따르면 상글레의 시작도 그랬다. 상글레는 붉고 곰팡이가 있는 연성 치즈로, 거의 액체처럼 흐른다. 치즈 숙성용 판자(치즈를 가문비나무 판자 위에 놓고 숙성시킨다) 밖으로 액체 같은 치즈가 흘러넘치는 것을 막기 위해 가문비나무 형성층으로 띠를 만들어 치즈에 둘렀다. 가문비나무 형성층은 작은 원으로 구부리기 좋아서 여기에 제격이었다. 부서지지 않고 잘 구부러져서 나무껍질 조각이 치즈에 들어가 꺼끌꺼끌하게 씹히는 것도 막을 수 있었다. 그러다 점차 사람들은 가문비나무 형성층이 치즈에 보태주는 맛과 향도 좋아하게 되었고, 곧 이것이 상글레의 트레이드마크가 되었다.

슈미트는 상글레에 있는 가문비나무 향을 좋아한다. 하지만 그가 개발한 두 종류의 치즈(베르그피히트와 횔체른 가이스)에서 그는 조금 다른 접근을 취했다. 전통적으로 형성층은 나무가 베어진 직후에 벌목공이 채취한다. 벌목공에게 이것은 부수입의 원천이다. 먼저 넓은 끌 같은 것으로 겉껍질을 긁어낸 뒤 날카롭고 각이 진 U자형 칼로 형성층을 얇게 잘라낸다. 이렇게 해서 정확한 폭의 형성층 띠를 만든다. 그리고 공방으로 가져와 형성층 띠를 적절한 길이로 자르고 공기 중에 말린다. 마지막으로, 잘 건조된 띠를 다발로 묶어 치즈 생산자에게 판매한다.

슈미트도 그에게 납품하는 사람에게(인근의 농민이자 벌목공) 동일한 과정으로 만들어달라고 했지만, 말린 형성층이 아니라 얼린 형성층을 요구했다. 얼리면 형성층 안에 있는 다양한 향이 보존되어 있다가 나중에 치즈로 스며들 수 있다. 반면 말린 형성층으로 띠를 두르면 썩은 나무

껍질을 연상시키는 향이 더해지곤 한다. 슈미트는 소젖이나 염소젖으로 치즈를 만들고 플라스틱 틀에 넣어 누른 뒤, 형성층 띠를 압력 냄비에 잠깐 삶아서 소독해 치즈를 감쌀 준비를 한다. 형성층으로 감싼 치즈는 가문비나무 판 위에 올려서 숙성실에 둔다. 숙성실 온도는 늘 약 10도가 유지되어야 한다. 여기에서 3~5주간 숙성을 하고 나면 치즈는 세상에 나갈 준비가 된다.

슈미트는 과거에는 겨울에만 상글레를 만들 수 있었다고 했다. 기온 때문일 거라고 생각했는데, 파리 때문이었다. 그 시절에는 파리를 쫓는 것이 그냥 불가능한 일이었다. 물론 이제는 연중 치즈 제조장을 운영할 수 있다. 얼린 가문비나무 형성층을 두른 치즈가 가득 들어 있는 냉장 치즈 저장고가 잘 보여주듯이 말이다.

형성층을 두른 치즈를 매년 수천 조각이나 만들지만, 여전히 그는 이 맛을 가장 좋아한다. 슈미트는 이 치즈의 상큼한 수액향이 어떻게 가문비나무에서 치즈로 스며드는지에 대해 열정적으로 설명했다. 심지어 그는 숲을 산책할 때 가문비나무 생잎을 뜯어서 씹곤 한다.

그는 아직도 모든 것을 손으로 한다. 숙성용 판을 씻는 것만 기계로 하는데, 산업용 설거지 기계는 여기 있는 것

중 제일 비싼 장비다. 네 시간 넘게 농장에서 보내고, 물론 치즈도 사고 나니, 이제 떠날 시간이 되었다.

자동차의 가장 시원할 법한 곳에 치즈를 싣고 취리히로 가기 위해 길을 나섰다. 취리히에서 대학 시절 친구를 만나기로 되어 있었다. 우리는 볼크스하우스 레스토랑에서 저녁을 먹으면서 유쾌한 시간을 보냈다. 다음 날 아침 밀라노로 출발하기 전에 취리히의 리마트강을 따라 아름다운 도시를 둘러보는 것도 빼놓지 않았다. 흰 뭉게구름, 거대한 저택들, 무성한 잎으로 초록의 아치가 만들어진 밤나무 길을 배경으로, 감탄을 자아내는 교회의 첨탑이 보였다. 내가 가장 좋아하는 레더라 초콜릿도 샀다.

자동차 한가득 스위스 초콜릿과 치즈를 채우고 밀라노를 향해 출발했다. 이번에는 길을 잘 잡아서 반드시 고트하드 터널을 피하기로 했다. 비가 올 것 같았지만 산 베르나르디노 패스(이름이 익숙하게 들린다면, 이곳이 세인트 버나드 품종 구조견의 원산지이기 때문이다. 이 개가 목에 두르고 있는 미니 나무통은 순전히 꾸며낸 것이다)[8]로 갈 작정이었고 경치도 좋을 것 같았다. 도시를 벗어나 2~3킬로미터를 갔을 무렵 장대비가 쏟아지기 시작했다. 하지만 산 베르나르디노 패스로 접어들기 위해 변화무쌍한 산악길로 들어서자 장대한 광경이 열렸다. 여전히 어두운 구름들 사이로 태양이 빛을 쏘기 시작했다. 바람이 음울해 보이는 높은 산맥 앞에 불어다놓은 흰 안개 덩어리가 햇빛에 강렬하게 빛났다.

이탈리아로 돌아와서, 나는 형성층 띠로 감싸진 치즈 두 개를 어떻게 먹는 것이 가장 좋을지 가늠해보았다. 결국, 슈미트의 제안대로 하나는 그대로 먹고 하나는 오븐에 녹여서 진한 향의 호밀 빵과 먹기로 했다. '산악 가문비나무' 치즈는 크림 같은 질감의 가운데 부분에서 형성층을 두른 가장자리 부분으로 갈수록 점점 더 수액의 향이 진해졌다. 견과류 같은 맛이 계속 유지되는 가운데, 가장자리의 강한 향은 신선한 레몬과 테레빈유를 연상시켰다. 그 다음에는 더 따뜻하고 사향 맛이 나는 '나무 염소' 치즈를 오븐에 구워서 여러 종류의 빵에 발라 먹어보았다(과연 호밀빵이 최고였다). 미식과학대학 교수님이 '말 안장 향'이라고 부르곤 하신 약한 사향 향이 태양의 열기에(이 경우에는 오븐의 열기에) 데워진 가문비나무 숲의 신선하고 상쾌한 맛과 극도로 잘 어우러졌다. 스위스 치즈가 치즈계의 진정한 록 스타에 의해 나무의 맛과 최고로 훌륭하게 조화된 경지를 보여주는 듯했다.

나무과자 실종사건

나무의 맛을 추적하면서, 뜻밖의 장소와 뜻밖의 음식에서 나무의 맛이 풍성하게 발견되는 경험을 하곤 했다. 하지만 아직 나무 맛의 성배를 발견하지 못하고 있었다. 어디를 가보고 무엇을 먹어봐도 그 성배는 내 상상 속에만 존재하는 것 같았다. 여러 나무의 잎, 껍질, 수액, 형성층, 추출액 등을 먹어보았지만 나무 자체, 그러니까 목질 자체를 아직 먹어보지 못한 것이다.

가장 근접했던 경우는 포콧의 재 요구르트를 만들기 위해 목질을 태운 재를 맛본 것이었는데, 그 이후 순수한 목질을 먹고야 말겠노라 다짐했고 이 불가능해 보이는 과업을 어떻게 달성할 수 있을지 낮이고 밤이고 고민했다.

가장 단순한 방법부터 시도해보기로 했다. 그러니까, 삶아서 익히는 것부터 말이다. 하지만 소나무를 최대한 얇게 잘라서 아무리 오래 익혀 보아도 여전히 물에 불린, 먹을 수 없는 나뭇조각이었다. 소나무가 밀도가 낮아서 특별히 고른 것이었는데도 말이다. 예전에 형성층으로 실험했을 때 매우 성공적이었던 튀김도 나뭇조각을 가지고 했을 때는 실패했고, 블로토치로 겉만 그을리고 속은 타지 않도록 시간을 잘 재가며 직화도 수차례 도전해보았지만 목질이 먹을 수 있는 상태로 바뀌지는 않았다.

그렇다면, 더 극단적인 방법을 시도해보자. 나는 새로 잘 갈은 톱으로 너도밤나무와 소나무 판자로 고운 톱밥을 만들었다. 티크 생목재 가루를 물에만 개서 먹는 다소 미심쩍은 즐거움은 이미 맛본 터라, 이번에는 좀 더 정교한 접근을 하기로 했다. 문헌을 조사하면서 '기아의 빵'에 대한 언급을 자주 보았다. 인류는 오래도록 곤궁기에 톱밥이나 나무껍질, 심지어는 짚을 섞어서 빵을 만들었다.[1] 너도밤나무 톱밥을 언급한 문헌이 있길래 이것을 첫 번째 실험 대상으로 삼았다. 두 번째인 소나무는 내 아이디어였다.

나는 집에 있는 빵 굽는 기계를 이용해 기초 요리책에 나오는 평범한 조리법대로 통밀 빵을 만들기로 했다. 통밀

가루 양의 3분의 1은 곱게 갈아 체로 거른 너도밤나무 톱밥을 대신 넣어 일반적으로 하듯이 반죽을 해서 한두 시간 정도 휴지시켰다가 구웠다. 통상적인 통밀 빵보다 약간 작고 더 밀도 있는 빵이 나왔다. 맛있는 빵 냄새가 났고 너도밤나무 톱밥이 들어 있다는 낌새는 전혀 없었다. 나는 곧바로 한 조각을 먹어보았다. 처음에는 그냥, 다음에는 버터를 발라 먹었다. 첫맛은 그냥 통밀 빵 맛이었다. 하지만 잠시 후에 약간의 씹히는 맛과 꺼끌꺼끌한 질감, 그리고 다소 퍽퍽한 느낌이 났고 서서히, 그러나 명백하게 약간 떫은 너도밤나무 맛(압착 귀리와 우유의 맛)이 나타나기 시작했다. 맛은 전혀 나쁘지 않았다.

다음은 소나무 톱밥 빵이었다. 구워지는 한 시간 동안 송진향이 부엌을 가득 채웠다. 다 익은 뒤 오븐에서 꺼냈더니 캐나다에서 어린 발삼전나무 숲을 돌아다니던 시절을 연상시키는 강렬한 향을 내뿜었다. 조금 뜯어서 맛을 보고서 나는 매우 유쾌하게 놀랐다. 약간 쌉쌀한 송진의 맛이 통밀가루의 단맛 및 전분의 맛과 완벽하게 어우러졌다. 뜻밖에 꺼끌꺼끌한 느낌도 전혀 없었다. 여기에 버터를 발랐더니 한층 더 맛있어졌다. '기아의 빵'이 이렇게 맛있을 줄은 꿈에도 몰랐다.

예상하시다시피, 나는 이 결과물에 몹시 기뻤다. 목질을 먹는 방법을 알아낸 것이다! 그리고 그것은 그렇게 끔찍하지 않고 오히려 유쾌한 경험이었다. 하지만 먹을 수 있는 빵을 만들기 위해서는 나무를 가루로 만들고 그것을 아주 많은 양의 다른 재료로 감추어야 했다. 다시 말해, 톱밥은 빵의 주 재료가 전혀 아니었다. 목질을 주 재료로 요리할 수 있는 방법은 정녕 없는 것일까?

안 그래도 우리 집에는 부엌용 소형 가전제품이 많지만 최근에 압력 냄비까지 새로 장만한지라(그것도 압력 냄비계의 메르세데스라고 불리는 독일 휘슬러사의 제품이었다), 그리고 압력 냄비로 해본 몇몇 요리의 결과가 매우 흡족했던지라, 나무 삶는 것을 업그레이드 된 방법으로 다시 시도해보기로 했다. 이번에도 목질이 비교적 연한 소나무를 택해서 32분의 1인치(약 0.08밀리미터) 두께로 썰고 물과 함께 마법의 압력 냄비에 넣었다. 비교적 균일한 고압(12프사이) 및 고온(116도 이상)의 조건에서 두 시간을 익힌 뒤, 나는 참을성 없게 증기를 배출했다. 요란한 쉬익 소리와 함께 수증기가 구름처럼 피어올라 부엌을 가득 채웠다. 하지만 아직도 끓고 있는 물에서 얇게 자른 나무를 꼬챙이로 꺼내려 해보았더니 여전히 단단했다. 씹어 보니 역시 물에 불기만 했을 뿐 먹을 수 있는 상태는 아니었다.

실망했지만 결심이 더욱 확고해져서, 나는 다른 방법을 찾기 시작했다. 유튜브에서 액화 질소(일반적으로는 기체 상태인 질소를 영하 195도로 냉각해 액화한 것. LN2라고 불린다)로 실험하는 것을 본 데서 착안해 좀 더 정교한 계획을 구상했다. LN2를 구할 수 있다는 전제 아래, 몇 가지 시도를 하나로 통합했다. 우선, 전에는 시도해보지 않았던 버드나무를 골랐다. 성공 가능성을 높이기 위해 이전에 했던 시도의 모든 부분을 차근차근 재점검해본 결과 소나무와 너도밤나무가 내가 달성하려는 목표에 이상적인 나무가 아니라는 결론에 도달했기 때문이다. 소나무는 비교적 밀도가 낮긴 하지만 가장 연한 나무는 아니고, 너도밤나무는 밀도가 매우 높기 때문에 애초부터 식용 가능성을 실험하기에는 그리 좋은 선택이 아니었다. 반면 버드나무는 조직이 아주 연하고 강가나 개울가의 습한 곳을 따라 자라는 경향이 있다. 밀도가 낮아서 가구를 만드는 데는 쓰기 어렵지만 내 실험에는 완벽한 선택이 될 터였다.

나무를 골랐으니 이제 LN2를 구해야 했다. 그런데 생각보다 간단치가 않았다. 완전히 밀봉된 수백 갤런들이 탱크가 집 앞에 배달되게 하는 데 수백 수천 달러를 쓸 생각이 아니라면 말이다. 집을 통째로 유령의 집으로 만들거나 영원히 냉동 인간이 되고 싶지는 않았기 때문에 시장에서 구매하는 방법 이외의 방법을 찾아야 했다. 그리고 실험 한 번에 70액상온스(약 2리터)만 있으면 충분하고도 남을 터였다. 다행히도 실험실에서 일하는 한 친구가 샘플 보존용으로 액체 질소를 일상적으로 사용하고 있어서 조금 얻을 수 있었다. 또한 뚜껑 달린 스티로폼 큐브도 있어서 집까지 운반하는 동안 다 기화되어 날아갈 염려도 없었다.

내 계획은 버드나무 가지를 액화 질소에 담가 영하 195도로 급속 냉각한 뒤 곧바로 끓고 있는 압력 냄비에 넣어 약 117도에서 가열하는 것이었다. 극저온과 극고온의 충격을 주면서 총 약 310도의 차이를 가하면 버드나무 섬유질의 단단한 분자 구조가 느슨해져서 먹을 수 있게 분해되리라는 것이 내 가설이었다.

나는 곧바로 실행에 옮기기로 했다. 얼마 뒤, 나는 커다랗고 흰 스티로폼 상자를 들고 빈의 거리를 조심스럽게 걷고 있었다. 약간의 질소가 새어 나와 퐁퐁 연기를 뿜는 바람에 몇몇 행인의 눈길을 끌었지만 아무도 의심스럽게 보지는 않았다. 아무도, 어느 것도 얼리지 않고 무사히 집에 돌아와서 곧바로 압력 냄비에 물을 넣고 가열을 시작했다.

버드나무 가지는 전날 집에서 멀지 않은 개울가에서 이미 모아두었다. 얇은 가지를 32분의 1인치(약 0.08밀리미터) 두께로 썰어놓았을 뿐 아니라, 실험의 성공 가능성을 한층 더 높이기 위해 나무 밑동에서 자라고 있는, 한두 달도 안 된 새 가지들도 모았다. 이것은 밀도가 심지어 더 낮아서 실험의 성공 가능성을 높여줄 것 같았다. 적어도 나는 그렇게 기대했다. 이 나무들을 전부 잼 항아리에 넣고 밤새 불렸다.

압력 냄비의 물이 끓으려는 기미가 보이자마자 액체 질소가 든 냉각기의 뚜껑을 열고 김이 빠져나오게 한 뒤 안전 장갑과 고글을 끼고 버드나무 조각을 액체 질소에 하나씩 담갔다. 상온의 물체가 닿자 액체 질소는 맹렬히 거품을 내며 증기를 뿜어냈다. 나무는 곧 영하 195도가 되었고 이제는 쉽게 부서졌다. 차가워진 나무를 하나씩 큐브에서 꺼내 펄펄 끓고 있는 압력 냄비에 넣었다. 그리고 냄비 뚜껑을 잠그고 두 시간 이상 끓게 두었다가 불을 끄고 서서히 식혔다.

냄비 뚜껑을 열면서 느낀 흥분은 여전히 물에 불린 나뭇조각에 불과한 내용물을 발견한 실망으로 곧 바뀌었다.

유일하게 흥미로운 점이라면 물빛이 강렬한 붉은색으로 변했다는 것이었다. 버드나무 가지 껍질 때문인데, 원주민들이 버드나무 가지 껍질을 천연 염료로 썼다는 내용을 문헌에서 본 적이 있었다. 아무튼, 같은 나뭇조각을 한 번 더 고문해보았지만 결과는 달라지지 않았다. 얼렸다가 안전한 온도에서 녹인 것도 마찬가지였다. 나는 낙담했다.

조리법에 대해서는 생각할 수 있는 아이디어가 모두 동났으므로 박테리아나 버섯균 같은 다른 생명체의 도움을 이용하는 방법을 생각해보기로 했다. 사실, 어찌어찌 나무를 익혀서 씹을 수 있는 상태로 만든다 쳐도 셀룰로스와 리그닌 성분은 뱃속에서 어차피 소화가 되지 않을 것이었다. 소 같은 몇몇 포유류는 소화 기관을 아주 길게 늘리고 위장에 공생하는 박테리아가 질기고 거친 섬유질을 분해하게 함으로써 이 문제를 해결했다.[2] 흰개미도 나무에서 양분을 뽑아내기 위해 박테리아와 공생 관계를 이룬다.[3] 하지만 내 위장과 창자는 너무 짧아서 소를 흉내 낼 수 없었고, 혐기성 분해 환경, 즉 나무를 먹는 박테리아가 활성화될 수 있는 환경을 인위적으로 만들 수 있을 만한 장비도 없었다. 내가 시도해볼 수 있는 유일한 방법은 일반적인 옥외의 환경에서 균류, 가령 버섯균 같은 것을 이용해 목질을 분해하는 것이었다.

사실 버섯균은 나무의 맛에 대해 조사를 하면서 자주 마주친 대상이었다. 농업 부산물이나 음식의 부산물에서 섬유질을 분해해 영양가 있는 가축 사료를 만들기 위한 것이었든,[4] 스트라디바리 바이올린의 비할 데 없는 음조를 만들기 위한 것이었든[5] 간에, 버섯균은 나무의 단단한 세포 구조를 분해해 느슨하게 여는 데 사용되는 도구였다. 침투력이 좋은 균사는 단단한 나무 전체에 속속들이 퍼질 수 있는 유일한 생명체다.[6] (계획을 했다기보다는 우연히) 이 가능성을 떠올리고 나서 식용 버섯과 약용 버섯을 재배하는 친구들을 방문했다. 그러던 중 너도밤나무 목질에서 표고버섯이 오랜 군락을 이루고 있는 것을 발견했다. 표고버섯 효모로 인해 나무의 리그닌 부분[7]이 매우 가벼운 플레이크 같은 것을 형성하고 있었다. 호기심에 조금 떼어서 먹어보았더니, 믿을 수 없게도 꽤 쉽게 씹을 수 있는 질감이었다. 맛은 생버섯 맛과 비슷했다. 고기 같기도 하고 지방질인 것 같기도 하면서 감칠맛과 마분지를 씹는 듯한 퍽퍽한 느낌도 있었다. 그러니까, 씹을 수 있는 나무를 발견하기는 했지만 맛은 버섯 맛이었다. 정확히 내가 찾고 있는 것이라고는 볼 수 없었다.

점점 실망감이 커졌다. 소나무 톱밥 빵처럼 의외의 별미를 발견하는 즐거움이 없지는 않았지만, [목질을 먹는 것과 관련해서는] 무엇을 시도해보아도 원하는 결과가 나오지 않았다.

나는 다시 한번 도서관, 서점, 인터넷에서 다른 검색어들을 넣어 검색을 해보았다. 그런데 이게 웬일, 이번에는 그리 오래 걸리지 않아서 아르헨티나에 있는 먹을 수 있는 나무에 대한 내용이 상세하게 담긴 블로그를 발견했다.[8] 믿을 수가 없었다. 야카라티아 델리카테센이라는 작은 회사가 그것을 제품으로 만들어 팔고 있기까지 했다. 나는 그곳의 웹사이트를 찾아서 인터뷰를 요청하는 이메일을 영어로 써서 보냈다.

하지만 몇 주 뒤에도 답이 오지 않았다. 아마도 영어여서 문제인 것 같았다. 웹사이트에는 전화번호도 나와 있었고, 내 스페인어는 전화 통화를 할 수 있는 정도가 못 되었지만 다행히 카르멘이 스페인어를 할 줄 알았다. 모든 실험이 막다른 골목에 부닥친 몇 주 뒤에 나는 카르멘에게 그곳에 전화를 걸어봐달라고 부탁했다. 전화벨이 한두 번 울리고 나서 그 회사 소유주인 바니나 파스쿠티가 전화를 받았다. 그는 저 멀리 오스트리아에 사는 누군가가 그들의 몹시도 지역적인 제품을 발견했다는 사실이 매우 흥미로운 것 같았다. 바니나는 그날 늦게 인터뷰를 하기로 흔쾌히 응해 주었을 뿐 아니라 휴대전화 번호까지 알려주어서 세부사항을 '왓츠업'을 통해 조율할 수 있었다. 메시지를 주고받으면서 인터뷰를 영어로 할 수 있다는 것도 알게 되었다.

그리하여 첫 통화를 한 지 한두 시간도 채 지나지 않아서 나는 바니나의 어머니 마리사 파스쿠티와 화상 인터뷰를 하게 되었다. 마리사는 그 집 식구 중 영어를 할 수 있는 사람이었다. 알고 보니, 나무 목질을 먹을 수 있게 만들자는 아이디어는 고인이 된 마리사의 남편 로베르토 파스쿠티에게서 나온 것이었다. 그는 화학 공학자이자 삼림 공학자로, 아르헨티나 북부 미시오네스 대학의 삼림과학 교수였다. 이 지역 원주민인 구아라니족 사람들과 협업해 연구를 하던 중에 구아라니족 사람들이 중간 크기의 나무(15~16미터 길이)에서 목질을 먹고 사는 벌레를 잡아먹는다는 것을 알게 되었다. 학명이 야카라티아 스피노스(Yacaratia spinsose)인 이 나무는 그가 보았던 어떤 나무와도 다른, 독특한 나무였다. 나무 줄기가 극히 연하고 자연적으로 물에 불어 있으며 베면 몇 시간 만에 분해되기 시작했다. 대학 연구실로 가져와 더 분석을 해본 결과 이 나무는 셀룰로스 함량이 매우 적어서 마치 부드러운 스펀지처럼 밀도가 낮았다. 구아라니족 사람들이 그 나무를 먹는 벌레를 먹는 것을 보고서, 그는 나무를 직접 먹을 수 있게 만들어보자고 생각했다. 말하자면, 중간 상인[벌레]을 없애보자는 것이었다.

많은 실험을 한 뒤 효과가 있는 가공법을 알아냈다. 먼저 뜨거운 물에 삶아 수액이 빠져나가게 해서 나무에서 불쾌한 냄새를 제거했다. 그리고 약한 유기산으로 가수분해 과정을 거치게 해 이미 약해진 나무 조직을 한층 더 분해했다. 그 다음에, 이제 먹을 수 있는 질감은 갖게 되었지만 아직 맛이 밋밋한 나무를 설탕 시럽에 담가서 조리했다. 추가로 레몬즙이나 그 밖의 천연 양념을 넣기도 했다. 이 놀라운 공정을 알아내고 나서, 이제는 딸이 아버지의 방법을 이어받아 초콜릿 씌운 나무 봉봉부터 설탕 절임 나무까지 다양한 야카타리아 간식을 만들고 있다.

군침 도는 묘사를 듣고 있노라니 점점 더 먹어보고 싶어졌다. 나는 마리사 파스쿠티에게 샘플을 보내줄 수 있겠냐고 물어보았다. 하지만 생각보다 훨씬 어려운 일이었다. 샘플을 받는 방법도 돈을 보낼 방법도 찾지 못한 채로 한 달이 지난 뒤, 아르헨티나에 사는 대학 시절 친구 앤지에게

도움을 청하기로 했다. 꿈인지 생신지 앤지는 바나나 부에노스아이레스에서 열릴 식품 박람회에 가서 파스쿠티에게 직접 샘플을 구매한 뒤 유럽에 일이 있어 오는 길에 나에게 부쳐주겠다고 했다. 나는 할 말을 잃었다!

몇 주 후에 앤지는 명절을 보내러 크로아티아에 와서 설탕 절임 과자가 든 유리병 두 개를 오스트리아의 우리 집으로 부쳐주었다. 우리 둘 다 길어도 닷새면 도착할 것이라고 예상했는데 일주일이 지나도 오지를 않아서 크로아티아 우체국 웹사이트에서 배송 추적을 해보았다. 이미 오스트리아로 소포가 넘어온 것 같길래 곧바로 연락을 해보았더니, 담당자가 말하길 짐 싣는 곳에서 아직 진행을 기다리고 있는 컨테이너들 중 하나에 있는 것 같다고 했다. 인력이 너무 부족해서(한꺼번에 너무 많은 직원이 명절을 쇠러 간 것이다) 그렇다며, 우편 정체가 해소될 때까지 한두 주를 더 기다려야 할 것 같다고 했다. 하지만 몇 주 뒤에 다시 전화를 했더니 미발송분을 다 처리했는데 그중에 내 것은 없었다고 했다. 아, 맙소사.

다시 크로아티아 우체국으로 연락을 했다. 분실 소포를 찾으려면 크로아티아 양식에 맞게 공문을 보내야 했다. 구글 번역기의 도움으로 어찌어찌 문서를 작성하고 이후 몇 달 동안 수없이 이메일을 보냈다. 하지만 자그레브 어딘가에서 내 소포가 사라진 것이 분명해 보였다. 그때 나는 4글자로 된 욕을 내가 독일어, 영어, 이탈리아어로 할 줄 안다는 사실을 처음 알았다.

마음을 진정시키고서 샘플 구매를 다시 시도하기까지 한 달이 족히 걸렸다. 대규모 국제 운송 회사 여러 군데에 알아보고서 드디어 아르헨티나에서 샘플을 직접 픽업해서 우리 집까지 배달해줄 수 있다는 곳을 찾아냈다. 가격은 매우 비쌌다. 파스쿠티 가족이 국제 소포 발송을 일을 처리하기가 어려울 것 같아서 염치불구하고 이번에도 앤지에게 샘플을 받아다가 운송 회사의 현지 사무실까지 가져다줄 수 있겠느냐고 부탁했다. 한동안 답신이 없었다. 그러나 답신이 왔을 때, 나는 또다시 할 말을 잃었다. 이미 한 병 더 주문했고 마침 독일에서 아르헨티나에 오는 친구가 있어서 그가 돌아갈 때 직접 가지고 가서 독일에서 내게 우편으로 부쳐주기로 했다는 것이었다.

한두 주 뒤, 그리고 내가 처음 샘플 구매를 시도하고서부터는 거의 1년이 지나서, 드디어 '콘피투라스 데 마데라' 한 병이 우리 집에 도착했다. 나무 맛의 성배가 마침내 내 손에 들어온 것이다.

어느 맑은 여름 날 아침, 나는 기대에 들뜬 채 야카라티아 나무 시식을 위한 모든 준비를 마쳤다. 접시, 다양한 주방 도구, 공책, 연필, 그리고 그 순간을 담을 사진 장비(DSLR, 조명, 플래시 등). 의례를 준비하듯 식탁에 모든 것을 늘어 놓은 뒤 갈색 유리병을 조심스럽게 열었다. 병에는 생생한 오렌지색과 붉은색 배경에 밝은 초록 잎의 야카라티아 나무가 그려진 라벨이 붙어 있었다.

유리병이 '퐁' 소리를 내며 열리자 단 향이 훅 끼쳐 왔다. 밤색 시럽이 굉장히 밝고 투명해서 그 아래에 깔린 길쭉한 모양의 나무가 보였다. 꼬챙이로 하나를 집어 들었다. 탁한 물에서 작살 낚시를 하는 것 같았다. 질감이 단단해서 놀랐다. 독일 슈프레발트의 미니 오이 피클의 완벽한 아삭함이 떠올랐다.

시럽 국물이 조금 떨어지게 두었다가 흰 접시의 중앙에 올려놓고 모양을 관찰했다. 물에 젖은 나무를 대충 톱질한 것 같은 모습이었고 눈으로 보이는 알갱이들이 있었으며 얇은 부분들은 투명해 보였다. 냄새는 예상했던 대로 술 보존제 같은 단 향이 났지만 곧 초록 껍질에서 막 벗겨낸 것 같은 마로니에 열매의 향이 뚜렷이 나타났고 아티초크 향도 살짝 감돌았다.

자, 드디어 나무를 먹어볼 시간이 왔다. 실망스러울까?

작은 조각으로 네모나게 잘라서 조심스럽게 먹어보았다. 처음에는 사각사각 씹히는 맛이 있었고 곧 섬유질 같은 느낌으로 이어졌다. 맛은 단맛이 압도적으로 두드러지다가 더 섬세한 다른 맛들이 뒤이어 나타났다. 중간 시즌의 메이플 시럽을 연상시키는 캐러멜 맛, 좋은 카리브해 럼에서 느낄 수 있었던 잘 익은 바나나 맛, 꿀에 잰 월넛 맛, 단 아티초크(그런 것이 있다면)의 맛, 구운 밤의 향 등을 느낄 수 있었고, 놀랍게도 쓴맛은 전혀 나지 않았다.

이렇게 해서, 로베르토 파스쿠티 가족의 너그러움과 내 친구 앤지의 막대한 도움에 힘입어 아마도 세계 유일의 식용 목질과 그것의 뛰어난 맛을 발견했다. 너무 기뻤다는 말로는 부족할 것이다. 실제 나무 목질의 맛, 이것은 나무의 맛을 추적하는 나의 맛 사냥에서 최고이자 궁극적인 전리품이었다.

3 맛있는 나무의 미래

나무와 친구들

나무 맛 사냥의 여정이 마무리에 다다르면서, 연구, 실험, 인터뷰, 우연을 통해 발견한 놀라운 것들을 친구들과 나누고 싶었다. 숨겨진 맛의 세계를 탐험하고 수많은 흥미로운 사람들을 만나고 숨이 멎을 듯한 풍경을 경험하고 나무의 향이 가득한 음식을 먹어보고 마지막으로 이 모든 것을 취합하고 응축해 글로 쓰는 과정 모두 너무나 재미있었다. 나무껍질의 다채롭게 싸한 맛에서부터, 바삭하면서도 쫄깃한 나무 화덕 피자가 선사한 맛의 무지개, 찻잎이 내어주는 무한하게 다양한 향, 증류주를 숙성하는 나무통에 깊이 숨겨진 여러 겹의 타닌 향, 숲속의 나무에서 추출한 향수의 복잡한 향, 우유 장기 보존의 구세주인 나뭇재, 메이플 시럽의 복합적인 단맛, 와인에 미치는 나무통 맛에 대한 현대적인 해석, 천둥의 선물인 트러플이 주는 환희, 치즈를 붙잡아주는 가문비나무 형성층의 맛, 마지막으로 놀랍게 맛있는 나무 목질까지, 때로는 경이롭게 복잡하고 때로는 충격적일 정도로 단순한 이 맛들은 나를 계속해서 놀라게 했다.

하지만 맛있는 것을 친구나 가족과 나누면서 생각과 농담을 주고받으며 좋은 시간을 보내는 것의 즐거움에는 비할 바가 못 될 것이다. 뭐니 뭐니 해도 음식은 인간 상호작용의 가장 훌륭한 촉진제다.

그래서 원고를 다 쓰고 나서 나무 요리 식전주 파티에 친구들을 초대하기로 했다. 프로젝트 마무리를 기념하는 것이기도 했지만, 반공개적인 마지막 실험의 하나이기도 했다. 내가 선보일 나무 맛에 대해 사람들의 생각이 궁금했던 것이다. 이 미지의 세계에 뛰어든 지 3년이 넘게 지났으므로 내 생각과 감각이 꼭 객관적이지는 않을 수 있다는 생각이 들었다. 이 모든 맛이 혹시 내 머릿속에만 있는 것은 아닐까? 내 미뢰가 너무 적응이 되어버려서 끔찍한 나무 맛도 모조리 맛있다고 느끼게 된 것은 아닐까?

카르멘과 함께 어떻게 하면 대표성을 가지면서도 지나

치게 실험적이지는 않은 메뉴를 정할 수 있을지 고민하다가 복잡함보다는 단순함 쪽으로 가기로 했다. 사람들을 굳이 당혹시키거나 꺼림칙하게 만들거나 가장 안 좋게는 그들에게 맛없는 것을 먹게 할 필요는 없으니 말이다.

이른 봄에 마침 개 산책로에 베어져 있던 가문비나무와 소나무에서 채집해 말려놓은 형성층이 있었다. 그것을 언제나 충실한 나의 블렌더로 곱게 가루를 냈다. 쿠키를 굽기에 딱일 것 같아서 우리는 그것을 '노르딕 식품 연구소'에서 보았던 소나무껍질 오레오 조리법대로 만들어 메뉴에 포함시키기로 했다. 노르딕 식품 연구소는 북유럽 지역의 식품 다양성을 조사하고 보존하는 비영리 기구다.[1] 약 28그램 형성층 가루에 밀가루 약 85그램, 설탕 74그램, 버터 133그램, 달걀흰자 1개, 베이킹파우더 2작은술, 그리고 약간의 소금이 들어간다. 먼저 버터, 설탕, 계란 흰자를 섞어 크림처럼 만든 뒤 마른 재료들을 넣고 반죽한다. 그러면 꽤 기름진 반죽이 된다. 한 시간 동안 냉장고에 넣어 휴지시킨 뒤 황산지 두 장 사이에 넣고 밀대로 민다. 쿠키 모양으로 자르고 약 130도로 예열된 오븐에서 딱 5분간 굽는다.

다음 메뉴는 다 자란 솔잎에 월넛, 올리브유, 파르메산 치즈, 소금을 넣고 만든 페스토였다. 페스토를 발라 먹을 것이 필요해서 곱게 가루를 낸 너도밤나무 톱밥이 한 줌 들어간 롤빵도 만들었다. 여기에 너도밤나무로 훈연한 반경성 양젖 치즈, 구운 밤, 체리나무로 훈연한 소금을 곁들여 내기로 했다.

마실 것으로는 오크 통에서 숙성한 마닌코르의 '레제르브 델라 콘테사' 화이트 와인, 너도밤나무 톱밥과 함께 숙성한 북부 독일 맥주 둑슈타인, 아삼 홍차와 녹차, 1985년산 벤리아크 스카치위스키, 코세어 '트리플 스모크' 미국 위스키, 여러 가지 나뭇재를 넣어 집에서 숙성한 호밀 위스키, 시즌 초기 메이플 시럽과 시즌 말기 메이플 시럽을 각각 넣은 레몬즙 등을 준비했다.

8월의 무덥고 천둥 치는 어느 날, 음식이 모두 마련되었고 테이블 세팅도 끝났다. 시간에 맞게 손님들도 모두 모였다. 예술계, 사회학계, 언어학계, 언론출판계, 미식계 등 다양한 분야에 종사하는 사람들이었다. 다들 더위를 좀 식히기를 기다렸다가(정말 진흙투성이에 더운 날이었다) '나무의 맛'이라는 개념에 대해 약간의 설명을 하고 이 책에 나오는 내용 일부를 소개했다. 한 명만 빼고는 모두 내가 해괴한 실험을 하고 있으며 그것으로 책을 낼 계획이라는 것을 이미 알고 있었는데도 꽤 놀란 것 같았다(당신 친구가 지난 몇 년간 나무 먹는 것을 진지하게 시도해보았다고 생각해보라).

그래도 다들 주의 깊게 관심을 기울였고 내가 차린 나무 음식들에 호기심을 보였다. 한 명만 빼고 모두 용감하게 이 희한한 음식들을 먹어보았다. 한 명은 아무래도 자기에게는 너무 낯설어 엄두가 안 난다고 했는데, 충분히 이해할 수 있는 일이다. 아마 쿠키가 가장 덜 무서운 음식이었는지 하나같이 쿠키부터 시도했다. 먹는 동안 잠시 침묵이 흐른 뒤 시식평이 나오기 시작했다. '크리스마스스럽다'거나 '가을스럽다'는 평도 있었고, 한 친구는 소나무 형성층 쿠키 맛을 겨울에 장작을 패서 집에 가져갈 때 나는 냄새와 비교하며 머릿속으로 아름다운 그림을 그리게 해주었다. 전체적으로 사람들 대부분이 그 쿠키를 좋아하는 것 같았다. 여러 번 먹는 사람도 있었다.

곧 페스토, 롤빵, 치즈, 그리고 메이플 시럽을 넣은 레모네이드를 내왔다. 대부분은 레모네이드를 마셨지만 나와 또 한 명의 친구는 너도밤나무 톱밥을 넣어 숙성한 맥주를 마셨다. 페스토는 반응이 좋았다. 씹히는 맛이 있다, 신선하다, 가문비나무 같다, 풀 맛이다 등부터 견과류 같다, 기름진데 놀랍게 감칠맛이 있다, 시지 않다 등까지 다양한 맛 표현이 등장했다. 의외로 가벼운 맛이 나는 맥주는 자몽 껍질과 맥아를 연상시켰지만 불행히도 너무 밋밋하고 희석된 느낌이었다. 과거에는 실제로 너도밤나무 통에서 숙성했지만 오늘날에는 스테인리스 스틸 통에서 아주 약간의 톱밥만 넣어 숙성한다는 점을 생각하면 이 반응은 당연하다. 전통 방식으로 만들었다면 훨씬 더 맛이 좋았을 것이다.

너도밤나무 롤빵은 모두 질감이 꺼끌꺼끌하고 퍽퍽하다고 했지만 딱히 나무 맛이 느껴지지는 않는다고 했다. 흥미로웠던 점은 먹고 남은 롤빵이 이틀이 지나서까지 여전히 굳지 않고 먹을 만하게 촉촉한 상태를 유지했다는 점이었다. 이것도 나무의 효과가 아닐까?

쿠키에 영감을 받아서 한 친구가 말린 형성층 말고 나무 향 에센스를 넣어보면 어떻겠냐고 제안했다. 이 아이디어는 향수와 요리에 대한 대화로 이어졌다. 마침 증류한 티크 목재 에센스가 있어서 좌중에 돌려가며 냄새를 맡아보았다. 나는 티크 목재와 천연고무가 비슷한 향이라고 생각했었는데, 친구들은 마구, 오래된 가구, 생철 등을 언급했다. 가장 재밌는 묘사는 '할머니'였다.

날이 너무 더워서 따뜻한 차는 건너뛰고 위스키로 넘

어갔다. 첫 번째는 1985년산 벤리아크였는데 대부분이 너무 독하다고 했다. 이날 손님들 중에는 스카치위스키 애호가가 없었다. 사실 나도 처음 마셔보았을 때는 너무 독하다고 생각했다. 미국 위스키도 오늘 손님들에게는 지나치게 독한 것 같았는데, 그래도 잠시 후에 훈연한 베이컨 향과 나무의 맛(오래된 서점의 맛)이 난다는 평가가 나왔다. 마지막으로, 내가 2년 전에 직접 숙성하기 시작한 위스키를 마실 차례였다. 하이더의 증류소에서 숙성하지 않은 호밀 백주를 받아와서 작은 병에 나눠 담은 뒤 오크, 티크, 마호가니, 오리나무로 만든 재와 함께 숙성시킨 것이었다. 1년 뒤 그것들을 일정한 비율로 섞어 맛을 보았는데, 흥미롭긴 했지만 그리 대단한 맛은 아니었다. 그래도 친구들은 이것을 좋아했다. 부드럽고 약간 달콤하며 말린 자두나 장미 향조도 느껴진다고 했다. 코냑에 비교하는 사람도 있었다.

약간 뒤로 기대어 서서 친구들이 나무 맛이 담긴 음식에 대해 이야기하는 것을 듣는 기분은 정말 특별했다. 친구들이 나무의 맛이라는 주제에 관심이 있어 보여서 너무나 기뻤다. 또 나무 맛에 대한 내 느낌이 상상의 산물만은 아니라는 것도 확인할 수 있었다. 다양한 나무 맛이 실제로 존재하며 그중에는 매우 맛있는 것도 있다고 말이다. 그 모든 실험에서 내 미뢰는 파괴되지 않았던 것이다!

음식 분야에서 일하지 않는 사람들이 긍정적인 반응을 보이면서 기꺼이 나무의 맛을 탐험해보고 혀와 코로 들어오는 감각을 처음으로 묘사하려 노력하는 것을 보는 것도 좋았다. 사실 그들은 놀라울 정도로 직관이 뛰어났고 예전의 경험에 비추어 맛을 탁월하게 묘사했다. 이 역시 맛을 묘사할 어휘가 부족하다는 데서 나오는 의외의 장점이 아닐까? 맛에 대한 어휘가 부족하기 때문에 오히려 모든 이가 더 쉽게 맛을 묘사하는 시도를 할 수 있게 된 것이 아닐까? 그랬기를 바란다. 또한 이러한 열정이 앞으로 풍성한 맛의 어휘가 생기는 데 일조할 것이다. 어쩌면 나무의 맛에 대해서까지도 말이다.

숲의 혁명

나무가 존재한 지는 3억 9000년이나 되었지만, 지금도 나무는 진화의 예술적인 손이 수십억 년 동안 형성해온 자연의 아름다움 중 가장 강렬한 현현이다.[1] 중력을 거스르면서 하늘을 향해 쭉쭉 자라는 나무들은 인간이 만든 조각품들을 모조리 능가한다. 또 나무는 태양에서만 동력을 얻는데도 땅에서 물을 끌어 올리고 정화하고 양분을 강화해서 다시 세상에 내놓는다. 나무는 우리가 내뿜는 공기를 들이마시고 여러 가지 방식으로 우리의 삶을 지탱해준다. 우리 발밑의 비옥한 땅부터 우리의 식탁에 올라오는 음식까지, 정말 많은 것이 나무의 너그러운 가지에서 나온다. 또 나무들의 공동체는 지구상에 존재하는 생물종의 3분의 2에게 서식지를 제공하고 잘못 발견되지 않도록 지켜준다.[2] 지금까지도 이미 수많은 치료제를 제공해온 나무들은, 우리가 아직 발견하지 못한 생물종의 다양성을 보전하면서 우리가 아직 알지 못하는 미래의 병충해로부터도 우리를 지켜줄 것이다.[3] 또 우리가 부주의하게 방출하는 탄소를 나무들이 바삐 흡수해주는 덕분에 숲은 빠르게 더워지는 기후의 완충 역할을 해준다. 나무는 인간이 망가뜨리고 있는 균형을 필사적으로 다시 잡아주는 균형추다. 아직 나무가 3조 그루나 있고,[4] 날로 확산되어가는 도시를 정화해주고 식혀주면서[5] 우리를 위해 열심히 싸워주고 있으니 정말 다행이다. 또 나무는 아이들의 심성을 차분하게 해주기도 한다.[6]

다행히 나무가 인간에게 지극히 중요하다는 것을 깨닫는 사람들이 점점 많아지고 있다. 나무의 내재적인 아름다움에 대해서만이 아니라 나무가 제공하는 그 모든 서비스에 대해서도 말이다. 드디어 크고 작은 투자자들이 나무의 투자 가치를 새롭게 발견하고 있으며,[7] 농업에서도 '애그로 포레스트리(agroforestry. 3차원 숲 시스템을 이용해 생산성을 크게 높인 농경 시스템)라는 개념이 서서히나마 확산되고 있다. 숲을 흉내 내 작물이 층층이 자랄 수 있게 한 것으로, 가장 높은 층에는 견과류 나무들, 중간층에는 사과나무나 블랙베리 관목, 가장 낮은 층에는 루바브, 버섯, 감자가 자라는 식으로 층층이 무언가가 생산되도록 해 산출을 높인다. 과학자들은 나무의 셀룰로스를 먹을 수 있는 전분이나 당분으로 바꾸는 실험도 하고 있다.[8] 미 항공우주국(NASA)도 화성에 유인 우주선을 보내려는 프로젝트 준비의 일환으로, 섬유질이 있는 식물성 물질, 즉 나무 같은 것을 식품이나 연료로 사용할 수 있는 방법을 연구 중이다.[9] 또 나무에서 추출한 셀룰로스는 이미 가공식품 첨가물에 많이 쓰인다.[10]

음식 분야 이외에서도 나무는 이미 화학 산업에서 중요한 기반 물질이고 미래에는 점점 더 중요해질 것이다. 자동차에 쓰이는 바이오 플라스틱, 의복, 기계 등 모든 것이 어느 정도는 나무를 사용해 만들어질 것이다.[11] 주택 단열에 화석연료 기반 물질 대신 나무껍질을 사용한다는 혁신적인 아이디어는 나무에 토대를 둔 지속 가능한 미래가 어떤 모습일지 엿보게 해준다.[12] 포플러나무의 솜털 꽃가루로 포근한 이불을 만드는 회사도 있는데, 그곳에 따르면 이것이 세계에서 가장 따뜻한 직물이라고 한다.[13] 또 기술적으로 나무의 몇몇 기능을 모방하는 방식의 혁신도 있다. 가

령, 고무나무의 자가 치유 과정을 모방함으로써 스스로 광을 내는 자동차 도료를 개발하는 식이다.[14]

얼마나 매혹적인 미래인가? 나무가 제공하는 풍성한 맛의 맥락에서도 말이다.

하지만 이것이 그저 매력적인 개념이 아니라 실제로 지속 가능한 나무 혁명이 될 수 있으려면 우리 모두가 삶의 모든 면에 나무를 포함시켜야 한다. 나무는 도시, 정원, 공원, 자연 풍경에서뿐 아니라 농업과 산업에서도 필수불가결한 것이 되어야 한다. 나무는 훨씬 더 많이, 그리고 최대한 다양하게 심어져야 한다. 어떤 거리도, 광장도, 길도, 주차장도 나무 없이는 만들지 말아야 한다. 지붕, 발코니, 파티오도 나무 심기에 좋은 장소다. 집에 화분을 두는 것도 좋다. 더 중요한 것은 농업의 상당 부분을 나무 기반의 3차원 시스템으로 바꾸는 것이다. 드론, 로봇, 센서 등을 이용하는 농업 기술이 전통적인 트랙터 수요를 이미 능가할 정도로 기술이 발달하고 있는 만큼,[15] 이러한 전환은 결코 불가능한 일이 아니다. 또한 산업계에서의 석유 수요를 지속 가능한 나무와 식물 기반 원료로 바꾸고 산업 단지들을 나무로 무성하게 채운다면 환경을 파괴하지 않는 데도 좋지만 보기에도 좋을 것이다.

나무가 우리 주위의 모든 곳에서 더 많아지고 번성해야만, 그리고 자연적인 재생 속도를 넘어서는 정도로는 사용되지 말아야만, 지속 가능하고 맛있는 나무의 미래가 올 수 있을 것이다. 그것은 우리가 지금 생각하는 시간 단위를 훨씬 넘어서는 미래일 것이고 인류에게 앞으로 수많은 세대에 걸쳐 번성할 수 있는 역량을 줄 미래일 것이다.

인간이 이 세상에 존재하기 한참 전에도 번성했던, 그리고 인간이 사라진 이후에도 한참 더 번성할 나무처럼 말이다.

감사의 말

나무의 알려지지 않은 맛과 향을 탐험하는 나의 여정에 동참해주고 그것이 세상에 나올 수 있게 해준 전(前) 덕워스 오버룩 출판사에 깊은 감사를 전한다. 또한 이 프로젝트를 믿고 이어받아서 이 책을 세상에 내놓아준 아브람스 출판사에도 감사를 전한다.

대충 톱질한 원고의 목재를 부드러운 표면을 가진 가구로 다듬는 데 믿을 수 없을 정도로 놀라운 역량을 발휘해 준 첼시 커첸스에게 감사를 전한다. 또 맷 캐스본은 토트백에 대한 간단한 질문을 일생일대의 기회로 바꾸어주었다. 게쉬 입센은 절반밖에 못 간 시점부터도 이 여정의 성공을 굳게 믿어주었다. 마지막으로, 고인이 된 페터 메이어는 매우 투박한 상태의 원고를 읽고서 더 없이 흥미롭고 생각을 일깨워주며 긍정적인 도전과 자극을 주는 토론으로 나를 이끌어주었다. 깊은 감사를 전한다. 그러한 대화는 이 책을 계속 써나가는 데뿐 아니라 더 일반적으로 작가로서의 나의 삶에도 깊은 영향을 미쳤다.

서문

1. L. Vorreiter, Holztechnologisches Handbuch, Volume 2, (Vienna and Munich： Verlag Georg Fromme 1949). 다음에 재수록됨. Materials and Corrosion 10, no. 8, (August 1959), 535-536, https：//doi.org/10.1002/maco.19590100813; Fritz Hans Schweingruber, "What is 'Wood'? - An Anatomical Redefinition," 187-191.
2. Reinhard Trendelenburg et al., Das Holz als Rohstoff, (Berlin： J. F. Lehmanns Verlag, 1939); Schweingruber, "What is 'Wood'? - An Anatomical Redefinition," Dendrochronologia 31, no. 3, (April 2013)： 187-191, https：//doi.org/10.1016/j.dendro.2013.04.003.
3. Editors of Encyclopaedia Brittanica, "Wood," Encyclopaedia Britannica, October 4, 2014, 온라인： http：//www.britannica.com/EBchecked/topic/647253/wood.
4. Peter Raven and George Johnson, Biology： Sixth Edition, (New York： McGraw Hill： 2002).
5. Stephen Langdon, Sumerian Liturgies and Psalms, (Philadelphia：

The University Museum, 1919).
6. A. C. Bhaktivedanta Swami Prabhupada, Bhagavad-Gita As It Is, (Los Angeles: The Bhaktivedanta Book Trust International, 2001).
7. Nihongi: Chronicles of Japan from the Earliest Times to A.D. 697, tran. W. G. Aston, (New York: Routledge, 2010); Genesis 8:11 (New International Version); Christopher A. Hall, Worshiping with the Church Fathers, (Illinois: IVP Academic, 2009); Quran 7:19.
8. Douglas Forrell Hulmes, "Sacred Trees of Norway and Sweden: A Friluftsliv Quest." 다음에서 발표된 논문. A 150 Year International Dialogue Conference Jubilee Celebration, North Troendelag University College, Levanger, Norway, September 2009.
9. Carl G. Jung, "On the history and interpretation of the tree symbol." 다음에 수록됨. Collected Works of C. G. Jung, Volume 13. (Princeton: Princeton University Press: 1967), 272-274.
10. Ma Velarde et al., "Health Effects of Viewing Landscapes - Landscape Types in Environmental Psychology," Urban Forestry & Urban Greening 6, no. 4, (November 2007): 199-212.
11. Sally Augustin and David Fell, "Wood as a Restorative Material in Healthcare Environments," FPP Innovations, February 2015.
12. C. Kelz et al., "Interior Wood Use in Classrooms Reduces Pupils' Stress Levels." 다음에서 발표된 논문. Proceedings of the 9th Biennial Conference on Environmental Psychology, Eindhoven Technical University, 2011; Hiromi Ohta et al., "Effects of Redecoration of a Hospital Isolation Room with Natural Material on Stress Levels of Denizens in Cold Season," International Journal of Biometeorology 52, no. 5, (May 2008): 331-340; David Fell, "Wood and Health in the Built Environment," University of British Columbia, 2010; Yuko Tsunetsugu et al., "Physiological Effects in Humans Induced by the Visual Stimulation of Room Interiors with Different Wood Quantities," Journal of Wood Science 53, no. 1, (February 2007): 11-16.
13. Qing Li, "Effect of forest bathing trips on human immune function,"

Environmental Health and Preventative Medicine 15, no. 1, (January 2010): 9-17.
14. Karl-Hermann Schmincke, "Forest Industries: crucial for overall socioeconomic development," Food and Agriculture Organization of the United Nations. 2014년 10월 7일에 접속함. http://www.fao.org/docrep/v6585e/v6585e08.htm.
15. Arun Agrawal et al., "Economic Contributions on Forests," March 20, 2013, 4. Background Paper 1 for the United Nations Forum of Forests, tenth session, April 8-19, 2013, Istanbul, Turkey.
16. "Chemical composition of alcoholic beverages, additive and contaminants," IARC Monographs on the Evaluation of Carcinogenic Risks to Humans 46, no. 1 (1989): 419.

1 나무, 열정, 맛

비버가 준 영감

1. Bruce W. Baker and Edward P. Hill, "Beaver (Castor canadensis)." 다음에 수록됨. Wild Mammals of North America: Biology, Management, and Conservation. Second Edition. ed. G. A. Feldhamer et al., (Maryland: The John Hopkins University Press, 2003), 288-310.
2. Baker and Hill, "Beaver," 288-310.
3. Baker and Hill, "Beaver," 288-310.
4. José Alvarez-Suarez et al., "The Composition and Biological Activity of Honey: A Focus on Manuka Honey," Foods, no. 3, (September 2014): 420-432.
5. "Aboriginal plant use and Technology," Australian National Botanic Gardens Education Service, (2000): 1-8; Daphne Nash, "Aboriginal plant use in southeastern Australia," Education Services, Australian

National Botanic Garden, (February 2004): 1-25; Frederick Webb Hodge, Handbook of American Indians north of Mexico, Smithsonian Institution Bureau of American Ethnology, Bulletin 30, Washington (1912); Caroline Sullivan, "Marula." 다음에 수록됨. Riches of the Forest: For Health, Life and Spirit in Africa. 다음에 제출된 보고서. Center for International Forestry Research, edited by Citalli López and Patricia Shanley, (January 2004): 13-16, http://www.jstor.org/stable/resrep02031.10; Citlalli López and Patricia Shanley, Riches of the Forest: Food, Spices, Crafts and Resins of Asia, (Indonesia: CIFOR, 2004).

6. Mahdi J., "Medicinal potential of willow: A chemical perspective of aspirin discovery," Journal of Saudi Chemical Society 14, no. 3, (July 2010): 317-322. https://doi.org/10.1016/j.jscs.2010.04.010.
7. Hodge, Handbook of American Indians north of Mexico.
8. Lars Östlund et al., "Bark-peeling, Food Stress and Tree Spirits-the Use of Pine Inner Bark for Food in Scandinavia and North America," Journal of Ethnobiology 29, no. 1, (Spring/Summer 2009): 94-112.
9. Stephen B. Sulavik, "Adirondack of Indians and Mountains 1535-1838," Purple Mountain Press Catskill Blog, http://www.catskill.net/purple/sulavik.htm.
10. Lars Östlund et al., "Bark-peeling," 94-112.
11. Hodge, Handbook of American Indians north of Mexico.
12. Lars Östlund et al., "Bark-peeling," 94-112.
13. Jayaram Chandrashekar et al., "The receptors and cells for mammalian taste," Nature 444, (November 2006): 288-294.
14. "History," Erasmus Bond, http://erasmus-bond.be/history/; Mike Paterson, "Erasmus Bond, Victorian Man of Mystery," London Historians' Blog, November 15, 2010, "https://londonhistorians.wordpress.com/2010/11/15/erasmus-bondvictorian-man-of-mystery/.
15. Kal Raustiala, "The Imperial Cocktail," Slate, August 28, 2013, http://www.slate.com/articles/health_and_science/foreigners/2013/08/gin_and_tonic_kept_the

_british_empire_healthy_the_drink_s_quinine_powder.html; Saul Jarcho, Quinine's Predecessor: Francesco Torti and the Early History of Cinchona, (Maryland: The Johns Hopkins University Press, 1993).

맛의 문제

1. Asifa Majid and Stephen C. Levinson, "The Senses in Language and Culture," The Senses and Society 6, no. 1 (2011): 5-18.
2. Ray Jackendoff, "How did Language Begin?" Linguistic Society of America, http://www.linguisticsociety.org/content/how-did-language-begin.
3. Steven Connor, "The Menagerie of the Senses," The Senses and Society 1, no. 1, (March 2006): 9-26; Viktoria von Hoffman, "The Rise of Taste and the Rhetorics of Celebration." 다음에 수록됨. Celebrations: Proceedings of the 2011 Oxford Symposium of Food & Cookery, ed. Mark McWilliams, (London: Prospect Books, 2012), 356-363; Viktoria von Hoffmann, Goûter Le Monde: Une Histoire Culturelle Du Goût À L'époque Moderne, (Paris: Peter Lang, 2013).
4. Giorgio Vasari, The Lives of the Most Excellent Painters, Sculptors, and Architects, tran. Gaston du C. de Vere, (New York: Modern Library: 2006).
5. Hoffmann, Goûter Le Monde.
6. Elihu Dwight Church and George Watson Cole, A Catalog of Books Relating to the Discovery and Early History of North and South America Forming a Part of the Library of E. D. Church, (New York: Dodd, Mead and Company: 1907), 온라인 아카이브: https://archive.org/stream/catalogueofbooks01churrich/catalogueofbooks01churrich_djvu.txt.
7. John E. Staller, Maize Cobs and Cultures: History of Zea mays L., (Berlin: Springer 2010).

8. Jennifer Meagher, "Still-Life Painting in Southern Europe, 1600-1800." 다음에 수록됨. Heilbrunn Timeline of Art History, (New York: The Metropolitan Museum of Art, 2008). 온라인: June 2008, https://www.metmuseum.org/toah/hd/sstl/hd_sstl.htm; Walter Liedtke, "Still-Life Painting in Northern Europe, 1600-1800." 다음에 수록됨. Heilbrunn Timeline of Art History, (New York: The Metropolitan Museum of Art, 2008). 온라인: October 2003, https://www.metmuseum.org/toah/hd/nstl/hd_nstl.htm.
9. Francois Pierre De La Varenne, La Varenne's Cookery: The French Cook, The French Pastry Chef, The French Confectioner, tran. Terence Scully (London: Prospect Books, 2006).
10. Hoffmann, "The Rise of Taste," 356-363.
11. De La Varenne, La Varenne's Cookery.
12. Hoffmann, "The Rise of Taste," 356-363.
13. François Massialot, The Court and Country Cook: Giving New and Plain Directions How to Order All Manner of Entertainments, tran. J. K. (London: Black Swan 1702). 원본은 영국 도서관에 소장. 2015년 4월 2일에 디지털 문서로 저장됨. https://books.google.com/books/about/The_Court_and_Country_Cook_Giving_New_an.html?id=7bhbnQEACAAJ.
14. Nicholas J. Enfield, "A Taste in Two Tongues: A Southeast Asia Study of Semantic Convergence," The Senses and Society 6, no. 1, (February 2011): 30-37.
15. Majid and Levinson, "The Senses in Language and Culture," 5-18.
16. E. E. Evans-Pritchard, "Ideophones in Zande," Sudan Notes and Records 34, no. 1, (1962): 143-146.
17. Mark Dingemanse, "Ideophones and the Aesthetics of Everyday Language in a West-African Society," The Senses and Society 6, no. 1, (2011): 77-85.
18. Majid and Levinson, "The Senses in Language and Culture," 5-18.

2 맛있는 나무

너도밤나무 피자

1. Johann Wolfgang von Goethe, Italienische Reise, (Germany: 1816), 151- 240.
2. Wikipedia contributors, "Naples," Wikipedia, The Free Encyclopedia, https://en.wikipedia.org/wiki/Naples.
3. Wikipedia contributors, "Pulcinella," Wikipedia, The Free Encyclopedia, https://en.wikipedia.org/wiki/Pulcinella.
4. Goethe, Italienische Reise, 151-240.
5. Formisano SAS, "Formisano 'legnaioli Da Tre Generazioni' Facebook Page," Facebook, https://www.facebook.com/Formisano-legnaioli-Da-Tre-Generazioni-698805890212426/.

런던에서 온 엽서

1. European commission, "Forests have long-term cooling effect during heatwaves," Science for Environment Policy News Alert, no. 220, (December 2010): 1.
2. Michael Sanderson et al., "Relationships between forests and weather." 유럽위원회에 제출된 보고서(August 2012): 1-36.
3. "Maple Tempura," Hisakuni Kousendou, http://www.hisakuni.net/process.htm.
4. Maya Hey (@heymayahey), "Sushi wrapped in persmission leaves." 인스타그램 사진. December 7, 2015, https://www.instagram.com/p/_AV8fQKxCx/?taken-by=heymayahey&hl=en.
5. "Kakinoha-zushi: Nara's Local Delicacy that is a Must-Try for Visitors!" Japan Info, February 20, 2016, http://jpninfo.com/42873.
6. W.A. Janendra M. De Costa et al., "Ecophysiology of Tea," Brazilian Journal of Plant Physiology 19, no. 4, (October 2007), http://dx.doi.

org/10.1590/S1677-04202007000400005.

7. Tim Adams, "Portrait of the perfect dealer," The Guardian, March 1, 2008, https://www.theguardian.com/artanddesign/2008/mar/02/artnews.anthonydoffay.
8. Martha J. Miller, "Firsts + Lasts: Timothy d'Offay," Ethno Traveler, August 2012, http://www.ethnotraveler.com/2012/08/firsts-lasts-timothy-doffay/.
9. "Home," Postcard Teas, www.postcardteas.com.
10. Jeff Koehler, Darjeeling: The Colorful History and Precarious Fate of the World's Greatest Tea, (New York: Bloomsbury, 2015).
11. Iris MacFarlane and Alan MacFarlane, The Empire of Tea, (New York: The Overlook Press, 2003).
12. Koehler, Darjeeling.
13. M. K. Meegahakumbura et al., "Indications for Three Independent Domestication Events for the Tea Plant (Camellia sinesis (L.) O. Kuntze) and New Insights into the Origin of Tea Germplasm in China and India Revealed by Nuclear Microsatellites," PLoS One 11, no. 5, (May 2016), https://doi.org/10.1371/journal.pon.0155369.

위스키 맛의 70퍼센트

1. Amy Hopkins, "Johnnie Walker is named most powerful drinks brand," The Spirits Business, June 3, 2014, http://www.thespiritsbusiness.com/2014/06/johnniewalker-named-most-powerful-drinks-brand/.
2. "The Johnnie Walker Story," Johnnie Walker, https://www.johnniewalker.com/en/the-world-of-johnnie-walker/the-world-of-johnnie-walker/.
3. Giles MacDonough, "Walking Tall," Cigar Aficionado, The Good Life Magazine for Men, Winter 1996, https://www.cigaraficionado.com/article/walking-tall-7582.

4. Inge Russell, Graham Stewart, and Charles Bamforth, Whisky: Technology, Production and Marketing, (Massachusetts: Academic Press, 2003).
5. "Whisky," Addicted to Pleasure, season 1, episode 4. Directed by Tim Niel. Presented by Brian Cox. BBC 1: 2012.
6. Russell et al., Whisky.
7. "Whisky," Addicted to Pleasure.
8. Russell et al., Whisky.
9. "Whisky," Addicted to Pleasure.
10. Drinks International, "The Millionaires Club: The Definitive Ranking of the World's Million-Case Spirits Brands," Agile Media Ltd., 2018.
11. Doris Reinthaler and Eva Sommer, "Obstler in Österreich," Culinary Heritage Austria. '연방 지속가능성 및 관광부'Federal Ministry for Sustainability and Tourism에 제출된 보고서. June 11, 2010, https://www.bmnt.gv.at/land/lebensmittel/trad-lebensmittel/getraenke/obstler.html.
12. "Basic Information: Whiskey-Erlebniswelt," Whiskey-Erlesbniswelt, https://www.whiskyerlebniswelt.at/MEDIA/basic%20information_english.pdf.
13. Editors of Encyclopaedia Brittanica, "Distillation" Encyclopaedia Brittanica, February 21, 2016, 온라인: https://www.britannica.com/science/distillation.

비밀 술집의 스페셜티 칵테일

1. https://www.wikiart.org/en/marc-chagall/all-works.
2. Irving Lewis Allen, The City in Slang: New York Life and Popular Speech, (New York: Oxford University Press, 1995).
3. Tom Sandham, "Forget about old single malt - give No Age Statement (NAS) whisky a try," The Telegraph, June 22, 2016,

http://www.telegraph.co.uk/food-and-drink/whisky/forget-about-old-single-malts--give-no-age-statement-nas-whisky/.
4. Murli Dharmadhikari, "Oak Wood Composition," Vineyard & Vintage View 10, no. 2, (1995): 1-4.
5. Eric Meier, "Hardwood Anatomy," The Wood Database, http://www.wood-database.com/wood-articles/hardwood-anatomy/.
6. Dharmadhikari, "Oak Wood Composition"
7. J. R. Mosedale, et al., "Variation in the composition and content of ellagitannins in the heartwood of European oaks (Quercus robur and Q petraea). A comparison of two French forests and variation with heartwood age," Ann Sci For 53, no. 1 (1966): 1005-1018.
8. E. Dambrine et al., "Present forest biodiversity patterns in France related to former Roman agriculture," Ecology 88, no. 6, (June 2007): 1430-1439, https://doi.org/10.1890/05-1314.

제노바 럼 투어

1. Björn C. G. Karlsson and Ran Friedman, "Dilution of whisky - the molecular perspective," Scientific Reports 7, no. 1. (August 2017).
2. "Company," Velier SpA, http://www.velier.it/azienda/; "Luca you are my friend, you are my brother, you are my son." 다음과의 인터뷰. Luca Gargano, DuRhum, http://durhum.com/EN/LucaGargano_en.html; "The Institute," The National Institute of Origin and Quality, http://www.inao.gouv.fr/eng/The-National-Institute-of-origin-and-quality-Institut-national-de-l-origine-et-de-la-qualite-INAO.
3. "What is a Scotch Whiskymaker?" Compass Box Scotch Whiskymaker, http://www.compassboxwhisky.com/whiskymakers/index.php#wm_link.
4. Paolo Bernardini, The Etruscans Outside Etruria, tran. Thomas Michael Hartmann, (Los Angeles: J. Paul Getty Museum: 2004).

5. Steven A. Epstein, Genoa and the Genoese, 958-1528, (North Carolina: The University of North Carolina Press: 1996).
6. Epstein, Genoa and the Genoese.
7. Editors of Encyclopaedia Brittanica, "Genoa, Italy," Encyclopaedia Brittanica, June 1, 2017, 온라인: https://www.britannica.com/place/Genoa-Italy.
8. Il Maestro della tela jeans, Galerie Canesso, 카탈로그(Parais: 2013); "'Master of Blue Jeans' Holds Key to Fashion Riddle," Independent, September 25, 2010, http://www.independent.co.uk/life-style/fashion/master-of-blue-jeans-holds-key-to-fashion-riddle-2089247.html.
9. "Production," Clairin, The Spirit of Haiti, http://www.thespiritofhaiti.com/en/production/.
10. "Homepage," Mapa Da Cachaca, http://www.mapadacachaca.com.br.
11. "Trending: Why Old-School Drinking Vinegars Are Making a Comeback Now," Plated, https://www.plated.com/morsel/trending-old-school-drinking-vinegars-making-comeback-now/.

나무에서 영혼으로

1. Henry H. Work, Wood, Whisky and Wine-A History of Barrels, (London: Reaktion Books, 2014).
2. "The chemistry behind the character of bourbon, scotch and rye," American Chemical Society, September 9, 2013. 2014년 10월 20일에 접속함. http://phys.org/news/2013-09-chemistry-character-bourbon-scotch-rye.html.
3. Commission on Genetic Resources for Food and Agriculture, "The State of the World's Forest Genetic Resources." 유엔식량농업기구(Food and Agriculture Organization of the United Nations)에 제출된 보고서(2014).

4. “The chemistry behind the character of bourbon, scotch and rye,” American Chemical Society.
5. Ellen McCrady, “The Nature of Lignin,” Alkaline Paper Advocate 4, no. 4, (November 1991).
6. Anna Ilnicka and Jerzy P. Lukaszewicz, “Discussion remarks on the role of wood and chitin constituents during carbonization,” Front. Mater. 2, no. 20, (March 2015), https://doi.org/10.3389/fmats.2015.00020.
7. “Wood and Finishes,” Glenmorangie Distillery. 다음에서 발표된 논문. International Barrel Symposium, St. Louis, Missouri, May 1997.
8. “Chemical composition of alcoholic beverages, additive and contaminants,” 419.
9. “Wood and Finishes,” Glenmorangie Distillery.

베트남 숲의 향수

1. Nirupa Chaudhari and Stephen D. Roper, “The cell biology of taste,” Journal of Cell Biology 190, no. 3, (August 2010): 285.
2. Joel Beckerman and Tyler Gray, The Sonic Boom: How Sound Transforms the Way We Think, Feel, and Buy, (New York: Houghton Mifflin Harcourt, 2014).
3. Kate Fox, “The Smell Report: An overview of facts and findings,” Social Issues Research Centre, 온라인: http://www.sirc.org/publik/smell_human.html.
4. David V. Smith and Robert F. Margolskee, “Making Sense of Taste,” Scientific American, September 1, 2006, https://www.scientificamerican.com/article/making-sense-of-taste-2006-09/.
5. Christoph Borgans, “Scent of the Wild,” Frankfurter Allgemeine Zeitung, January 1, 2015, http://www.faz.net/aktuell/stil/leib-seele/der-parfuemeur-severac-sucht-in-asien-nach-neuen-geruechen-

13309248.html. [독일어 원문을 번역함]
6. American Chemical Society, "New Perfume Fixatives," Chemical Engineering News 19, no. 20, (October 1941): 1134.
7. Glen Brechbill, Perfume Bases & Fragrance Ingredients, (New Jersey: Fragrance Books Inc, 2009).
8. Brechbill, Perfume Bases & Fragrance Ingredients.
9. Mark Barton Frank et al., "Frankincense oil derived from Boswellia carteri induces tumor cell specific cytotoxicity," BMC Complementary and Alternative Medicine 9, no. 6 (March 2009), https://doi.org/10.1186/1472-6882-9-6.
10. Jeremy Howell, "Frankincense: Could it be a cure for cancer?" BBC News, February 9, 2010, http://news.bbc.co.uk/2/hi/middle_east/8505251.stm.
11. Howell, "Frankincense."
12. Masakuzu Kashio and Dennis V. Johnson, "Monograph on benzoin (Balsamic resin from Styrax species)," Food and Agricultural Organizations of the United Nations, Regional Office for Asian and Pacific Publication 21, (2001).
13. "The Mysterious Oud Wood & Its Ancient Heritage + M. Micallef 'Three Oud' Perfume Draw," Ca Fleure Bon, March 3, 2011, http://www.cafleurebon.com/the-mysterious-oud-wood-its-ancient-heritage-m-micallef-three-oud-perfume-draw/.
14. Robert A. Blanchette et al., "Growing Aquilaria and Production of Agarwood in Hill Agro-ecosystems." 다음에 수록됨. Integrated Land Use Management in the Eastern Himalayas, ed. K. Eckman and L. Ralte, (India: Akansha Publishing House Delhi: 2015), 66-82.
15. Gerard A. Persoon, "Agarwood: the life of a wounded tree," IIAS Newsletter 45, no. 1 (Autumn 2007): 24-25.
16. Dinah Jung, The Cultural Biography of Agarwood - Perfumary in Eastern Asia and the Asian Neighbourhood," Journal of the Royal Asiatic Society 23, no. 1, (January 2013): 103-125, https://doi.org/10.1017/S1356186313000047.

17. Wikipedia contributors, "Incense Route," Wikipedia, The Free Encyclopedia, https://en.wikipedia.org/wiki/Incense_Route.
18. Persoon, "Agarwood," 24-25.
19. Huynh Van My and Ha Nguyen, "Local farmer taps into fragrant wood industry," Vietnam News, August 9, 2015, http://vietnamnews.vn/sunday/features/274326/local-farmer-taps-into-fragrant-wood-industry.html.
20. Dinah Jung, "The Value of Agarwood - Reflections Upon Its Use and History in South Yemen." Research paper, extended version of talk given at the workshop "The Use of Herbs in Yemeni Healing Practices," Halle, Germany, September 25-26, 2009.
21. Persoon, "Agarwood," 24-25.
22. Denyse J. Snelder and Rodel D. Lasco, Smallholder Tree Growing for Rural Development and Environmental Services: Lessons from Asia, Advances in Agroforestry, (New York: Springer, 2008).
23. Der Duftjäger. 영화. Bernd Girrbach and Rolf Lambert, SWR: 2009.
24. "Home," That Hungry Chef. 2018년에 업데이트됨. http://www.thathungrychef.com/.
25. "Teak," The Wood Database, http://www.wood-database.com/lumberidentification/hardwoods/teak/.

소나무를 요리하는 숲속 식당

1. Marco Biscella, "'Happy Villages' at the top on the Via del Brennero, Il Sole 24 Ore, August 17, 2015, https://www.ilsole24ore.com/art/commenti-e-idee/2015-08-17/borghi-felici-top-via-brennero-063641.shtml?uuid=ACYQ8ai. [이탈리아어 원문을 번역함].
2. "Überetscher Architectural Style," Kaltern Caldaro, http://www.kaltern.com/de/ueberetscher-baustil.html.
3. Elmar M. Lorey, "The Pharmacy in the Vineyard: The secret of the vine tears and their history as a folk remedy," Rheingau-Forum 14,

no. 1, (2005): 13-23. [독일어 원문을 번역함].
4. "Google Maps," 2018, Google, Inc., https://www.google.at/maps/@46.5169544,11.3570935,3a,75y,20.1h,78.62t/data=!3m6!1e1!3m4!1sQzzpCfTn0hK72nLmC332Rw!2e0!7i13312!8i6656!6m1!1e1.
5. Armin Torggler, "Mittelalterliche Verkehrswege," Interessantes aus Runkelstein, 003.
6. Armin Torggler, "Von Handel und hoher Diplomatie," Interessantes aus Runkelstein.
7. "Homepage," Runkelstein Castle," http://www.runkelstein.info/curiosities.asp.
8. "Larch," Woodland Investment Management Ltd., 2018년에 마지막으로 업데이트됨, http://www.woodlands.co.uk/blog/tree-identification/larch/

푸른 요구르트

1. "Civic Crowdfunding / Art," Citta di Bra, http://www.comune.bra.cn.it/index.php?option=com_content&view=article &id=62&Itemid=268. [이탈리아어 원문을 번역함].
2. "Goat Cheese Recipe with Ash," New England Cheesemaking Supply Company, http://www.cheesemaking.com/GoatWithAsh.html
3. W. Östberg, "We eat trees: tree planting and land rehabilitation in West Pokot District, Kenya. A baseline study," Uppsala: Swedish University of Agricultural Sciences, International Rural Development Centre, Working Paper 82.
4. Francesco Amato and Stefano Scarafia, "Living Food Communities: Kenya," Slow Food, YouTube video, 23:19. Posted November 25, 2011, https://www.youtube.com/watch?v=bCKmQlF9-C8.
5. Amato and Scarafia, "Living Food Communities: Kenya," 유튜브 동영상.

아삭한 피클의 비밀

1. Ruth Spitzenpfeil, "The Killer Cucumber," The New Zurich Times, August 28, 2014, https://www.nzz.ch/gesellschaft/lebensart/genuss/die-killer-gurke-1.18372447. [독일어 원문을 번역함].
2. Marin Neumann, "Sorben (Wenden): A Brandenburg Minority and its Thematization in the Classroom." 포츠담 대학 교사 교육 센터(Center for Teacher Education at the University of Potsdam)에 제출된 보고서(February 2008): 1-56; Christel Lehmann-Enders, Nicht rumgurken, sondern reinbeissen!: Das echte Spreewälder Gurkenbuch (Germany: Heimat-Verlag Lübben, 1998); "Homepage," Spreewald Lehde, http://www.spreewald-lehde.de/.
3. The Year 1500," City Lübbenau, http://www.luebbenau-spreewald.de/760.html.
4. Lehmann-Enders, Nicht rumgurken, sondern reinbeissen!
5. Jørn Gry et al., Cucurbitacins in Plant Food, (Copenhagen: Tema Nord, 2006).
6. Brian A. Nummer, "Getting Crisp Home Pickled Vegetables," Food and Nutrition, Utah State University Cooperative Extension, (August 2016): 1-2.

밀 맥주와 낙엽송

1. Die Steinerne Brücke," Stadt Regensburg, City of Regensburg, https://www.regensburg.de/rathaus/aemteruebersicht/planungs-u-baureferat/tiefbauamt/aktuelle-massnahmen/2010-2018-instandsetzung-der-steinernen-bruecke; "World Heritage Regensburg," UNESCO World Heritage Regensburg, https://www.regensburg.de/welterbe/welterbe-regensburg/geschichte.
2. "Homepage," Wurstkuchl, http://www.wurstkuchl.de.
3. "Cappuccino Stout," Lagunitas, https://lagunitas.com/beers/

cappuccinostout.
4. "Chocolate Stout," Rogue, http://buy.rogue.com/chocolate-stout/.
5. "Grapefruit Sculpin," Ballast Point Brewing Co., https://www.ballastpoint.com/beer/grapefruit-sculpin/.
6. "Strawberry Rhubarb Sour Ale," Great Divide Brewing Co., https://greatdivide.com/beers/strawberry-rhubarb/.
7. "Goose Island Maple Bacon Stout," RateBeer, https://www.ratebeer.com/beer/goose-island-maple-bacon-stout/119778/.
8. "Beer Styles Study Guide," The Brewers Association, www.craftbeer.com/beer/beer-style-guide.
9. Hans Michael Esslinger, Handbook of Brewing: Processes, Technology, Markets, (Hoboken: John Wiley & Sons, 2009).
10. "Pitching Barrels," Pilsner Urquell, http://pilsnerurquell.com/it/article/pitching-barrels.
11. William Littell Tizard, The Theory and Practice of Brewing: Illustrated, (London, 1857). 다음의 아카이브에 디지털 형태로 소장. https://archive.org/details/b28053412; Robert Scherer, Casein: Its Preparation and Technical Utilisation, tran. Charles Salter, (London: Scott, Greenwood & Son: 1906).
12. Work, Wood, Whisky and Wine.
13. "Welcome," Hopfenland Hallertau, https://www.hopfenland-hallertau.de.
14. "Schneider Weisse Tap X Mein Aventinus Barrique - Larchtree Barrel," RateBeer, https://www.ratebeer.com/beer/schneider-weisse-tap-x-mein-aventinusbarrique-larchtree-barrel/437023/.
15. "Schneider Weisse Tap X Mein Aventinus Barrique - Grand Cru Larch Barrel," Beeradvocate, "https://www.beeradvocate.com/beer/profile/72/241443/.
16. "Aventinus Barrique Larchtree," Untappd, https://untappd.com/b/weissesbrauhaus-g-schneider-sohn-aventinus-barrique-larchtree/1348827.

발사믹 식초에 붙은 번호

1. “Traditional Balsamic Vinegar of Modena,” Acetaia di Giorgio, http://www.acetaiadigiorgio.it/en/.
2. “How It Is Produced,” Balsamic Vinegar of Modena, Consorzio Balsamico, http://www.consorziobalsamico.it/balsamic-vinegar-of-modena/how-it-is-produced/?lang=en; “Excellent Quality: Grapes, Wisdom and Practice of Modena,” Consorzio Tutela, http://www.balsamicotradizionale.it/prodotto.asp. [이탈리아어 원문을 번역함]; “Rating Systems,” Balsamic Vinegar Guide, https://balsamicvinegarguide.com/rating-systems/.
3. “Consorzio Produttori Antiche Acetaie.” 다음의 팸플릿. Traditional Balsamic Vinegar of Modena P.D.O., 41-45.
4. “How It Is Produced,” Balsamic Vinegar of Modena.

슈거 문이 차오르다

1. Shannon R. McCarragher et al., “Geographic Variation of Germination, Growth, and Mortality in Sugar Maple (Acer saccharum): Common Garden and Reciprocal Dispersal Experiments,” Physical Geography 32, no 1. (2011): 1-21, https://doi.org/10.2747/0272-3646.32.1.1.
2. Jonathan Reynolds, “Will maple syrup disappear?” Canadian Geographic, October 1, 2010, https://www.canadiangeographic.ca/article/will-maple-syrup-disappear.
3. Bruce Stewart et al., “Selected Nova Scotia old-growth forests: Age, Ecology, Structure, Scoring,” Forestry Chronicle 79, no. 3, (June 2003): 632-644.
4. “History of the National Flag of Canada,” Government of Canada, July 25, 2018, http:/canada.pch.gc.ca/eng/1444133232512.
5. “Canada’s new $20 bill at centre of maple leaf flap,” CBC News,

January 18, 2013, http://www.cbc.ca/news/canada/ottawa/canada-s-new-20-bill-at-centre-of-maple-leaf-flap-1.1343767.

6. Randall B. Heiligmann et al., North American Maple Syrup Producers Manual Second Edition, (Ohio: The Ohio State University: 2006).
7. John D. Speth, "When Did Humans Learn to Boil?" PaleoAnthropology 13, no. 1. (2015): 54-67.
8. Robert H. Keller, "America's Native Sweet: Chippewa Treaties and the Right to Harvest Maple Sugar," American Indian Quarterly 13, no. 2, (Spring 1989): 117-135.
9. Alexandra Marshack, "A Lunar-Solar Year Calendar Stick from North America," American Antiquity 50, no. 1, (January 1985): 27-51.
10. Annette Chretien, "Aboriginal Maple Syrup Values Report," (Article, Wilfrid Laurier University, Canada, 2014).
11. Isabell Graf et al., "Multiscale model of a freeze-thaw process for tree sap exudation," Journal of the Royal Society Interface 12, no. 111, (October 2015); D. Cirelli et al., "Toward an improved model of maple sap exudation: the location and role of osmotic barriers in sugar maple, butternut and white birch," Tree Physiol 28, no. 12, (August 2008): 1145-1155; Timothy R. Wilmot, "Maples under pressure," Farming, The Journal of Northeast Agriculture 16, no. 1, (March 2009).
12. Timothy R. Wilmot, "The Timing of Tapping for Maple Sap Collection," Maple Syrup Digest 1, no. 1., (June 2008): 20-27.
13. Heiligmann et al., North American Maple Syrup Producers Manual Second Edition.
14. Choe Sang-Hun, "In South Korea, Drinks Are on the Maple Tree," The New York Times, March 5, 2009, https://www.nytimes.com/2009/03/06/world/asia/06maple.html.
15. Ingvar Svanberg, et al., "Uses of tree saps in northern and eastern parts of Europe," Acta Societatis Botanicorum Poloniae 81, no 4.

(2012), https://doi.org/10.5586/asbp.2012.036.
16. D. Cirelli D. "Toward an improved model of maple sap exudation."

포도와 오크의 화합

1. Wikipedia contributors, "Räter," Wikipedia, Die freie Enzyklopädie, https://de.wikipedia.org/wiki/Räter#Das_.E2.80.9ER.C3.A4tergebiet.E2.80.9C; H. L. Werneck, "Ur-und frühgeschichtliche Roggenfunde in den Ostalpen und am Ostrande des Böhmerwaldes," Der Züchter 21, no. 4-5, (April 1951): 107-108, https://doi.org/10.1007/BF00709562. [독일어 원문을 번역함. 기사: "Prehistoric and prehistoric rye finds in the Eastern Alps and on the eastern edge of the Bohemian Forest."]
2. Jean-Frederic Terral et al., "Evolution and history of grapevine (Vitis vinifera) under domestication: new morphometric perspectives to understand seed domestication syndrome and reveal origins of ancient European cultivars," Annals of Botany 105, no. 3, (March 2010): 443-455, https://doi.org/10.1093/aob/mcp298; Patrick E. McGovern, Ancient Wine: The Search for the Origins of Viniculture, (New Jersey: Princeton University Press, 2007).
3. McGovern, Ancient Wine.
4. Wikipedia contributors, "Google Trends," Wikipedia, The Free Encyclopedia, https://en.wikipedia.org/wiki/Google_Trends.
5. Google Trends, "Compare: wine taste, beer taste, cheese taste, chocolate taste, whiskey taste," https://trends.google.com/trends/explore?date=all&q=wine%20taste,beer%20taste,cheese%20taste,chocolate%20taste,whiskey%20taste.
6. Ann C. Noble, "What is the Wine Aroma Wheel?" The Official Website of the Wine Aroma Wheel, http://www.winearomawheel.com.
7. Bianca Bosker, Cork Dork: A Wine-Fueled Adventure Among the

Obsessive Sommeliers, Big Bottle Hunters, and Rogue Scientists Who Taught Me to Live for Taste, (New York: Penguin Books, 2017).
8. Adam Conover, "Adam Ruins Everything-Why Wine Snobs are Faking it," 유튜브 동영상 4분 23초. 2015년 10월 26일에 게시됨. https://www.youtube.com/watch?v=5PeKcWCC-tw.
9. "History," Manicor, http://www.manincor.com/en/history.html.
10. "Biodynamics," Manicor, http://www.manincor.com/en/biodynamics.html.
11. Emmanuelle Vaudour et al., "An overview of the recent approaches to terroir functional modelling, footprinting and zoning," SOIL 1, no. 1, (March 2015): 287-312.

트러플 사냥

1. Katie Forster, "Turn, Italy's first 'vegetarian city'," The Guardian, December 11, 2016, https://www.theguardian.com/lifeandstyle/2016/dec/11/turin-italys-first-vegetarian-city.
2. Michael Loizides et al., "Desert Truffles: the mysterious jewels of antiquity," Field Mycology 13, no.1, (January 2012): 17-21; Wikipedia contributors, "Manna," Wikipedia, The Free Encyclopedia, https://en.wikipedia.org/wiki/Manna.
3. Paul Stamets, Mycelium Running: How Mushrooms Can Help Save the World, (Berkeley, California: Ten Speed Press, 2005).
4. Aziz Türkoglu et al., "New records of truffle fungi (Basidiomycetes) from Turkey," Turkish Journal of Botany 37, no. 5, (January 2013): 970-976.
5. S.V. Kshirsagar et al., "Comparative Study of Human and Animal Hair in Relations with Diameter and Medullary Index," Indian Journal of Forensic Medicine and Pathology 2, no. 3, (July-September 2009): 105-108.
6. Catarina Henke et al., "Hartig' net formation of Tricholoma

vaccinumspruce ectomycorrhiza in hydroponic cultures," Environmental Science and Pollution Research 22, no. 24, (December 2015): 19394-19399; Thibaut Payen et al., "Truffle Phylogenomics: New Insights into Truffle Evolution and Truffle Life Cycle." 다음에 수록됨. Fungi. (Massachusetts: Academic Press: 2014), 70; Francis Martin et al., "Périgord black truffle genome uncovers evolutionary origins and mechanisms of symbiosis," Nature 464, no. 1, (April 2010): 1033-1038.

7. Lukasz Pawlik et al., "Roots, Rock, and Regolith: Biomechanical and Biochemical Weathering by Trees and its Impact on Hillslopes-A Critical Literature Review," Earth-Science Reviews 159, no. 1, (June 2016): 142-159.
8. Manuela Giovannetti et al., "At the Root of the Wood Wide Web: Self Recognition and Non-Self Incompatibility in Mycorrhizal Networks," Plant Signaling & Behavior 1, no. 1 (January/February 2006): 1-5.
9. "The Most Valuable Substances in the World by Weight," The Telegraph, May 29, 2018, http://www.telegraph.co.uk/business/2016/05/18/the-most-valuable-substances-in-the-world-by-weight/white-truffle/.
10. Wikipedia contributors, "Elfin saddle," Wikipedia, The Free Encyclopedia, https://en.wikipedia.org/wiki/Elfin_saddle.
11. Abby Rogers, "The 12 Most Expensive Foods on the Planet," Business Insider, May 8, 2012, http://www.businessinsider.com/most-expensive-foods-2012-5?IR=T#european-white-truffles-sell-for-up-to-3600-per-pound-truffle-farmers-use-dogs-to-hunt-for-the-truffles-which-grow-wild-underground-at-the-base-of-an-oak-tree-8.

나무껍질에 숨겨둔 치즈

1. "Homepage," Willi Schmid, http://www.willischmid.ch/.
2. "Disciplinary Fine Regulation," The Federal Council, Portal of the Swiss Government. 2017년 5월 7일에 업데이트됨. https://www.admin.ch/opc/de/classified-compilation/19960142/index.html. [독일어 원문을 번역함].
3. Franz Welte, "Exhausted," St. Galler Nachrichten, November 26, 2015, http://www.st-galler-nachrichten.ch/st-gallen/detail/article/ausgeschoepft-0068710/. [독일어 원문을 번역함].
4. Jacek Rokicki, Entwicklungen und Perspektiven der Schweizer Uhrenindustri, (Germany: GRIN Verlag, 2007).
5. Judy Ridgway, The Cheese Companion: A Connoisseur's Guide, (New York: Running Press: 2004).
6. Catherine Donnelly, The Oxford Companion to Cheese, (New York: Oxford University Press: 2016).
7. Barry A. Law and Adnan Y. Tamime, Technology of Cheesemaking: Second Edition, (New York: John Wiley & Sons, 2010).
8. Thomas Burmeister, "The schnapps barrel of the St. Bernard is a legend," Welt, June 7, 2014, https://www.welt.de/geschichte/article128808857/Das-Schnapsfass-der-Bernhardiner-ist-eine-Legende.html. [독일어 원문을 번역함].

나무과자 실종사건

1. Johann Heinrich Ferdinand von Autenrieth, Gründliche Anleitung zur Brotzubereitung aus Holz, 2 Aufl. 1834, 8.
2. John B. Hall and Susan Silver, "Nutrition and Feeding of the Cow-Calf Herd: Digestive System of the Cow," Virginia Cooperative Extension, Publication 400-010.
3. Samuel Chaffron and Christian von Mering, "Termites in the

woodwork," Genome Biology 8, no. 11, (November 2007): 229.
4. Gunter Pauli, The Blue Economy: 10 Years, 100 Innovations, 100 Million Jobs, (St. Paul: Paradigm Publications, 2010).
5. Marusczyk I., Da Capo, Stradivari.
6. Francis W. M. R. Schwarze, "Wood decay under the microscope," Fungal Biology Reviews 21, no. 4, (November 2007).
7. F. C. Miller, "Production of Mushrooms from Wood Waste Substrates." 다음에 수록됨. Forest Products Biotechnology, eds. Alan Bruce and John Palfreyman, (London: Taylor & Francis, 1998), 197-208.
8. "Edible Wood - A Modern Delicacy with Rustic Flair," Molecular Recipes, May 14, 2014, http://www.molecularrecipes.com/molecular-gastronomy/ediblewood-modern-delicacy-rustic-flair/.

3 맛있는 나무의 미래

나무와 친구들

1. Anna Sigrithur and Avery MacGuire, "Tree bark," Nordic Food Lab, November 24, 2015, http://nordicfoodlab.org/blog/2015/11/24/tree-bark.

숲의 혁명

1. Peter Thomas, Trees: Their Natural History, (Massachusetts: Cambridge University Press, 2000).
2. Xingli Giam, "Global biodiversity loss from tropical deforestation," Proceedings of the National Academy of Sciences of the United States of America 114, no. 23, (June 6, 2017): 5775-5777, https://

doi.org/10.1073/pnas.1706264114.

3. Karin Pollack, "Medicinal Plants: 'There is really a treasure to raise'," Der Standard, July 4, 2015, http://derstandard.at/2000018540731/Heilpflanzen-Da-isttatsaechlich-ein-Schatz-zu-heben. [독일어 원문을 번역함].
4. Thomas W. Crowther et al., "Mapping tree density at a global scale," Nature 525, no. 1, (September 2015): 201-205.
5. Patrick Barkham, "Introducing 'treeconomics': how street trees can save our cities," The Guardian, August 15, 2015, https://www.theguardian.com/cities /2015/aug/15/treeconomics-street-trees-cities-sheffield-itree?CMP=Share_iOSApp _Other.
6. Christine Tragler, "Off to the countryside, aggressive youth!" Der Standard, July 2, 2016, http://derstandard.at/2000040209678/Aggressive-Teenager-b-ins-Gruene?ref=article. [독일어 원문을 번역함].
7. Tim Gray, "Forests Are a Treasure. But Are They Good Investments?" The New York Times, January 13, 2017, https://mobile.nytimes.com/2017/01/13/business/mutfund/forests-are-a-treasure-but-are-they-good-investments.html?emc=edit_th_20170115&nl=todaysheadlines&nlid=66720088&_r=1&referer=http:/mfacebook.com.
8. Chun You et al., "Enzymatic transformation of nonfood biomass to starch," Proceedings of the National Academy of Sciences of the United States of America 110, no. 18, (April 2013): 7182-7187, https://doi.org/10.1073/pnas.1302420110.
9. Ruth Dasso Marlaire, NASA. July 30, 2009. "NASA Studies Cellulose for Food and Biofuel Production," https://www.nasa.gov/centers/ames/news/releases/2009/M09-93AR.html
10. Allison Aubrey, "From McDonald's to Organic Valley, You're Probably Eating Wood Pulp," Morning Edition, NPR, July 10, 2014, http://www.npr.org/sections/thesalt/2014/07/10/329767647/from-mcdonalds-to-organic-valley-youre-probably-eating-wood-pulp.

11. "Resource Wood," National Research Programme NRP 66, http://www.nfp66.ch/en; Rudolf Hermann, "Finland's forest industry reinvents itself," May 25, 2016, The New Zurich Times, https://www.nzz.ch/wirtschaft/wirtschaftspolitik/innovationen-aus-dem-wald-finnlands-forstindustrie-erfindet-sich-neu-ld.84529. [독일어 원문을 번역함].
12. "The Bark Visionary," Schrodinger's Cat, August 13, 2015, https://www.schroedingerskatze.at/der-rinden-visionaer/. [독일어 원문을 번역함].
13. "Pappelflaum," Pappella, http://pappella.de/pappelflaum/pappelflaum.php.
14. Diemut Klärner, "The self-healing power of plant juices," Frankfurter Allgemeine Zeitung, December 29, 2014, http://www.faz.net/aktuell/wissen/natur/bionik-die-selbstheilungskraft-der-pflanzensaefte-13337480.html. [독일어 원문을 번역함].
15. Anthony King, "EU's future cyber-farms to utilise drones, robots and sensors." 다음의 원문을 재수록. Horizon Magazine, August 24, 2017, https://phys.org/news/2017-08-eu-future-cyber-farms-utilise-drones.html.

찾아보기

ㄱ

ㄴ

ㄷ

ㄹ

ㅁ

ㅂ

ㅅ

ㅇ

ㅊ

ㅋ

ㅌ

ㅍ

ㅎ

아르투르 시자르-에를라흐 지음

Artur Cisar-Erlach

음식과 에코 투어리즘 분야에 걸쳐 활동하고 있는
숲 생태주의자이자 음식 평론가이며 목수다.
이탈리아 폴렌조에 소재한 미식과학대학에서
석사 과정을 마치고 슬로푸드 인터내셔널의
여행 핸드북 편집자로 일했다. 오스트리아의 빈과
캐나다의 노바스코샤를 오가며 생활하고 있다.

김승진 옮김

서울대학교 경제학과를 졸업하고
『동아일보』 경제부와 국제부 기자로 일했으며,
미국 시카고 대학교에서 사회학 박사 학위를 받았다.
옮긴 책으로 『나무의 말』, 『우리는 실내형 인간』,
『친절한 파시즘』, 『계몽주의 2.0』, 『그날 밤 체르노빌』,
『힘든 시대를 위한 좋은 경제학』, 『20 vs 80의 사회』,
『앨버트 허시먼』, 『예언이 끝났을 때』 등이 있다.

나무의 맛

연기부터 수액까지
뿌리부터 껍질까지
나무가 주는 맛과 향

아르투르 시자르-에를라흐 지음
김승진 옮김

초판 1쇄 인쇄 2021년 10월 30일
초판 1쇄 발행 2021년 11월 10일
ISBN 979-11-90853-19-4

발행처 도서출판 마티
출판등록 2005년 4월 13일
등록번호 제2005-22호
발행인 정희경
편집장 서성진, 전은재, 박정현
디자인 조정은

주소 서울시 마포구 잔다리로 127-1, 8층 (03997)
전화 02. 333. 3110
팩스 02. 333. 3169

이메일 matibook@naver.com
홈페이지 matibooks.com
인스타그램 matibooks
트위터 twitter.com/matibook
페이스북 facebook.com/matibooks